LA FLAMME QUI NOUS CONSUME

Ce livre est un ouvrage de fiction. Les noms, personnages, lieux et événements sont le produit de l'imagination de l'auteur ou utilisés de façon fictive. Toute ressemblance avec des faits réels, des lieux ou des personnes existants ou ayant existé serait purement fortuite.

Titre de l'édition originale : *The Fire Between High & Lo*

Photographie de couverture : © Franggy Yanez
Design de couverture : Quirky Bird

Pour la présente édition
Ouvrage dirigé par Isabelle Solal
Collection New Romance® dirigée par Hugues de Saint Vincent

Département de Hugo & Cie
34-36, rue La Pérouse
75116 - Paris
www.hugoetcie.fr

ISBN : 9782755633498
Dépôt légal : mars 2017
Imprimé en France
par Corlet Imprimeur S.A.
N° d'imprimeur : 186437

BRITTAINY C. CHERRY

NEW ROMANCE®

LA FLAMME QUI NOUS CONSUME

SÉRIE THE ELEMENTS · LIVRE 2

Roman

Traduit de l'anglais (États-Unis)
par Marie-Christine Tricottet

Hugo Roman

Du même auteur :

The Air He Breathes
Loving Mr. Daniels
Art&Soul
The Space in Between

Ce livre est dédié à tous ceux dont le feu intérieur
permet de façonner un avenir meilleur.
À ceux qui doivent savoir que leurs fautes passées
ne les définissent pas.

PROLOGUE

ALYSSA

Le garçon avec le sweat à capuche rouge me regardait fixement derrière ma caisse.

Je l'avais déjà vu, souvent, et encore pas plus tard que ce lundi matin. Tous les jours, lui et ses copains traînaient dans la ruelle derrière le supermarché où je travaillais. Je les voyais quand mon patron me demandait d'aplatir les cartons et de les jeter dehors.

Le garçon au sweat à capuche rouge était là tous les jours avec ses copains. Ils faisaient beaucoup de bruit, fumaient des cigarettes en jurant grossièrement. Il se détachait du lot parce que les autres riaient et souriaient. Lui semblait muet, un peu comme si son esprit était très loin de ce qui l'entourait. Les coins de sa bouche ne se relevaient pratiquement jamais, je me demandais s'il savait ce que sourire veut dire. Peut-être qu'il était une personne qui existait seulement, mais qui ne vivait pas.

Nos regards se croisaient parfois, et je détournais toujours les yeux.

Il m'était difficile de fixer ses yeux caramel, parce qu'ils contenaient plus de tristesse qu'ils n'auraient jamais dû pour un garçon de son âge. En dépit des cernes profonds et violacés qui les soulignaient, ainsi que de quelques rides, il n'en demeurait pas moins beau. Un beau garçon las. Aucun garçon n'aurait dû avoir l'air si épuisé tout en étant si beau. Je me disais qu'il avait vécu cent années de lutte en une seule jeunesse. À la façon dont il se tenait, les épaules courbées, le dos toujours voûté, je devinai qu'il avait traversé les pires conflits privés que ne connaissent la plupart des gens qui vivent sur cette terre.

Malgré tout, il y avait quelque chose en lui qui ne semblait pas totalement brisé.

Ses cheveux noirs, mi-longs, étaient toujours parfaitement soignés. Toujours. Parfois, il sortait un petit peigne et le passait dans ses boucles, comme faisaient les blousons noirs dans les années 1950. Il était toujours vêtu de la même façon : un T-shirt blanc uni, ou un noir, sans inscriptions, avec parfois son sweat à capuche rouge. Un jean invariablement noir, des chaussures noires avec des lacets blancs. Sans que je sache pourquoi, sa tenue, pourtant toujours simple, me donnait la chair de poule.

Je remarquai ses mains, aussi. Il jouait en permanence avec un briquet qu'il allumait et éteignait sans arrêt. Je me demandais s'il était conscient de faire ça. C'était un peu comme si la flamme qui sortait du briquet faisait partie de lui. L'air blasé, les yeux fatigués, les cheveux soignés, et un briquet à la main.

Quel nom pouvait bien convenir à un gars comme ça ?

Hunter, peut-être. Cela faisait assez voyou, ce qu'il était, je n'en doutais pas. Ou Gus. Gus le rocker. Rocky Gus. Ou Mikey, parce que cela sonnait doux, ce qui serait en totale contradiction avec son look, et cette idée me plaisait.

Mais, pour le moment, son nom n'avait aucune espèce d'importance.

Ce qui importait, c'était qu'il se tenait devant moi. Son visage était plus expressif que je l'avais jamais vu quand il était dans la ruelle. Il était rouge comme une tomate et il remuait les doigts nerveusement, debout à ma caisse au supermarché. Il avait l'air si horriblement gêné en passant et repassant sa carte d'aide alimentaire dans le lecteur qu'il en était touchant. À chaque fois, elle était refusée. *Solde insuffisant.* À chaque fois, son visage s'assombrissait. *Solde insuffisant.* Il se mordit la lèvre inférieure.

– C'est n'importe quoi, murmura-t-il.

– Je peux l'essayer sur ma caisse si vous voulez. Parfois, ces machines débloquent.

Je lui souris, mais il ne me rendit pas mon sourire. Son visage se plissa avec froideur. Les sourcils froncés, l'air agressif, il me tendit quand même sa carte. Je la fis glisser dans ma machine et je fronçai les sourcils à mon tour. *Solde insuffisant.*

– Cela dit qu'il n'y a pas assez d'argent sur la carte.

– J'avais compris, pas la peine de me faire un dessin, murmura-t-il.

Grossier personnage.

– C'est des conneries.

Il avait l'air vexé et respirait de façon saccadée.

– On l'a provisionnée hier.

C'était qui, ce « on » ? *C'est pas tes oignons, Alyssa.*

– Vous n'avez pas une autre carte ?

– Si j'avais une autre carte, vous pensez que je ne l'aurais pas essayée ? aboya-t-il, ce qui me fit sursauter.

Hunter. Il s'appelait sûrement Hunter. Hunter le méchant, le voyou. Ou Travis. J'avais lu un livre, une fois, dans lequel il y avait un Travis et c'était un très mauvais garçon. Travis était tellement mauvais que j'avais dû refermer le livre pour ne pas rougir et crier tout à la fois.

Il prit une inspiration, observa la file d'attente qui se formait derrière lui et me regarda droit dans les yeux.

– Excusez-moi, je ne voulais pas vous crier dessus.

– Ce n'est rien.

– Non, non, ce n'est pas rien. Je suis désolé. Est-ce que je peux laisser tout ce bordel là, une minute ? Le temps que j'appelle ma mère.

– Oui, bien sûr. Je vais interrompre votre compte et nous pourrons enregistrer vos articles une fois que le problème sera réglé. Pas de souci.

Il a presque souri, et moi j'ai failli perdre la tête. Je ne savais pas comment il arrivait à *presque* sourire. C'était peut-être juste un pincement des lèvres, mais quand elles s'incurvaient légèrement, il était si beau ! Je voyais bien que ce n'était pas une chose qu'il devait faire très souvent.

Lorsqu'il se mit à l'écart pour composer le numéro de sa mère, je fis tout mon possible pour écouter sa conversation. Tout en enregistrant les achats du client suivant, je tendais l'oreille et je tournais sans arrêt les yeux vers lui.

– Maman, je dis juste que j'ai l'air d'un imbécile, putain, je passe la carte et elle est tout le temps refusée.

– Je connais le code. J'ai tapé le code.

– Tu as utilisé la carte hier ? Pour quoi faire ? Qu'est-ce que tu as acheté ?

Il éloigna le téléphone tandis que sa mère lui parlait et leva les yeux avant de le rapprocher de son oreille.

– Comment ça, tu as acheté trente-deux cannettes de Coca ? Qu'est-ce qu'on va foutre de trente-deux cannettes de Coca ?

Il criait, et tout le monde dans le supermarché tourna la tête vers lui. Son regard croisa le mien et, de nouveau, il eut l'air gêné. Je souris. Il fronça les sourcils. D'une beauté déchirante. Lentement, il me tourna le dos et retourna à son appel.

– Et comment on va faire pour manger ce mois-ci ?

– Ouais, je serai payé demain, mais ça ne sera pas assez pour... non. Je ne vais pas demander de l'argent à Kellan, encore une fois... M'man, arrête de me couper la parole. Écoute-moi. Il faut que je paye le loyer. Je ne pourrai jamais...

– M'man, ferme-la, ok ? Tu as dépensé tout l'argent qu'on avait pour manger, tout ça pour acheter du Coca !

Courte pause. Mouvements désordonnés des bras, colère.

– Non et non ! Je me fous que ce soit du Diet Coke ou du Coca Zéro !

Il se passa les doigts dans les cheveux en soupirant. Il posa son téléphone par terre quelques instants, ferma les yeux et inspira profondément à plusieurs reprises. Puis il le ramassa.

– Ça va. Je vais me débrouiller. Ne t'inquiète pas, d'accord ? Je vais me débrouiller. Je raccroche. Non, je ne suis pas en colère, M'man. Ouais, je suis sûr. Je raccroche, c'est tout. Ouais, je sais. Ça ira. Je ne suis pas en colère, ok ? Excuse-moi d'avoir crié. Je suis désolé. Non, je ne t'en veux pas.

Il parlait aussi bas que possible, mais je ne pouvais pas m'empêcher d'écouter.

– Excuse-moi.

Lorsqu'il se retourna vers moi, j'avais fini avec le dernier client à ma caisse. Il haussa l'épaule gauche et se rapprocha en se frottant la nuque.

– Je ne crois pas que je vais pouvoir prendre ces trucs aujourd'hui. Désolé. Je peux aller les reposer dans les rayons. Excusez-moi. Désolé.

Il n'arrêtait pas de s'excuser. Mon estomac se serra.

– Ce n'est pas la peine. Vraiment. Je vais m'en occuper. J'ai fini de toute façon. Je vais les ranger.

Il fronça les sourcils de nouveau. J'aurais aimé qu'il arrête de faire ça.

– D'accord. Désolé.

J'aurais aimé qu'il arrête de s'excuser, aussi. Quand il s'en alla, je jetai un coup d'œil dans ses sacs. Cela me fendit le cœur de voir les articles qu'ils contenaient. Il y en avait au plus pour onze dollars, et il ne pouvait même pas les sortir. Des nouilles chinoises, des céréales, du lait, du beurre de cacahuètes et un pain – des choses que j'achetais sans même y penser.

On ne se rend pas compte de ce qu'on a tant qu'on n'a pas vu ce que les autres n'ont pas.

– Hé !

Je courus après lui dans le parking.

– Hé ! Vous avez oublié ça !

Il se retourna lentement en plissant les yeux, sans comprendre.

– Vos sacs, j'expliquai en les lui tendant. Vous avez oublié vos sacs.

– Vous risquez de vous faire virer.

– Quoi ?

– Pour avoir volé de l'épicerie.

J'hésitai un instant, un peu surprise qu'il pense tout de suite que j'avais volé cette nourriture.

– Je ne l'ai pas volée. Je l'ai payée.

Il me fixa avec perplexité.

– Pourquoi feriez-vous ça ? Vous ne me connaissez même pas.

– Je sais que vous essayez de vous occuper de votre mère.

Il se pinça l'arête du nez en secouant la tête.

– Je vous rembourserai.

– Ne vous en faites pas pour ça. Ce n'est pas important.

Il se mordit la lèvre inférieure et se passa la main sur les yeux.

– Je vous rembourserai. Mais... merci. Merci... euh...

Il posa les yeux sur ma poitrine et, l'espace d'un instant, je me sentis un peu gênée, jusqu'à ce que je comprenne qu'il cherchait à lire mon nom sur mon badge.

– Merci, Alyssa.

– De rien.

Il se retourna et reprit son chemin.

– Et vous ?

Je criai dans son dos, en hoquetant une ou deux fois... ou peut-être cinquante fois.

– Quoi moi ? demanda-t-il sans se retourner ni même arrêter de marcher.

– C'est quoi votre nom ?

Hunter ?

Gus ?

Travis ?

Mikey ?

Oui, vraiment, ça pouvait être un Mikey.

– Logan, dit-il.

Il continua à marcher, sans se retourner une seule fois. Je portai le coin de mon col à ma bouche et me mis à le mâchonner. C'était une mauvaise habitude, et ma mère me disputait toujours à cause de ça. Mais ma mère n'était pas là, et des papillons minuscules se mirent à voleter dans mon estomac.

Logan.

À la réflexion, il avait bien une tête à s'appeler Logan.

***

Quelques jours plus tard, il revint pour me rembourser. Puis il se mit à venir toutes les semaines pour acheter un pain, ou des nouilles chinoises, ou un paquet de chewing-gum. Il passait toujours à ma caisse. Un beau jour, Logan et moi, on s'est mis à bavarder pendant qu'il déposait ses achats. On s'est aperçus que son demi-frère sortait avec ma sœur et que ça faisait une éternité qu'ils étaient ensemble. Un beau jour, il a presque souri. Et même une fois, je jure qu'il a ri. On peut dire qu'on est devenus amis, au départ en échangeant quelques mots qui, peu à peu, se sont transformés en de vraies conversations.

Quand je sortais du travail, je le trouvais assis sur le trottoir du parking, à m'attendre, et nous continuions à bavarder.

On bronzait en restant ensemble au soleil. On se séparait tous les soirs sous les étoiles.

J'ai rencontré mon meilleur ami à la caisse d'un supermarché.

Et ma vie en a été changée à jamais.

PREMIÈRE PARTIE

Son âme était incandescente
et il brûlait quiconque se tenait trop près.

Elle s'approcha, sans craindre le destin
qui menaçait de les réduire en cendres.

1

LOGAN

Deux ans, sept petites amies, deux petits amis, neuf ruptures et une amitié plus tard toujours plus solide

J'avais regardé un documentaire sur les tartes. Deux heures de ma vie passées, assis devant une télé minuscule, à regarder un DVD emprunté à la bibliothèque sur l'histoire de la tarte. Il s'avérait que la tarte remontait à l'Égypte ancienne. La première tarte répertoriée avait été créée par les Romains. Ils faisaient une tarte au fromage de chèvre et au miel sur une pâte au seigle. Cela avait l'air parfaitement dégoûtant, mais je ne sais pas pourquoi, à la fin du documentaire, j'avais terriblement envie de cette fichue tarte.

Je n'étais pas trop porté sur les tartes salées, je préférais les gâteaux, mais à ce moment-là, tout ce que j'avais en tête c'était une pâte feuilletée. Et aussi, je disposais de tout ce qui était nécessaire pour remonter dans notre appartement et confectionner la tarte. La seule chose qui m'en empêchait, c'était Shay, ma nouvelle ex-petite amie à qui, depuis plusieurs heures, j'envoyais des signaux brouillés.

J'étais vraiment nul quand il s'agissait de rompre. La plupart du temps, je me contentais d'un simple texto – « Ça ne marche pas entre nous, désolé » – ou bien un coup de fil de cinq secondes, mais cette fois je ne pouvais pas faire ça, parce qu'Alyssa m'avait dit que rompre par téléphone était ce qu'on pouvait faire de pire.

Alors, j'étais allé trouver Shay en personne. Très mauvaise idée.

Shay, Shay, Shay. Je regrettais d'avoir éprouvé le besoin de coucher avec elle ce soir-là, ce que nous avions fait. Trois fois. *Après* que j'avais rompu avec elle. Mais maintenant, il était plus d'une heure du matin et...

Elle. Refusait. De partir.

Elle n'arrêtait pas de parler, en plus.

Nous étions là, debout devant mon immeuble, sous une pluie froide et battante. Je ne pensais qu'à une chose : aller dans ma chambre pour me détendre un peu. Était-ce trop demander ? Fumer un petit joint, regarder un autre documentaire et faire une tarte... ou plusieurs.

J'avais envie d'être seul. Personne n'aimait autant être seul que moi.

Une alerte sonna sur mon téléphone. Le nom d'Alyssa apparut sur l'écran avec un SMS.

Alyssa : C'est fait, cette bonne action ?

Je me souris à moi-même, je savais qu'elle parlait de ma rupture avec Shay.

Moi : Ouais.

Je regardai les trois ellipses apparaître sur l'écran en attendant sa réponse.

Alyssa : Tu n'as pas couché avec elle, au moins ?

Nouvelles ellipses.

Alyssa : Oh mon Dieu, tu as couché avec elle, c'est ça ?

Encore des ellipses.

Alyssa : SIGNAUX BROUILLÉS !

Je ne pus m'empêcher de rigoler, parce qu'elle me connaissait mieux que quiconque. Cela faisait deux ans qu'Alyssa et moi étions amis, et nous étions totalement différents l'un de l'autre. Sa sœur aînée sortait avec mon frère Kellan, et au début, Alyssa et moi étions persuadés de n'avoir rien en commun. Elle allait à l'église avec joie tandis que je fumais des joints au coin de la rue. Elle croyait en Dieu alors que je dansais avec les démons. Elle avait un avenir alors qu'on aurait dit que j'étais emmuré dans le passé.

Pourtant, nous avions certaines choses qui, quelque part, nous rapprochaient. Sa mère la tolérait à peine, ma mère me détestait. Son père était un abruti, mon père était le diable.

Quand nous nous étions rendu compte que nous avions ces petites choses en commun, nous avions commencé à passer plus de temps ensemble, et nous étions devenus chaque jour plus proches.

C'était ma meilleure amie, le soleil de mes jours merdiques.

Moi : J'ai couché avec elle une fois.

Alyssa : Deux fois.

Moi : Ouais, deux fois.

Alyssa : TROIS FOIS ?! OH, BON SANG, LOGAN !

– À qui est-ce que tu parles ? dit Shay d'un ton plaintif qui me fit lever les yeux de mon téléphone. Qui pouvait bien être plus important que cette conversation, là tout de suite ?

– Alyssa.

– Oh non. Sérieux ? Elle ne peut vraiment pas se passer de toi, hein ?

Ce n'était pas nouveau. Toutes les filles avec qui j'étais sorti depuis deux ans s'étaient montrées extrêmement jalouses de ma relation avec Alyssa.

– Je parie que tu la baises.

– Ouais, en effet.

C'était le premier mensonge. Alyssa n'était pas une fille facile, et même si elle l'était, elle ne le serait pas avec moi. Elle avait des exigences, et je n'étais pas à la hauteur. Moi aussi, j'avais des exigences pour les relations d'Alyssa, et aucun mec n'était à la hauteur de ces exigences. Elle méritait ce qu'il y avait de mieux au monde, et la plupart des gens de True Falls, Wisconsin, n'avaient que des miettes à offrir.

– Je parie que c'est à cause d'elle que tu as décidé de rompre avec moi.

– Oui, c'est ça.

C'était le deuxième mensonge. Je faisais mes propres choix, mais Alyssa me soutenait toujours, quoi que je fasse. Cependant, elle me donnait toujours son avis et elle me disait quand je faisais fausse route dans toutes mes relations amoureuses. Parfois, elle était douloureusement directe.

– N'empêche, elle ne se mettrait jamais vraiment avec toi. C'est une fille bien, elle, alors que toi, toi tu n'es qu'une sous-merde !

– Tu as raison.

Ça, c'était la première vérité. Alyssa était une fille bien, et moi, j'étais le garçon qui n'avait jamais eu la possibilité de la considérer comme sienne. Même si, parfois, je regardais ses cheveux blonds, fous, ondulés, en imaginant ce que ça ferait de la tenir contre moi et de doucement goûter à ses lèvres. Peut-être que, dans un autre monde, je lui aurais suffi. Peut-être que je n'aurais pas été bousillé depuis mon enfance et que j'aurais pu avoir une vie normale. Je serais allé à la fac et j'aurais eu une carrière, quelque chose qui me mette à mon avantage.

Alors, j'aurais pu lui demander de sortir avec moi et je l'aurais emmenée dans un restaurant chic, et je lui aurais dit de commander tout ce qu'il y avait sur la carte, parce que l'argent n'aurait pas été un problème.

J'aurais pu lui dire que ses beaux yeux bleus souriaient tout le temps, même quand elle fronçait les sourcils, et que j'adorais la façon dont elle mâchonnait tous les cols de ses T-shirts quand elle s'ennuyait ou qu'elle était nerveuse.

J'aurais pu être une personne digne d'être aimée et elle m'aurait permis de l'aimer, en plus.

Dans un autre monde, peut-être. Mais là, je n'avais que le monde d'ici et maintenant, où Alyssa était ma meilleure amie.

J'avais déjà assez de chance de l'avoir sous cette forme.

– Tu as dit que tu m'aimais !

Shay pleurait sans retenir les larmes qui roulaient sur ses joues. Depuis combien de temps est-ce qu'elle pleurait ? C'était une pleureuse professionnelle, celle-ci.

J'observais son visage en glissant les mains dans les poches de mon jean. Nom de Dieu. Elle avait une mine affreuse. Elle planait encore, depuis tout à l'heure, et son maquillage était étalé sur tout son visage.

– Je n'ai jamais dit ça, Shay.

– Si, tu l'as dit ! Plus d'une fois !

– Tu racontes n'importe quoi.

J'aurais pu chercher dans mes souvenirs pour savoir si ces mots m'avaient échappé à un moment ou à un autre, mais je savais que ce n'était pas possible. Je n'aimais pas. C'est tout juste si j'éprouvais de l'affection. Je me passai les doigts sur les tempes. Il fallait vraiment que Shay monte dans sa voiture et qu'elle s'en aille loin, très loin.

– Je ne suis pas folle, Logan ! Je sais ce que tu m'as dit !

Elle était sûre que je l'aimais. Ce qui, dans l'ensemble, était plutôt triste.

– Tu l'as dit tout à l'heure ! Tu te rappelles ? Tu as dit que tu m'aimais, putain !

Tout à l'heure ?

Oh, merde !

– Shay, j'ai dit que j'aimais te baiser. Pas que je *t'aimais.*

– C'est pareil.

– Pas du tout, tu peux me croire.

Elle balança son sac dans ma direction et je n'évitai pas le coup. Pour être franc, je le méritais. Elle recommença, et je pris le coup encore une fois. Quand elle le balança une troisième fois, je l'attrapai et tirai dessus pour l'attirer – et elle avec – vers moi. Ma main atterrit sur ses reins qu'elle cambra à mon contact. Je serrai son corps contre le mien. Elle respirait fort et des larmes continuaient à rouler sur ses joues.

– Ne pleure pas, je murmurai en faisant assaut de mon charme pour essayer de la faire partir. Tu es trop belle pour pleurer.

– Tu es un vrai connard, Logan.

– Et c'est bien pour ça que tu ne devrais pas sortir avec moi.

– Cela fait trois heures qu'on a rompu, et tu es devenu quelqu'un de complètement différent.

– C'est drôle, parce que la dernière fois que j'ai vérifié, c'était toi qui avais changé quand tu es sortie avec Nick.

– Oh, arrête avec ça. C'était une erreur. On n'a même pas couché. Tu es le seul garçon avec qui j'ai couché depuis six mois.

– Heu, ça fait huit mois qu'on sort ensemble.

– T'es prof de maths ou quoi ? Qu'est-ce que ça peut faire ?

Depuis deux ans, Shay était la première fille avec qui j'étais resté aussi longtemps. La plupart du temps, c'était un mois max, mais avec Shay on avait tenu huit mois et deux jours. Je ne savais pas très bien pourquoi, si ce n'est que sa vie était la réplique exacte de la mienne. Sa mère était loin d'être stable et son père était en prison. Elle n'avait personne qu'elle pouvait regarder avec respect, et sa mère avait flanqué sa sœur à la porte parce qu'elle s'était fait foutre en cloque par un connard.

Peut-être que mon côté obscur avait reconnu et rendu hommage au sien pendant un petit moment. On allait bien ensemble. Mais, avec le temps, je m'étais rendu compte que c'était justement à cause de ces ressemblances que ça ne pouvait pas vraiment coller entre nous. On était trop déglingués tous les deux. Être avec Shay, c'était comme regarder dans un miroir qui me renvoyait l'image de toutes mes cicatrices.

– Shay, on arrête, maintenant. Je suis fatigué.

– Ok. J'avais oublié. Toi, tu es monsieur Parfait. Ça peut arriver qu'on prenne les mauvaises décisions, expliqua-t-elle.

– Tu as flirté avec mon pote, Shay.

– Ce n'était que ça: un flirt! Et je l'ai fait parce que tu m'avais trompée, c'est tout.

– Je ne sais pas quoi répondre à ça, vu que je ne t'ai jamais trompée.

– Peut-être pas au sens sexuel, mais émotionnellement, Logan. Tu n'étais jamais vraiment là ni impliqué. Tout ça, c'est de la faute d'Alyssa. C'est à cause d'elle que tu ne t'es jamais vraiment engagé avec moi. C'est vraiment une sale gar...

Je lui plaquai la main sur la bouche pour l'empêcher de finir sa phrase.

– Arrête tout de suite, avant d'aller trop loin.

Je baissai la main et elle garda le silence.

– Je ne t'ai jamais caché qui j'étais. Tu n'as qu'à t'en prendre à toi-même si tu as cru que tu pourrais me changer.

– Tu ne seras jamais heureux avec personne, tu sais ça? Parce que tu es trop accro à une fille que tu n'auras jamais. Tu finiras seul, triste et amer. Et c'est là que tu comprendras ce que tu as perdu en me quittant!

– Tu ne voudrais pas te barrer?

Je soupirai en me passant la main sur le visage. J'en voulais à Alyssa.

« *Romps avec elle en personne, Lo. C'est la seule façon de faire pour un vrai mec. Ça ne se fait pas de rompre par téléphone.* »

Elle avait des idées à la con, parfois.

Shay continuait de pleurer.

Bon Dieu, ces larmes.

Je ne pouvais pas supporter les larmes.

Après quelques reniflements supplémentaires, elle baissa les yeux puis releva la tête avec un renouveau d'assurance.

– Je crois qu'on devrait rompre.

Je sursautai.

– Rompre ?

On venait juste de le faire !

– Je n'ai pas l'impression que nous allions dans la même direction, toi et moi.

– D'accord.

Elle posa les doigts sur mes lèvres pour me faire taire, même si je ne parlais pas.

– Ne sois pas triste. Je suis désolée, Logan. Mais je crois que ça ne peut pas coller entre nous.

Je ricanai intérieurement. Elle faisait comme si c'était son idée de rompre. Je reculai d'un pas en mettant les mains sur ma nuque.

– Tu as raison. Tu es trop bien pour moi.

Qu'est-ce que tu fous encore là ?

Elle vint vers moi et effleura mes lèvres du bout des doigts.

– Tu trouveras quelqu'un de bien. J'en suis sûre. Je veux dire, bien sûr elle sera peut-être moche comme un pou, mais quand même.

Elle courut jusqu'à sa voiture, ouvrit la portière et passa derrière le volant. Quand sa voiture démarra, mon estomac se noua et je fus saisi de regrets. Je piquai un sprint sous la pluie en criant son nom.

– Shay ! Shay !

En lui faisant des signes dans l'obscurité, je courus derrière elle pendant au moins cinq blocs avant qu'elle n'arrive à un feu rouge. Lorsque je tambourinai sur sa vitre, elle hurla de terreur.

– Logan ! Qu'est-ce que tu fous, bon sang ? cria-t-elle en descendant sa vitre.

Sa surprise se changea en un sourire empreint de fierté et elle plissa les yeux.

– Tu veux qu'on se remette ensemble, c'est ça ? J'en étais sûre.

– Je...

Je soufflais. Je n'avais rien d'un athlète, ça c'était plutôt le rayon de mon frère. J'essayai de reprendre mon souffle en m'appuyant des deux mains sur le rebord de sa vitre.

– Je... J'ai... be... besoin...

– Tu as besoin de quoi ? De quoi, Bébé ? De quoi as-tu besoin ?

Elle passa la main doucement sur ma joue.

– La tarte.

Elle recula sur son siège, perplexe.

– Quoi ?

– La tarte. Les ingrédients pour la tarte que nous avons achetés tout à l'heure. Ils sont sur le siège arrière de ta voiture.

– C'est pas vrai, tu te fous de moi ! Tu m'as couru après pendant cinq pâtés de maisons pour récupérer des ingrédients pour faire une tarte ?

Je haussai un sourcil.

– Heu... ouais ?

Elle tendit le bras vers le siège arrière, saisit vivement le sac et me le flanqua contre la poitrine.

– Non mais, j'y crois pas ! Tiens, les voilà tes trucs de merde !

Je souris.

– Merci.

Sa voiture démarra en trombe et je ne pus m'empêcher de rire quand je l'entendis crier :

– Tu me dois vingt dollars pour ce fromage de chèvre !

Dès que je mis le pied dans mon appart, je sortis mon téléphone pour envoyer un texto.

Moi : La prochaine fois que je romps, ce sera par SMS.

Alyssa : À ce point-là ?

Moi : Horrible.

Alyssa : Je suis triste pour elle. Elle avait vraiment de l'affection pour toi.

Moi : Elle m'a trompé !

Alyssa : Malgré tout, tu as trouvé le moyen de coucher avec elle trois fois aujourd'hui.

Moi : Tu es de quel côté ?

Ellipses.

Alyssa : C'est un vrai monstre ! Je suis ravie qu'elle soit sortie de ta vie. Personne ne mérite de sortir avec quelqu'un d'aussi perturbé. Elle est écœurante. J'espère qu'elle marchera accidentellement sur des blocs Lego tout le reste de sa vie.

Ça, c'était la réaction que j'attendais.

Alyssa : Je t'aime, mon meilleur ami.

En lisant ces mots, je m'efforçai de ne pas faire attention au tiraillement dans ma poitrine. *Je t'aime.* Je n'avais jamais dit ça à personne, même pas à ma mère ou à Kellan. Mais parfois, quand Alyssa Marie Walters disait qu'elle m'aimait, j'aurais aimé pouvoir lui dire la même chose.

Mais je n'aimais pas.

C'est tout juste si j'éprouvais de l'affection.

En tout cas, c'était le mensonge que je me répétais quotidiennement pour éviter de souffrir. La plupart des gens voyaient l'amour comme une récompense, mais moi je savais ce qu'il en était. J'avais vu ma mère aimer mon père pendant des années, et rien de bon n'en était jamais sorti. L'amour n'est pas une bénédiction, c'est une malédiction, et une fois que vous l'avez laissé entrer dans votre cœur, il n'y laisse que des marques de brûlures.

2

ALYSSA

Moi: Salut, Papa. Juste pour vérifier que tu viens bien au récital de piano.

Moi: Hello ! Tu as reçu mon dernier texto ?

Moi: Coucou, c'est encore moi. C'est juste pour savoir si tu vas bien. On s'inquiète, Erika et moi.

Moi: Papa ?

Moi: ??

Moi: Tu ne dors pas, Lo ?

Je regardai fixement mon téléphone, le cœur battant en envoyant le SMS à Logan. Je regardai l'heure en poussant un gros soupir.

Deux heures trente-trois.

J'aurais dû dormir, mais je pensais à mon père. Je lui avais envoyé quinze textos en deux jours, laissé dix messages sur sa boîte vocale, et je n'avais toujours pas reçu de réponse.

Je respirai profondément, mon téléphone posé sur ma poitrine. Quand il se mit à vibrer, je répondis aussitôt.

Je murmurai dans le téléphone, me réjouissant secrètement qu'il ait répondu :

– Tu devrais dormir. Pourquoi est-ce que tu ne dors pas ?

– Qu'est-ce qui ne va pas ? demanda Logan sans répondre à ma question.

Un petit gloussement s'échappa de mes lèvres.

– Qu'est-ce qui te fait penser que quelque chose ne va pas ?

– Alyssa, dit-il d'un ton sévère.

– Peau-de-Fesse ne m'a pas rappelée. Je l'ai appelé au moins vingt fois cette semaine, et il ne m'a pas rappelée.

Peau-de-Fesse, c'est le doux nom que nous avions donné à mon père quand il nous avait laissés tomber, moi et ma famille. Lui et moi avions été extrêmement proches, les deux musiciens de la famille, et quand il nous a quittés, une partie de moi s'est envolée avec lui. Je ne parlais pas souvent de lui, mais je n'avais pas besoin de le faire, Logan savait toujours que cela me posait problème.

– Oublie-le. C'est une ordure.

– Le récital d'été de piano, le plus important de ma carrière, est pour bientôt, et je ne sais pas si je vais y arriver s'il n'est pas là.

Je faisais tout mon possible pour canaliser mes émotions. Je faisais tout ce que je pouvais pour ne pas pleurer, mais ce soir-là je sentais que j'allais perdre la partie. Ma mère et Erika n'étaient pas aussi inquiètes que moi. Peut-être parce qu'elles n'avaient jamais vraiment compris qui il était, comme artiste et comme interprète. Toutes les deux, elles avaient un esprit pragmatique qui allait de pair avec une grande stabilité – papa et moi, nous étions des sortes d'esprits vagabonds, nous dansions dans les flammes.

Mais depuis quelque temps, il n'avait pas appelé. Et j'étais très, très inquiète.

– Alyssa...

– Lo...

Ma voix tremblait légèrement.

Il m'entendait renifler dans le téléphone. Je me redressai.

– Quand j'étais petite, je flippais vraiment quand il y avait de l'orage. Je courais dans la chambre de mes parents en les suppliant de me laisser dormir avec eux. Ma mère refusait toujours, parce qu'elle disait que je devais apprendre que je n'avais rien à craindre de l'orage. Peau-de-Fesse ne la contredisait jamais. Alors, je retournais dans ma chambre, je me roulais en boule sous mes couvertures, j'écoutais le tonnerre et je faisais tout ce que je pouvais pour ne pas voir les éclairs. Au bout d'une minute, la porte de ma chambre s'ouvrait, il avait son clavier dans les mains et il jouait à côté de mon lit jusqu'à ce que je m'endorme. La plupart du temps, je suis forte. Je vais bien. Mais ce soir, avec l'orage, et tous ces appels sans réponse... il me démolit ce soir.

– Ne le laisse pas faire, Alyssa. Ne le laisse pas gagner.

– J'ai juste...

Je craquai et fondis en larmes dans le téléphone.

– J'ai juste un coup de blues, c'est tout.

– Je viens.

– Quoi ? Non, il est tard.

– J'arrive.

– Il est plus de deux heures, Logan. Il n'y a plus de bus. Et puis ma mère a fermé la grille et la porte d'entrée à clé. Tu ne pourrais pas entrer, de toute manière. Ça va aller.

Ma mère était une avocate réputée et elle avait de l'argent, beaucoup d'argent. Nous habitions sur les hauteurs, avec une énorme grille qui faisait tout le tour de la propriété. C'était pratiquement impossible d'entrer une fois qu'elle avait fermé à clé pour la nuit.

– Ça va aller, je te le promets. Je voulais juste entendre ta voix et que tu me rappelles que je me porte mieux sans lui.

– Parce que c'est vrai.

– Ouais.

– Non, Alyssa. Vraiment. Tu es meilleure que Peau-de-Fesse.

Je me mis à sangloter de plus belle et je dus me couvrir la bouche de la main pour qu'il ne m'entende pas pleurer aussi fort. Mon corps était secoué de sanglots dans mon lit, et j'étais effondrée, mes larmes coulaient sur mon oreiller et les pensées qui tournaient dans ma tête ne faisaient qu'augmenter mon inquiétude.

Et si quelque chose lui était arrivé ? Et s'il s'était remis à boire ? Et si...

– Je viens.

– Non.

– Alyssa, s'il te plaît.

On aurait dit qu'il me suppliait.

– Tu es défoncé ?

Il hésita, ce qui équivalait à une réponse pour moi. Je savais toujours quand il avait fumé, surtout parce qu'il était presque toujours stone. Il savait que cela m'ennuyait, mais il disait qu'il était comme le hamster dans sa roue, incapable de changer ses habitudes. Nous étions si différents à bien des égards. Je n'avais pas fait grand-chose. En gros, j'allais travailler, je jouais du piano et je traînais avec Logan. Il avait expérimenté beaucoup plus de choses que ce que j'aurais pu imaginer. Il prenait des drogues dont je ne connaissais même pas le nom. Il se perdait presque toutes les semaines, en général après avoir croisé son père ou s'être occupé de sa mère, mais je ne sais comment, il retrouvait toujours son chemin jusqu'à moi.

Je m'efforçais de faire comme si cela m'était égal, mais parfois cela m'embêtait.

– Bonne nuit, mon meilleur ami, je dis doucement.

– Bonne nuit, ma meilleure amie, me répondit-il en soupirant.

***

Il avait les mains dans le dos et il était trempé de la tête aux pieds. Ses cheveux bruns qui ondulaient naturellement étaient tout collés sur sa tête, et des mèches lui tombaient dans les yeux. Il portait son sweat à capuche rouge préféré, et son jean noir avait plus d'accrocs qu'on pouvait imaginer. Et pour couronner le tout, un sourire niais s'étalait sur son visage.

– Logan, il est trois heures et demie du matin, je murmurai en espérant ne pas réveiller ma mère.

– Tu pleurais, dit-il, debout devant la porte d'entrée, et l'orage ne s'arrêtait pas.

– Tu es venu à pied ?

Il éternua.

– Ce n'est pas si loin que ça.

– Tu as escaladé la grille ?

Il se tourna un peu pour me montrer un accroc dans son jean.

– J'ai escaladé la grille, et en plus...

Il passa les mains devant lui, me présentant un plat à tarte recouvert de papier d'alu.

– Je t'ai fait une tarte.

– Tu as fait une tarte ?

– J'avais regardé un documentaire sur la tarte un peu plus tôt dans la journée. Tu savais que la tarte existe depuis l'Égypte ancienne ? La première tarte répertoriée a été inventée par les Romains, et c'était une pâte au seigle...

– La tarte au fromage de chèvre et au miel ?

Il resta bouche bée.

– Comment tu le sais ?

– Tu m'en as parlé hier.

Il prit l'air gêné.

– Oh, je vois.

Je me mis à rire.

– Tu es défoncé.

Il ricana en hochant la tête.

– Je suis défoncé.

Je souris.

– Il faut trois quarts d'heure pour venir à pied de chez toi jusqu'ici, Logan. Tu n'aurais pas dû faire ça. Et tu trembles de froid. Entre.

Je l'attrapai par la manche de son sweat dégoulinant et le tirai tout le long du couloir jusqu'à la salle de bains attenante à ma chambre. Je fermai la porte derrière moi et le fis asseoir sur le couvercle du siège des toilettes.

– Enlève ton sweat et ton T-shirt.

Il sourit d'un air espiègle.

– Tu ne m'offres pas un verre d'abord ?

– Logan Francis Silverstone, ne sois pas chelou.

– Alyssa Marie Walters, je suis toujours chelou. C'est ce qui te plaît chez moi.

Il n'avait pas tort.

Il lança son sweat et son T-shirt dans la baignoire.

Mes yeux se baladèrent sur son torse une seconde et je fis mon possible pour ignorer les papillons dans mon estomac tandis que je l'enveloppais dans trois serviettes de toilette.

– Qu'est-ce qui t'as pris de faire ça, bon sang ?

Ses yeux couleur caramel étaient tendres, et il se pencha vers moi en me regardant droit dans les yeux.

– Tu vas bien ?

– Ça va.

Je lui passai les doigts dans les cheveux, ils étaient glacés et doux. Il observait le moindre de mes gestes. Je saisis une petite serviette, m'agenouillai devant lui et en secouant la tête, j'entrepris de lui sécher les cheveux.

– Tu aurais dû rester chez toi.

– Tu as les yeux rouges.

Je ricanai.

– Toi aussi.

Un coup de tonnerre éclata, et je fis un bond. Logan me posa une main rassurante sur le bras, et un petit hoquet s'échappa de mes lèvres. Je ne pus m'empêcher de regarder ses doigts sur moi, et son regard se fixa au même endroit. En m'éclaircissant la voix, je fis un pas en arrière.

– Alors, on la mange maintenant cette tarte, oui ou non ?

– On la mange maintenant.

Nous nous dirigeâmes vers la cuisine, en silence pour ne pas réveiller ma mère, mais j'étais sûre que ça ne risquait pas avec la quantité de somnifères qu'elle avalait tous les soirs. Logan s'assit d'un bond sur le plan de travail, torse nu, avec son jean trempé, en tenant sa tarte à la main.

– Des assiettes ?

– Une fourchette, ça ira.

J'attapai une fourchette et je m'assis sur le plan de travail à côté de lui. Il me prit la fourchette des mains et la piqua dans un gros morceau de tarte qu'il me tendit. Je le mis dans ma bouche, fermai les yeux et me pâmai.

Purée.

C'était un as de la cuisine. Je n'en étais pas vraiment certaine, mais je doutais que les personnes capables de réussir une tarte au fromage de chèvre et au miel soient très nombreuses. Non seulement Logan l'avait faite mais il lui avait donné vie. Elle était crémeuse, fraîche, un vrai régal.

Les yeux toujours fermés, j'ouvris la bouche dans l'attente d'une autre bouchée, qu'il me donna.

– Mmm.

Je soupirai d'aise.

– C'est ma tarte qui te fait gémir de plaisir ?

– Absolument.

– Ouvre la bouche. Je veux t'entendre gémir encore.

Je haussai un sourcil en le regardant.

– Tu recommences à être chelou.

Il sourit. J'adorais ce sourire. Il avait tellement l'habitude de froncer les sourcils que quand il lui arrivait de sourire, ce moment prenait d'autant plus de valeur à mes yeux. Il piqua un autre morceau de tarte avec la fourchette qu'il fit passer devant mes lèvres et, en imitant le bruit d'un avion, il la déplaça comme si elle volait dans les airs. J'essayai de me retenir de rire, sans succès. Puis j'ouvris la bouche et l'avion atterrit.

– Mmm.

– Tu gémis très bien.

– Si j'avais reçu un dollar à chaque fois que j'ai entendu ça ! dis-je d'un ton moqueur.

Il plissa les yeux.

– Tu aurais zéro dollar zéro cent, répliqua-t-il sur le même ton.

– C'est nul.

– Soyons bien clairs, si à part moi qui *plaisante* bien sûr, d'autres types te disent que tu gémis très bien, je les tue.

Il disait toujours qu'il tuerait tous les types qui poseraient les yeux sur moi, et la raison principale des échecs de mes relations amoureuses avait probablement quelque chose à voir avec ça – mes copains avaient tous une peur bleue de Logan Francis Silverstone. Je ne voyais pas pourquoi. Pour moi, il était juste un gros nounours.

– Je n'ai rien mangé d'aussi bon de toute la journée. C'est tellement bon que je vais encadrer la fourchette.

– À ce point-là ?

Il sourit d'un air satisfait, visiblement très fier de lui.

– *À ce point-là.* Tu devrais vraiment envisager de suivre des cours dans une école de cuisine, comme on l'a déjà dit. Tu serais génial.

Une ombre passa sur son visage.

– Les études, ce n'est pas pour moi.

– Et pourquoi pas ?

– Parlons d'autre chose, dit-il en fronçant le nez.

Je n'insistai pas. Je savais que ce sujet était sensible. Il ne pensait pas être suffisamment intelligent pour faire des études, quelles qu'elles soient, mais ce n'était pas vrai. Logan était l'une des personnes les plus intelligentes que je connaissais. Si seulement il s'était vu comme je le voyais moi, cela lui aurait changé radicalement la vie.

Je lui arrachai la fourchette des mains pour reprendre de la tarte que je mangeai en gémissant bruyamment, pour alléger la conversation. Il retrouva le sourire. *Bien.*

– Je suis trop contente que tu aies apporté ça, Lo, sérieux. Je n'ai pratiquement rien mangé de la journée, en fait. Ma mère a dit que je devais perdre dix kilos avant de commencer les cours à la fac, en septembre, parce que je risque d'en prendre quinze, comme tous les étudiants de première année.

– Je croyais que c'était sept.

– Ma mère dit que comme je suis déjà en surpoids, j'en prendrai plus que les étudiants normaux. Tu sais combien elle m'adore !

Il leva les yeux au ciel en en rajoutant.

– Elle est trop sympa !

– Je ne suis pas censée manger après huit heures du soir.

– Heureusement, il est plus de quatre heures du matin, donc c'est un autre jour ! *Il faut qu'on mange toute la tarte avant huit heures !*

Je rigolai en posant vivement les mains sur sa bouche pour l'empêcher de crier. Je sentis ses lèvres embrasser furtivement les paumes de mes mains, et mon cœur s'arrêta une fraction de seconde. Je retirai mes mains lentement en sentant les papillons dans mon estomac, et je m'éclaircis la voix.

– Ça va être difficile, mais il faut bien que quelqu'un le fasse.

Et nous le fîmes. Nous la mangeâmes en entier. Quand j'allai laver la fourchette dans l'évier, il m'attrapa par la main.

– Non, il ne faut pas la laver. Nous devons l'encadrer, tu te souviens ?

Lorsqu'il prit ma main, mon cœur s'arrêta de battre une fois encore.

Nos regards se croisèrent, et il avança vers moi.

– Et pour ta gouverne, tu es belle comme tu es, Aly. Rien à foutre de l'opinion de ta mère. Je trouve que tu es belle. Pas seulement de cette beauté superficielle qui s'évanouit avec le temps, tu es belle dans tous les sens du terme. Tu es juste une belle personne, putain, alors rien à foutre de ce que pensent les autres. Tu sais ce que je pense des gens.

J'acquiesçai, je connaissais sa devise par cœur.

– Oublie les gens, prends un chien.

– Exactement.

Il sourit d'un air satisfait en lâchant ma main. Son contact me manqua avant même qui ne l'ait fait. Il se mit à bâiller, ce qui me fit oublier mes battements de cœur erratiques.

– Fatigué ?

– Ça me dirait assez de dormir un peu.

– Il faut que tu sois parti avant que ma mère se réveille.

– Ce n'est pas ce que je fais toujours ?

Nous allâmes dans ma chambre. Je lui passai un pantalon de survêtement et un T-shirt que je lui avais piqués quelques semaines plus tôt. Après qu'il se fut changé, nous sommes montés dans mon lit et nous nous sommes allongés côte à côte.

Je n'avais jamais dormi dans le même lit qu'un autre garçon que Logan. Parfois, quand nous dormions, je me réveillais avec la tête sur sa poitrine et avant de m'écarter, j'écoutais les battements de son cœur. Il respirait fort, la bouche ouverte. La première fois qu'il était resté, je n'avais pas fermé l'œil de la nuit. Pourtant avec le temps, les bruits de sa respiration m'étaient devenus familiers, je me sentais chez moi. Il s'était avéré que chez soi n'était pas un lieu, c'était un sentiment que vous procuraient les êtres à qui vous teniez le plus, un sentiment de paix qui éteignait les incendies de votre âme.

– Toujours fatigué ? je demandai alors que nous étions allongés dans l'obscurité, mon esprit encore pleinement éveillé.

– Ouais, mais on peut parler si tu veux.

– Je me demandais, tu ne m'as jamais expliqué pourquoi tu aimes tant les documentaires.

Il se passa les mains dans les cheveux avant de les poser derrière sa tête, les yeux au plafond.

– Un été, je suis allé chez mon grand-père, c'était avant sa mort. Il avait un documentaire sur la galaxie qui m'a donné envie d'en savoir plus sur... tout. J'aimerais me souvenir du titre de ce documentaire, je l'achèterais immédiatement. C'était un truc comme les trous noirs... ou l'étoile noire... (il plissa le front)... je ne sais plus. En tout cas, lui et moi nous sommes mis à regarder de plus en plus de documentaires ensemble. C'est devenu notre truc. Ça a été le plus bel été de ma vie.

Une vague de tristesse sembla l'envahir, et il baissa les yeux.

– Après sa mort, j'ai continué le rituel. C'est probablement un des seuls rituels que j'aie jamais eus.

– Tu connais beaucoup de choses sur les étoiles ?

– *Un tas de choses.* S'il y avait dans cette ville un endroit qui s'y prête, je te montrerais les étoiles sans toute la pollution lumineuse et aussi quelques constellations. Mais malheureusement, il n'y en a pas.

– C'est dommage. J'adorerais ça. Tu sais, je me disais, pourquoi tu ne ferais pas un documentaire sur ta vie ?

Il se mit à rire.

– Ça n'intéresserait personne.

Je penchai la tête vers lui.

– Si, moi.

Il me fit un demi-sourire avant de me prendre dans ses bras et de m'attirer contre lui. Sa chaleur m'envoyait toujours des étincelles dans tout le corps.

– Lo ? je murmurai, à demi endormie, et tombant secrètement amoureuse de mon meilleur ami.

– Ouais ?

J'ouvris la bouche pour parler, mais seul un soupir muet en sortit. Ma tête tomba sur sa poitrine et j'écoutai les battements de son cœur en les comptant. *Un... Deux... Quarante-cinq...*

En quelques minutes, mon cerveau ralentit.

En quelques minutes, j'oubliai pourquoi j'étais si triste.

En quelques minutes, je m'endormis.

3

LOGAN

Ma mère et moi n'avions pas le câble dans notre appart', ce n'était pas un problème, je m'en fichais. Quand j'étais enfant, nous l'avions, mais c'était sans intérêt à cause de mon père. C'était lui qui payait l'abonnement et il râlait tout le temps de me voir assis devant la télé à regarder des dessins animés. Comme s'il ne supportait pas de me voir heureux quelques instants dans la journée.

Un jour il est rentré, a pris la télé et a résilié l'abonnement.

C'est le jour où il a quitté l'appartement.

C'est aussi un des jours les plus heureux de ma vie.

Quelque temps après, j'ai trouvé un poste de télé dans une poubelle. C'était un petit poste avec un écran de quarante-huit centimètres et un lecteur de DVD incorporé, alors j'empruntai un tas de documentaires à la bibliothèque et je les regardai à la maison. Je savais une foule de choses sur tout : le base-ball, les oiseaux tropicaux, les OVNI, tout ça grâce aux documentaires. Et en même temps, je ne connaissais rien à rien.

Quelquefois, ma mère les regardait avec moi, mais la plupart du temps, c'était une activité solitaire.

Ma mère m'adorait, mais elle ne m'appréciait pas beaucoup.

En fait, ce n'était pas vrai.

Quand elle était sobre, ma mère m'aimait comme si j'étais son meilleur ami.

Sous l'influence de la drogue, c'était un monstre, et depuis quelque temps elle était dans cet état en permanence.

Ma mère sobre me manquait parfois. Quelquefois, en fermant les yeux, je me rappelais le son de son rire et la courbure de ses lèvres quand elle était heureuse.

Arrête, Logan !

Je détestais cette faculté qu'avait mon esprit de se rappeler. Les souvenirs étaient autant de poignards plantés dans mon âme, et j'en avais très peu de positifs auxquels me raccrocher.

Mais je m'en fichais, parce que je m'arrangeais pour planer suffisamment pour oublier ma vie de merde, ou presque. Si je restais enfermé dans ma chambre, avec un stock de documentaires et de la bonne herbe à fumer, j'arrivais presque à oublier que, quelques semaines plus tôt, ma mère était plantée à un coin de rue à essayer de vendre son corps en échange de quelques lignes de coke.

C'était un coup de fil que j'aurais préféré ne jamais recevoir de mon pote Jacob, qui me l'avait appris.

« *Mec, je viens de voir ta mère au croisement de Jefferson et de Wells Street. Je crois qu'elle... heu... Je crois que tu ferais mieux de rappliquer.* »

Mardi matin, j'étais assis dans mon lit, les yeux au plafond, un documentaire sur l'artisanat chinois en guise de musique de fond, quand elle m'a appelé.

– Logan ! Logan ! Logan, viens ici !

Je restai immobile, espérant qu'elle cesserait de m'appeler, mais rien à faire. Je me levai de mon matelas et sortis de ma chambre pour trouver ma mère assise à la table de salle à manger. Notre appartement était minuscule mais nous n'avions pas grand-chose pour le meubler, de toute manière. Un canapé défoncé, une table basse pleine de taches, une table et trois chaises dépareillées.

– Qu'est-ce que tu veux ?

– Je voudrais que tu fasses les vitres de l'extérieur, Logan.

Elle se servit du lait dans un bol fêlé et y ajouta cinq Cheerios. Elle disait qu'elle faisait un nouveau régime, parce qu'elle ne voulait pas grossir. Moi, je la trouvais déjà squelettique. Elle ne devait pas peser plus de soixante kilos pour un mètre soixante-quinze.

Elle avait l'air épuisée. Avait-elle dormi la nuit dernière, au moins ?

Elle avait les cheveux en bataille ce matin-là, mais ce n'était pas pire que tout le reste de son existence. Elle avait toujours l'air négligée, je n'arrivais pas à me rappeler l'avoir vue autrement. Elle se mettait toujours du vernis à ongles le dimanche matin, mais il était invariablement écaillé dès le dimanche soir, et ses ongles restaient comme ça toute la semaine jusqu'au dimanche suivant où elle recommencerait. Ses vêtements étaient toujours sales et elle vaporisait du Febrèze dessus à quatre heures du matin avant de les repasser. Elle croyait que le Febrèze remplaçait avantageusement une visite à la laverie automatique du quartier pour laver nos vêtements.

Je n'étais pas d'accord avec ça et, dès que je le pouvais, je subtilisais ses vêtements pour aller les laver. La plupart des gens ne prêtaient probablement pas attention aux pièces de monnaie trouvées par terre, mais à mes yeux cela pouvait représenter un pantalon propre cette semaine-là.

– Ils ont dit qu'il allait pleuvoir toute la journée. Je les ferai demain.

Je ne les ferais pas, en réalité. Elle aurait oublié d'ici là. En plus, je trouvais un peu ridicule de faire les vitres de notre appartement sans balcon au troisième étage. Surtout quand il pleuvait.

J'ouvris le frigo et je regardai fixement les étagères vides. Cela faisait des jours qu'il était vide. Mes doigts restaient coincés sur la poignée de la porte. Je l'ouvris et le refermai presque comme si de la nourriture allait apparaître comme par magie pour remplir mon estomac qui protestait. À ce moment précis, la porte d'entrée s'ouvrit et mon frère Kellan apparut derrière moi comme le sorcier qu'il était, un sac de courses à la main et secouant la pluie de son blouson.

– Tu as faim ? demanda-t-il en me donnant un coup de coude.

Peut-être que maman ne mangeait que des Cheerios parce qu'on n'avait rien d'autre.

Kellan était la seule personne en qui j'avais confiance, en dehors d'Alyssa. On aurait pu passer pour des jumeaux, sauf qu'il était plus fort, plus beau et plus stable. Il avait les cheveux coupés très court, classiques, des vêtements de marque et pas de poches sous les yeux. Les seuls bleus qui soient jamais apparus sur sa peau provenaient d'un tacle pendant un match de foot à la fac, ce qui n'arrivait pas si souvent.

Il avait la chance d'avoir une meilleure vie, tout simplement parce qu'il avait un meilleur père. Son père était chirurgien. Mon père était plutôt un genre de pharmacien de rue qui dealait de la drogue aux jeunes du quartier, et à ma mère.

L'ADN : parfois on gagne, parfois on perd.

– Purée, dit-il en regardant dans le réfrigérateur. Ce que je vous ai apporté ne va pas suffire.

– Et d'abord, comment tu savais qu'on n'avait rien à manger ? je lui demandai en l'aidant à ranger les courses.

– C'est moi qui l'ai appelé, dit ma mère en mangeant un de ses Cheerios et en avalant son lait bruyamment. C'est pas toi qui vas nous nourrir.

Je serrai les poings et je me martelai les flancs. Je soufflai par le nez, pour essayer de contenir ma colère. Je ne supportais pas que Kellan doive venir à notre secours si souvent pour nous protéger de nous-mêmes. Il méritait d'être loin, très loin de ce mode de vie.

– J'irai chercher d'autres trucs et je vous les apporterai après mon cours du soir.

– Tu habites à une heure d'ici. Tu n'es pas obligé de venir une deuxième fois.

Il ne releva pas ma remarque.

– Il vous faut des trucs en particulier ?

– De la bouffe, ce serait bien, je grognai en même temps que mon estomac.

Il mit la main dans son sac à dos et en sortit deux sacs en papier brun.

– Voilà de la bouffe.

– Tu as fait la cuisine pour nous, en plus ?

– Ben, plus ou moins.

Il posa les sacs sur le plan de travail. Divers trucs à manger, crus.

– Je me souviens que quand tu es venu passer quelque temps chez moi, on a souvent regardé cette émission de cuisine où on vous donne des ingrédients au hasard et il faut cuisiner un repas. Alyssa m'a dit que tu voulais devenir chef.

– Alyssa parle trop.

– Elle est dingue de toi.

Je ne discutai pas.

– Alors, dit-il avec un sourire en me lançant une pomme de terre. J'ai un peu de temps avant d'aller bosser. Improvise quelque chose, chef !

Et c'est ce que j'ai fait. Nous nous sommes assis tous les deux pour manger mes croque-monsieur au jambon, faits avec trois sortes de fromage différents et une sauce aïoli. Comme accompagnement, j'avais fait des galettes de pomme de terre avec du ketchup épicé, aromatisé au bacon.

– C'est comment ? je demandai, les yeux rivés sur Kellan. Ça te plaît ?

Sans réfléchir, je posai la moitié de mon sandwich devant ma mère. Elle refusa d'un signe de tête.

– Je suis au régime, murmura-t-elle en mangeant son dernier Cheerio.

– Purée, Logan, soupira Kellan sans relever le commentaire de ma mère – un truc que j'aurais aimé être capable de faire. C'est super-bon.

Je souris, fier comme un paon.

– Vraiment ?

– En croquant dans le sandwich, j'ai failli m'évanouir tellement c'est bon. Si je devais croire au paradis, ce serait seulement grâce à ce sandwich.

Mon sourire s'élargit.

– C'est vrai ? On peut dire que je me suis surpassé.

– Génial, putain.

Je haussai les épaules en prenant l'air satisfait.

– Oui, je m'étonne moi-même parfois.

Je ne savais comment remercier Kellan – je ne m'étais pas senti aussi bien depuis un temps fou. Un jour peut-être, je pourrais faire des études… Alyssa avait peut-être raison.

– Mais il faut que j'y aille. T'es sûr que tu ne veux pas que je te dépose quelque part ?

J'avais très envie de sortir de cet appartement, ça c'est sûr. Mais je ne savais pas si mon père n'allait pas passer et je ne voulais pas que ma mère se retrouve seule avec lui. Chaque fois que cela arrivait, je la retrouvais avec plus d'hématomes que quand je l'avais quittée.

Il faut être possédé par un certain type de démons pour lever la main sur une femme.

– Non, ça ira. Je bosse à la station-service tout à l'heure de toute façon.

– C'est à au moins une heure de marche d'ici, non ?

– Non, trois quarts d'heure. C'est ok.

– Tu veux de l'argent pour le bus ?

– Je peux marcher.

Il prit de l'argent dans son portefeuille et le posa sur la table. Puis il se pencha vers moi et murmura :

– Écoute, si jamais tu veux venir chez mon père, c'est plus près de ton boulot…

– Ton père me déteste.

– Mais non.

Je lui lançai un regard qui voulait dire « tu rigoles ? ».

– Bon d'accord. Tu n'es peut-être pas la personne qu'il préfère, mais il faut dire aussi que tu as volé trois cents dollars dans son portefeuille.

– Il fallait bien que je paye le loyer.

– D'accord, mais Logan, ta première idée n'aurait pas dû être de les voler.

– Ça aurait dû être quoi, alors ?

Je commençais à me sentir vexé, surtout parce que je savais qu'il avait raison.

– Je ne sais pas, peut-être les demander.

– Je n'ai pas besoin qu'on m'aide. Ça a toujours été comme ça et ça le sera toujours.

J'avais l'orgueil très agressif. Je comprenais pourquoi certains l'appelaient le plus mortel des péchés.

Kellan fronça les sourcils, il voyait bien que j'avais besoin d'une échappatoire. Quand on restait trop longtemps dans cet appartement, on devenait fou.

– Comme tu veux.

Il alla vers maman et posa les lèvres sur son front.

– Je t'aime, Maman.

Elle sourit plus ou moins.

– Au revoir, Kellan.

Il vint derrière moi et posa les mains sur mes épaules pour me parler à voix basse.

– Elle est encore plus maigre que la dernière fois que je l'ai vue.

– Ouais.

– Ça me fait peur.

– Ouais, moi aussi.

Son inquiétude se lisait sur son visage.

– Ne t'en fais pas. Je trouverai un moyen de lui faire manger quelque chose.

Son inquiétude ne sembla pas se dissiper.

– Toi aussi, tu as l'air d'avoir maigri.

– C'est juste une question de métabolisme, dis-je en plaisantant.

Cela ne le fit pas rire. Je lui mis une tape dans le dos.

– Sérieusement, Kel. Je vais bien et je vais la convaincre de manger. Je te promets d'essayer en tout cas.

Il poussa un gros soupir.

– D'accord ? À tout à l'heure. Si tu n'es pas rentré du boulot quand je repasserai ce soir, on se verra la semaine prochaine.

Kellan fit au revoir de la main, mais quand il allait sortir de l'appartement, je le rappelai.

– Ouais ?

Je haussai l'épaule gauche. Il haussa l'épaule droite.

C'était notre façon de nous dire « je t'aime ». Il comptait tellement pour moi. Il était la personne que je rêvais de devenir un jour. Mais nous étions des hommes, et les hommes ne se disent pas « je t'aime ». Pour tout dire, je ne le disais à personne.

En me raclant la gorge, je hochai la tête.

– Encore merci. Pour...

Je haussai l'épaule gauche.

– ... tout.

Il me fit un petit sourire et haussa l'épaule droite.

– Je t'en prie.

Sur ce, il s'en alla.

Mon regard tomba sur ma mère qui parlait à son bol de lait. Évidemment...

– Kellan est le fils parfait, murmura-t-elle au lait avant de tourner la tête vers moi. Il est tellement mieux que toi.

Maman sobre où es-tu ?

– Ouais, dis-je en me levant pour emporter mon assiette dans ma chambre. D'accord, M'man.

– C'est vrai. Il est beau, il est intelligent et il prend soin de moi. Toi, t'en fous pas une.

– C'est ça. J'en fous pas une pour toi, je marmonnai en m'éloignant.

Je n'avais surtout pas envie de rentrer dans son délire ce matin-là.

Je sursautai quand un bol vola en passant au ras de mon oreille gauche pour aller se fracasser contre le mur en face de moi. Du lait et des morceaux de verre jaillirent tout autour de moi. Je tournai la tête vers ma mère, elle me regardait avec un sourire sournois.

– Et je veux que ces vitres soient nettoyées aujourd'hui, Logan. Immédiatement. J'ai un copain qui doit venir me chercher ce soir et cette maison est *dégueulasse.* Et tu me nettoieras aussi tout ce bazar.

Mon sang se mit à bouillir, parce que c'était elle qui était dégueulasse. Comment est-ce qu'on pouvait en arriver là ? Et quand on était tombé si bas, y avait-il la moindre chance de se relever ? *Tu me manques tellement, M'man...*

– Je ne nettoierai rien du tout.

– Si, tu vas le faire.

– Avec qui tu as rendez-vous, M'man ?

Elle se redressa sur son siège comme si elle était une sorte de princesse royale.

– C'est pas tes affaires.

– Ah bon ? Parce que je suis pratiquement sûr que la dernière personne avec laquelle tu es sortie, c'était une espèce de salopard qui t'a ramassée sur le trottoir. Et la fois d'avant, c'était mon branleur de père, et tu es rentrée avec deux côtes cassées.

– Ne t'avise pas de parler de lui comme ça. Il est bon avec nous. Qui est-ce qui paie la majeure partie de notre loyer, d'après toi ? En tout cas, ce n'est certainement pas toi.

Un jeune de même pas dix-huit ans, tout juste sorti du lycée qui n'arrivait pas à payer le loyer, j'étais vraiment un loser.

– J'en paie la moitié. Toi, tu ne peux pas en dire autant, et lui, c'est rien qu'une ordure.

Elle tapa des deux mains sur la table, furieuse que je dise cela. Son corps était pris d'un léger tremblement et elle était de plus en plus agitée.

– Lui, c'est un homme, bien plus que tu ne le seras jamais !

– Ah oui ?

Je me précipitai sur elle et je me mis à fouiller ses poches, sachant exactement ce que j'allais y trouver.

– C'est un homme, un vrai ? Et pourquoi ça ?

Je trouvai le petit sachet de cocaïne dans sa poche arrière. Lorsque je le secouai devant elle, je vis la panique se répandre sur son visage.

– Arrête !

Elle essaya de me le reprendre.

– Non, je comprends. Il te donne ça, et c'est ça qui fait de lui un homme meilleur que ce que je ne serai jamais. Il te frappe, parce que c'est un homme, un vrai. Il te crache à la figure et te traite comme une merde, tout ça parce qu'il est meilleur que moi. C'est ça ?

Je la vis commencer à craquer, pas sous l'effet de mes paroles, je suis sûr qu'elle n'entendait pratiquement jamais ce que je lui disais, mais elle craquait parce qu'elle avait peur que sa poudre blanche chérie ne soit en danger.

– Donne-la moi, Lo ! Arrête !

Ses yeux étaient vides et c'était un peu comme si je me battais contre un fantôme. Avec un profond soupir, je lançai le sachet sur la table et elle s'essuya le nez avant de l'ouvrir et de sortir sa lame de rasoir pour dessiner deux lignes de coke sur la table de la salle à manger.

– Tu es une épave. Une putain d'épave, et tu ne t'en sortiras jamais, je lui dis alors qu'elle sniffait la poudre.

– Ça te va bien de dire ça alors que tu vas probablement aller t'enfermer dans ta chambre et sniffer ta propre récompense, celle que ton papa t'a donnée. C'est le grand méchant loup, mais le petit chaperon au sweat à capuche rouge continue de lui dire de revenir pour avoir sa dose. Tu te crois meilleur que moi, ou que lui ?

– Oui, parce que je le suis.

Je consommais, mais pas trop. Je contrôlais. Je n'abusais pas.

J'étais meilleur que mes parents.

Il le fallait.

– Tu te trompes. Tu as hérité ce qu'il y avait de pire en chacun de nous deux. Kellan, lui, il est bien, et il le sera toujours. Mais toi – elle se fit deux autres lignes de coke –, ça m'étonnerait que tu ne sois pas mort avant tes vingt-cinq ans.

Mon cœur.

S'arrêta de battre.

Ces mots, sortant de sa bouche, déclenchèrent une onde de choc qui se propagea dans tout mon corps. Elle n'avait même pas flanché en les prononçant, et je sentis quelque chose mourir en moi. Je voulais faire tout le contraire de ce qu'elle me prédisait. Je voulais être fort, stable, digne de vivre.

Mais en même temps, j'étais comme le hamster dans sa roue.

Je tournais, je tournais et je n'arrivais jamais nulle part.

J'entrai dans ma chambre, claquai la porte et me perdis dans le monde de mes propres démons. Je me demandai ce qu'il serait advenu si je n'avais jamais dit bonjour à mon père toutes ces années auparavant. Je me demandai ce qu'il serait advenu si nos chemins ne s'étaient jamais croisés.

* * *

Logan, sept ans

J'ai rencontré mon père sous le porche de la maison d'un étranger. Ma mère m'avait emmené avec elle ce soir-là et m'avait demandé de l'attendre à l'extérieur de cette maison. Elle m'avait dit qu'elle n'en avait pas pour longtemps et qu'ensuite nous rentrerions à la maison, mais j'avais deviné qu'elle et ses amis s'amusaient beaucoup plus qu'ils ne l'avaient prévu.

Le porche était délabré et mon sweat à capuche rouge n'était pas l'idéal pour me protéger du froid, mais je ne me plaignais pas. Ma mère détestait que je me plaigne, elle disait que c'était pour les faibles.

Il y avait un banc en métal tout défoncé sous le porche et je m'étais assis dessus, les jambes repliées contre ma poitrine en attendant. La peinture grise de la rambarde du porche s'écaillait et les lattes de bois étaient fendues, et puis il y avait de la neige gelée qui n'était jamais balayée.

Allez, Maman.

Il faisait si froid ce soir-là. Je voyais les volutes de mon souffle qui sortaient de ma bouche, alors, pour me distraire, je n'arrêtais pas de souffler.

Des gens entrèrent et sortirent tout au long de la soirée et c'est tout juste s'ils me remarquèrent, assis sur le banc. Je mis la main à ma poche arrière, j'en sortis le petit carnet et le stylo que j'avais toujours avec moi et je commençai à griffonner. Chaque fois que ma mère n'était pas dans les parages, je m'occupais en dessinant.

J'ai beaucoup dessiné ce soir-là jusqu'à ce que je me mette à bâiller. J'ai fini par m'endormir, allongé sur le banc, les jambes remontées dans mon sweat rouge. Une fois endormi, je n'avais plus aussi froid, ce qui était plutôt bien.

– Hé !

Une voix sévère me tira de mon sommeil. Au moment où je réussis à entrouvrir légèrement les yeux, je fus de nouveau saisi par le froid. Mon corps se mit à frissonner, mais je ne m'assis pas.

– Hé toi ! Qu'est-ce que tu fous là, bordel ? Lève-toi.

Je m'assis et me frottai les yeux en bâillant.

– Ma maman est à l'intérieur. Je l'attends.

J'accommodai mon regard sur le type qui me parlait et mes yeux s'arrondirent de frayeur. Une grande cicatrice lui barrait le côté gauche du visage et accentuait son air mauvais. Ses cheveux en bataille étaient parsemés de fils blancs et ses yeux me faisaient un peu penser aux miens. Marron et sans éclat.

– Ah ouais ? Et ça fait combien de temps que tu attends ?

Une espèce de cigarette pendait entre ses lèvres.

Je levais les yeux vers le ciel qui s'était obscurci. Quand nous étions arrivés, ma mère et moi, il faisait jour. Je n'ai pas répondu au type. Il grogna et s'assit à côté de moi. Je me poussai vers le bord du banc aussi loin de lui que je pouvais.

– Détends-toi, gamin. J'vais pas te faire de mal. Ta mère, c'est une toxico ?

Je ne savais pas ce que cela voulait dire, alors je me suis contenté de hausser les épaules. Il ricana.

– Si elle est là-dedans, c'est que c'est une toxico. Comment elle s'appelle ?

– Julie, je murmurai.

– Julie comment ?

Ses lèvres s'entrouvrirent légèrement et il pencha la tête en me regardant.

– Ta mère, c'est Julie Silverstone ?

Je fis oui de la tête.

– Et elle t'a laissé tout seul, là, dehors ?

Je hochai la tête encore une fois.

– Quelle salope !

Il se leva du banc, les poings serrés, et se dirigea vers la porte. Tout en ouvrant la porte moustiquaire, il fit une pause. Il prit la cigarette qu'il avait entre les lèvres et me la tendit.

– Tu fumes de l'herbe ?

Ce n'était pas du tout une cigarette. J'aurais dû m'en douter d'après l'odeur.

– Non.

Il plissa le front.

– Tu as bien dit Julie Silverstone, non ?

J'acquiesçai pour la troisième fois. Il me mit le joint dans la main.

– Alors, tu fumes de l'herbe. Cela va te réchauffer. Je reviens avec ta salope de mère.

– Ce n'est pas une...

Il claqua la porte sans attendre la fin de ma phrase.

– ... salope.

Je tenais le joint entre mes doigts et frissonnai de froid.

Ça va te réchauffer.

J'étais frigorifié.

Alors, j'ai pris une taffe. Je me suis étouffé en toussant.

J'ai toussé comme un malade pendant un long moment tout en écrasant le joint par terre. Je ne comprenais pas ce qu'on pouvait trouver à ce truc-là, ni pourquoi les gens fumaient. C'est à ce moment-là que j'ai juré de ne jamais recommencer.

Quand l'homme est ressorti, il tirait ma mère derrière lui. Elle était à moitié endormie et elle transpirait.

– Arrête de me traîner comme ça, Ricky, hurla-t-elle au type.

– Ferme-la, bon Dieu, Julie. Tu as laissé ce fichu gamin dehors toute la soirée, espèce de putain de toxico !

Je serrai les poings et bombai le torse. Comment osait-il parler comme ça à ma mère ! Il ne la connaissait pas. C'était ma meilleure amie, après mon frère Kellan. Et ce type n'avait aucun droit de lui parler sur ce ton. Kellan aurait été furax s'il l'avait entendu. Heureusement, il n'était pas là, il était parti avec son père pour une expédition de pêche dans la glace ou un truc du genre.

Je ne savais même pas qu'on pouvait pêcher quand il y avait de la glace, mais Kellan m'avait tout expliqué la semaine précédente. Ma mère avait dit que la pêche dans la glace, c'était un truc de paumés et de losers.

– Je te l'ai dit, Ricky ! Je ne consomme plus. Je... je te jure, bégaya-t-elle. Je suis juste passé pour dire bonjour à Becky.

– Ben tiens, répliqua-t-il en descendant les escaliers tout en continuant à la tirer par le bras. Amène-toi, gamin.

– Où est-ce qu'on va, M'man ?

Je marchai derrière ma mère en me demandant ce qui allait se passer.

– Je vous ramène à la maison, tous les deux, répondit l'homme.

Il fit asseoir ma mère sur le siège passager où elle s'affaissa en fermant les yeux. Puis il m'ouvrit la portière arrière et la referma en la claquant une fois que j'étais monté dans la voiture.

– Où vous habitez? demanda-t-il en s'installant à la place du conducteur.

Il démarra et s'éloigna du trottoir.

Sa voiture était rutilante et plus belle que toutes celles que j'avais vues jusqu'ici. Ma mère et moi, on prenait toujours le bus, alors de me retrouver dans une voiture comme ça me donnait l'impression d'être comme un prince.

Ma mère se mit à s'agiter et à tousser et fit des efforts pour s'éclaircir la voix.

– Justement, c'est pour ça qu'il fallait que je voie Becky. Mon proprio joue au con, il dit que j'ai pas payé les deux derniers mois! Mais j'ai payé, Ricky! J'ai payé ce connard, et il fait comme si j'avais pas payé. Alors, je suis venue voir Becky pour qu'elle me file de l'argent.

– Et depuis quand elle a de l'argent, Becky?

– Justement, elle n'en avait pas. Elle n'avait pas d'argent. Mais il fallait que j'en sois sûre. Parce que le proprio m'a dit que je ne pouvais pas revenir si je n'avais pas l'argent. Alors, je ne sais pas où on va aller. Tu devrais me laisser voir ça avec Becky rapidement, marmonna-t-elle en ouvrant sa portière pendant qu'on roulait.

– M'man!

– Julie!

Ricky et moi avions crié en même temps. Je tendis la main depuis le siège arrière pour attraper son T-shirt, et il la tira par la manche pour la ramener vers lui en refermant la portière.

– Tu es folle ou quoi? il hurla, les narines dilatées. Bon Dieu, je paierai ton loyer demain, mais ce soir vous allez venir chez moi.

– Tu ferais ça, Ricky? Seigneur, on t'en serait super-reconnaissants. Pas vrai, Lo? Je te rembourserai, je te rembourserai jusqu'au dernier centime.

Je fis oui de la tête, sentant enfin la chaleur de la voiture m'envahir.

De la chaleur.

– Je vais aussi donner à manger à ce *gamin. Cela m'étonnerait que tu t'en sois occupée.*

Il sortit un paquet de cigarettes de sa poche et un briquet en forme de danseuse hawaïenne. Quand il alluma le briquet, la danseuse se mit à bouger de gauche à droite. J'étais hypnotisé par ce mouvement, incapable d'en détacher mon regard. Même après avoir allumé sa cigarette, il continua de l'allumer et de l'éteindre sans arrêt.

Lorsque nous arrivâmes chez Ricky, je fus ébloui par tout ce qu'il y avait dans l'appartement. Deux canapés et un énorme fauteuil, des tableaux, une immense télévision avec le câble et, dans le réfrigérateur, suffisamment de victuailles pour nourrir le monde entier.

Après le repas, il m'installa sur un des divans et je m'assoupis en les écoutant chuchoter, ma mère et lui, dans le couloir à côté.

– Il a tes yeux, marmonna-t-elle.

– Ouais, je sais.

Je percevais de la rancœur dans sa voix, mais je ne savais pas pourquoi. J'entendis ses pas se rapprocher de moi et lorsque j'ouvris les yeux, je le vis qui se penchait sur moi. Il croisa les doigts et plissa les yeux.

– T'es mon gamin, tu sais?

Je ne répondis pas.

Qu'est-ce que je pouvais dire?

Un sourire narquois releva la commissure de ses lèvres, il alluma une cigarette et me souffla la fumée directement dans la figure.

– Ne t'en fais pas, Logan. Je vais m'occuper de toi et de ta mère. Promis.

***

À quatre heures du matin, quand je finis par redescendre de mon trip, je restai allongé sur mon lit, les yeux au plafond.

Moi : Tu es réveillée ?

Je fixai mon téléphone en attendant que les ellipses apparaissent, en vain. Quand il sonna, je retins mon souffle.

– Je t'ai réveillée ? je demandai à Alyssa.

– Juste un peu. Qu'est-ce qui s'est passé ?

– Rien. Tout va bien.

Je mentais. *Tu seras mort avant tes vingt-cinq ans.*

– C'était ta mère ou ton père, cette fois ?

Elle devinait toujours.

– Ma mère.

– Elle était défoncée ou elle était sobre ?

– Défoncée.

– Tu as cru ce qu'elle t'a dit ou pas ?

Je marquai un temps d'hésitation en allumant et éteignant mon briquet.

– Oh, Lo.

– Excuse-moi de t'avoir réveillée. Je peux raccrocher. Rendors-toi.

– Je n'ai pas sommeil, dit-elle en bâillant. On reste au téléphone jusqu'à ce que tu réussisses à t'endormir, d'accord ?

– D'accord.

– Tu es quelqu'un de bien, Logan Francis Silverstone.

– Je suis quelqu'un de bien, Alyssa Marie Walters.

Même si cela me semblait être un mensonge, c'en était un que je croyais presque toujours quand c'était elle qui le disait.

4

LOGAN

Je n'avais jamais vraiment fêté mon anniversaire avant de rencontrer Alyssa il y a deux ans. Kellan m'emmenait au restaurant et j'adorais ça. Il était super pour me rappeler que je n'étais pas seul au monde, mais Alyssa en faisait un peu plus chaque année pour mon anniversaire. Il y a deux ans, nous étions allés à Chicago pour voir un documentaire sur Charlie Chaplin dans un vieux cinéma, puis elle m'avait emmené dans un restaurant chic pour lequel ma tenue était loin de convenir. Elle venait d'un milieu ou les dîners chic étaient monnaie courante, et moi je venais d'un monde où on n'était même pas sûr de dîner tous les jours. Elle avait remarqué mon malaise, et nous avions fini par marcher dans les rues de Chicago en mangeant des hot-dogs, et par aller sous le haricot géant[1].

---

1. *The Cloud Gate*: sculpture urbaine de l'artiste Anish Kapoor, surnommée *The Bean* – Le Haricot – en raison de sa forme. (NdT, ainsi que pour toutes les notes suivantes)

Ce fut le premier plus beau jour de ma vie.

Il y a un an, il y avait un festival de cinéma dans le nord du Wisconsin, et elle avait loué un chalet pour nous. On est allés voir ensemble tous les films sans exception, pendant tout le week-end. On restait debout tard dans la nuit à débattre : quels films nous inspiraient ? Lesquels avaient été faits par des personnes probablement sous acide ?

Ce fut le deuxième plus beau jour de ma vie.

Mais aujourd'hui, c'était différent. Aujourd'hui c'était mon dix-huitième anniversaire, il était plus de onze heures du soir et Alyssa ne m'avait pas appelé de toute la journée.

Assis dans ma chambre, je regardais le DVD sur Jackie Robinson[2] tout en écoutant ma mère tituber dans l'appartement. Une pile de factures s'entassait à côté de mon lit et j'avais l'estomac noué par la crainte de ne pas pouvoir payer le loyer. Si nous n'arrivions pas à le faire, mon père n'allait jamais nous laisser tranquilles. Et si je lui demandais de nous aider, j'étais certain que maman en ferait les frais.

Je passai la main sous mon lit et en sortis une enveloppe, pour vérifier l'argent que j'avais réussi à mettre de côté. L'inscription sur l'enveloppe me fit mal au cœur.

Frais d'inscription pour la fac.

Quelle blague !

Je comptai l'argent. *Cinq cent cinquante-deux dollars.* Cela faisait deux ans que j'économisais, depuis que, grâce à Alyssa, il ne me semblait plus impossible de le faire. Je passais beaucoup de temps à penser qu'un jour j'aurais assez d'argent de côté pour faire des études, avoir un bon

2. Joueur américain de base-ball (1919-1972). Il fut le premier Noir à jouer en Ligue majeure, et un infatigable militant de la cause égalitaire.

métier et acheter une maison où nous pourrions habiter, maman et moi.

Nous n'aurions plus jamais à dépendre de mon père pour quoi que ce soit – la maison serait à nous, rien qu'à nous. On serait clean aussi. Plus de drogue, rien que du bonheur. Si maman pleurait, ce serait parce qu'elle serait heureuse et plus parce qu'il la battait.

Ma mère sobre réapparaîtrait, celle qui me bordait dans mon lit quand j'étais petit. Celle qui chantait et dansait. Celle qui souriait. Avant.

Cela faisait bien longtemps que je n'avais pas vu cet aspect de ma mère, mais quelque part, je me raccrochais à l'espoir qu'un jour elle reviendrait.

Il faut qu'elle me revienne.

En soupirant, je sortis de l'enveloppe une partie de l'argent destiné à payer mes études pour payer la facture d'électricité.

Plus que trois cent vingt-trois dollars.

Avec ce geste, mon rêve devenait encore un peu plus inaccessible.

Je sortis un crayon et je me mis à griffonner sur la facture d'électricité. Dessiner et m'abrutir devant des documentaires étaient mes principaux moyens d'échapper à la réalité. Depuis peu apparaissait en plus dans ma tête une fille bizarre aux cheveux bouclés qui souriait et qui parlait trop. Alyssa occupait beaucoup plus mes pensées qu'elle n'aurait dû. Ce qui était curieux, parce que je n'en avais pas grand-chose à foutre des gens ou de ce qu'ils pensaient de moi.

Tenir aux gens leur permettait trop facilement de me prendre la tête, qui était déjà bien assez démolie par mon amour pour ma tordue de mère.

– Non !

Le cri provenait du salon.

– Non, Ricky, je ne l'ai pas fait exprès.

Mon estomac se serra.

Mon père était là.

Je me levai de mon matelas et me précipitai dans la pièce. Mon père était costaud, il y avait plus de gris que de noir dans ses cheveux, plus de sourcils froncés que de sourires sur son visage, et plus de haine que d'amour dans son cœur. Il était toujours en costume cravate. Des costumes qui avaient l'air de coûter cher, et des chaussures en croco. Tout le monde dans le quartier savait qu'il valait mieux garder la tête baissée en le croisant, parce que le simple fait de le regarder dans les yeux pouvait être dangereux. C'était la pire brute qui se baladait dans les rues et je le haïssais du plus profond de mon être. Tout en lui me dégoûtait, mais ce que je détestais le plus, c'était que j'avais ses yeux.

Chaque fois que je le regardais, je voyais une partie de moi.

Ma mère tremblait dans un coin de la pièce en se tenant la joue qui portait la marque de la main de mon père. Je le vis s'apprêter à la gifler de nouveau, alors je me mis en travers de son chemin et c'est moi qui pris le coup.

– Laisse-la tranquille, je dis en essayant de faire comme si je n'avais pas mal.

– Ça n'te concerne pas, Logan. Pousse-toi de là. Ta mère me doit de l'argent.

– Je... je l'aurai, j'te jure. Laisse-moi un peu de temps. J'ai un entretien au supermarché au bout de la rue cette semaine.

Elle mentait. Ma mère n'avait pas cherché de boulot depuis des années, et pourtant elle disait toujours avoir ces mystérieux entretiens qui ne débouchaient jamais sur rien.

– Je croyais qu'elle t'avait déjà remboursé. Elle t'a donné deux cents dollars le week-end dernier.

– Et elle en a repris trois cents il y a deux jours.

– Mais pourquoi tu continues à lui donner de l'argent ? Tu sais qu'elle ne peut jamais te le rendre.

Il attrapa mon bras en enfonçant les doigts dans ma peau, me faisant flancher. Il me traîna de l'autre côté de la pièce et se pencha sur moi.

– Pour qui tu te prends, bordel ? Tu crois que tu peux te permettre de me répondre comme ça, hein ?

– Je pensais seulement...

Il me donna une claque sur l'arrière de la tête.

– Tu ne pensais rien du tout. C'est une conversation entre ta mère et moi. Ne t'en mêle pas.

Il me frappa encore une fois, plus fort. Il serra le poing et quand celui-ci rencontra mon œil, je pleurnichai de douleur. Mon père repartit vers ma mère et moi, comme un idiot, je me remis devant elle.

– Tu as envie de mourir, Logan ?

– Je vais payer, je dis en essayant de me grandir, même si je me sentais minuscule chaque fois que j'étais à côté de lui. Attends une seconde.

Je me précipitai dans ma chambre, passai la main sous mon matelas et en sortis l'enveloppe. Je sentais mon œil commencer à enfler pendant que je comptais l'argent.

Plus que vingt-trois dollars.

– Tiens, je dis en posant brusquement l'argent dans les mains de mon père.

Il me regarda en plissant les yeux avant de se mettre à compter. Il marmonnait dans sa barbe, mais je m'en fichais. La seule chose que je voulais, c'était qu'il parte.

L'argent disparut dans sa poche arrière.

– Vous ne vous rendez pas compte de la chance que vous avez de m'avoir, tous les deux. Mais n'allez pas vous imaginer que je vais continuer à payer votre loyer.

J'avais envie de dire : *On n'a pas besoin de toi. Va-t'en et ne reviens plus jamais.*

Je rêvais de lui crier ça, mais je n'ouvris pas la bouche.

Il se dirigea vers ma mère et je la vis tressaillir quand il lui caressa la joue.

– Tu sais que je t'aime, hein, Julie ?

Elle hocha lentement la tête.

– Je sais.

– La seule chose que je veux, c'est qu'on soit heureux. Pas toi ?

Elle hocha la tête encore plus lentement.

Il se pencha sur elle pour l'embrasser sur les lèvres et j'aurais aimé lui mettre le feu. Je voulais le voir brûler et se tordre de douleur à cause de la façon dont il se servait d'elle, la diminuait et crachait sur son âme.

Mais j'aurais aussi voulu crier contre ma mère, parce qu'elle lui rendait son baiser. Quand ils se séparèrent, elle le regarda comme s'il était son Dieu, alors qu'en fait c'était Satan en costume de luxe.

– Logan, dit-il en se dirigeant vers la porte. Si jamais tu veux un vrai boulot, un vrai boulot d'homme, je suis sûr que je pourrai te faire entrer dans l'affaire de la famille. Ce n'est pas avec l'argent de poche que tu te fais que tu iras loin.

– J'suis pas intéressé.

Son sinistre sourire arrogant reparut sur ses lèvres. Je lui faisais la même réponse chaque fois, et chaque fois il souriait comme s'il détenait un secret. Une fois qu'il fut sorti, je relâchai le soupir que je retenais.

– Qu'est-ce qui ne tourne pas rond chez toi ?

En criant, ma mère se jeta sur moi pour me frapper la poitrine. Surpris, j'attrapai ses maigres poignets. Elle continua à hurler.

– Tu veux vraiment tout faire pour me détruire ?

– Je viens de l'empêcher de t'agresser !

– Je ne sais pas de quoi tu parles. Il ne m'aurait pas fait de mal.

– Tu te fais des illusions. Il était précisément en train de te faire du mal.

– Lâche-moi, pleurnicha-t-elle en essayant de dégager ses poignets.

Je la lâchai. Immédiatement elle leva la main et me gifla violemment.

– Ne t'avise plus de te mêler de ma vie. Tu m'entends ?

– Ouais, dis-je tout bas.

Elle pointa son index vers mon visage, le regard dur.

– Tu m'entends ?

– Ouais, dis-je en criant. Je t'entends.

Mais c'était un mensonge éhonté.

Si jamais je revoyais mon père lever la main sur elle, une nouvelle fois je m'interposerais encore. Je me battrais pour la défendre. Je serais sa voix, même si cela voulait dire que je perdais la mienne. Parce que je savais que c'était à cause de lui qu'elle était devenue muette. C'était à cause de lui que le feu en elle avait cessé de brûler.

M'man, reviens-moi.

Quand l'avais-je perdue ? Était-elle vraiment partie pour toujours ?

Si j'avais eu une machine à remonter le temps, je serais retourné réparer l'erreur qui l'avait rendue comme ça. Je l'aurais dirigée vers la gauche plutôt que vers la droite. Je l'aurais suppliée de ne jamais fumer cette première pipe. Je lui aurais rappelé qu'elle était belle même si un homme lui avait dit le contraire. J'aurais réparé son cœur qui était si douloureusement endommagé.

J'allai dans ma chambre en essayant d'effacer mon père de ma mémoire, mais comme chaque fois qu'il venait chez nous, tout me revenait. Toute ma haine, toute ma colère, toute ma douleur. Tout revenait envahir mon cerveau, faire tant de bruit dans ma tête qu'il fallait que je le fasse taire.

Tu seras mort avant tes vingt-cinq ans.

Mon cœur paniquait, la douleur battait sous mes paupières et j'étais sur le point de laisser mes démons revenir. Ils se moquaient de moi, ils me blessaient, empoisonnaient lentement mon esprit.

Je regardai fixement ma table de chevet où ma seringue reposait toutes les nuits. Je la sentis m'appeler, me demandant de donner aux démons la nourriture qu'ils réclamaient pour s'en aller.

Je voulais gagner ce soir-là. Je voulais être fort, mais je ne l'étais pas. Je n'avais jamais été assez fort et je ne le serais jamais.

Laisse-toi faire.

Tu seras mort avant tes vingt-cinq ans.

Je pris une inspiration, les mains tremblantes. Je pris une inspiration, le cœur brisé. Je pris une inspiration, et je fis la seule chose que je savais faire.

J'ouvris lentement le tiroir, sur le point de laisser l'obscurité pénétrer en moi, sur le point de m'évader de la lumière, quand soudain une alerte sonna sur mon téléphone.

Alyssa : Qu'est-ce que tu fais ?

Alyssa m'envoyait un texto exactement au moment où j'en avais vraiment besoin, même si j'étais vexé qu'elle ait attendu onze heures du soir pour m'écrire. La seule personne qui m'avait souhaité mon anniversaire, c'était Kellan, qui m'avait invité à dîner. Tout ce que mon père m'avait offert, c'était un œil au beurre noir, et tout ce que ma mère m'avait donné, c'était de la déception.

Alyssa était celle sur laquelle je comptais. C'était ma meilleure amie et elle ne m'avait pas dit un mot de la journée.

Moi : Je suis dans mon lit.

Alyssa : D'accord.

Ellipses.

Alyssa : Descends.

Je me redressai et relus ses messages. J'enfilai mes tennis précipitamment, une paire de lunettes de soleil, mon sweat à capuche rouge, et je sortis à toute vitesse. Alyssa était garée juste en face de l'immeuble. Elle me souriait. Je jetai un coup d'œil autour de moi, des gens buvaient et fumaient dans la rue.

Bon Dieu. J'ai horreur que tu viennes ici. Surtout le soir.

Je montai dans la voiture, côté passager, et verrouillai les portières dès que je fus installé.

– Qu'est-ce que tu fais Alyssa ?

– Pourquoi t'as des lunettes de soleil ?

– Comme ça.

Elle tendit la main et me les enleva.

– Oh, Logan... murmura-t-elle en passant doucement les doigts sur mon œil tuméfié.

Je reculai en ricanant.

– Tu trouves ça moche ? Tu devrais voir l'autre type.

Ça ne la fit pas rire.

– Ton père ?

– Ouais. Mais c'est rien.

– Ce n'est pas rien. Je n'ai jamais autant détesté quelqu'un de toute ma vie. Et ta mère, ça va ?

– Ça ne va pas du tout, mais ça va.

Je vis les larmes monter dans les yeux d'Alyssa et je l'arrêtai tout de suite.

– Tout va bien, je te promets. Si on y allait, pour que je puisse penser à autre chose un moment.

– D'accord.

– Eh... Alyssa ?

– Oui, Logan ?

J'essuyai ses larmes du bout des doigts que je m'autorisai à laisser s'attarder sur ses joues.

– Souris.

Elle me fit un immense sourire de circonstance. Cela me suffit.

Elle fit démarrer la voiture et conduisit pendant un temps très long. Nous restâmes silencieux pendant tout le trajet et je me demandai ce qu'elle avait en tête exactement. Lorsqu'elle se gara sur le bord d'une rue abandonnée, ma perplexité s'amplifia.

– Sérieux ! Qu'est-ce qu'on fait là ?

– Viens, dit-elle, en sortant rapidement de la voiture et en se mettant à courir dans la rue.

Cette fille voulait ma mort – et par mort je voulais dire vie. Parce que, depuis qu'elle était entrée dans ma vie, je me libérais un peu plus chaque jour de mes contraintes.

Je la suivis de près en me demandant où elle allait.

Elle s'arrêta devant une échelle qui menait à un panneau publicitaire.

– Ta-daaa !

Elle dansait sur place, tout excitée.

– Heu... ?

– C'est ton cadeau d'anniversaire, idiot !

– Mon cadeau c'est… une échelle menant à un panneau publicitaire ?

Elle leva les yeux au ciel et soupira exagérément.

– Suis-moi, dit-elle en montant à l'échelle.

Je fis ce qu'elle me disait. Nous escaladâmes l'échelle la plus haute que j'avais jamais vue. Le grand panneau publicitaire devant lequel nous nous assîmes disait « 2 Burgers pour 5 dollars chez Hungry Harry ». Je voyais bien qu'Alyssa avait un peu le vertige, parce qu'elle faisait de son mieux pour ne pas regarder en bas. Il y avait une balustrade qui faisait le tour du panneau et qui nous empêchait de tomber, mais quand même, cela semblait un peu trop haut à son goût.

– Tu as un peu peur ?

C'était nouveau pour moi.

– Heu… peut-être ? Je pense que le vertige est quelque chose que tu ne sais pas que tu as avant d'être… en hauteur. En tout cas.

Elle fit lentement le tour du panneau publicitaire et sortit un panier de pique-nique et des paquets cadeaux.

– Tiens. Ouvre tes cadeaux d'abord.

Je fis ce qu'elle me disait, et je m'effondrai presque quand je vis les cadeaux.

– Je ne savais pas lesquels tu avais regardés avec ton grand-père, alors j'ai pris tous les DVD que j'ai trouvés, expliqua-t-elle.

Je tenais à la main une douzaine de DVD sur la galaxie, et le documentaire que j'avais regardé avec mon grand-père en faisait partie.

Je me pinçai l'arête du nez.

– Seigneur !

– Et…

Elle fit un geste de la main vers le ciel.

– C'est le meilleur poste d'observation que j'ai pu trouver pour regarder les étoiles la nuit. J'ai sillonné la ville en voiture pendant des jours pour le trouver. C'est sans doute stupide, mais j'ai pensé que tu apprécierais la vue.

Elle plissa le front.

– C'est idiot, hein ? J'aurais dû faire mieux que ça. Les deux dernières années, c'était trop bien, mais j'ai pensé que ça, ce serait...

Je lui pris la main.

Elle se tut.

– Merci.

Je passai ma main libre sur mes yeux et je reniflai un peu en hochant la tête.

– Merci.

– Ça te plaît ?

– J'adore.

Je suis en train de tomber amoureux de toi...

Je secouai la tête en m'efforçant d'écarter cette pensée.

Je ne pouvais pas l'aimer. L'amour impliquait la douleur. Et elle était une des deux seules bonnes choses de ma vie.

Je regardai le ciel à nouveau.

– Si tu regardes là-haut, tu peux voir la constellation du Scorpion. Chaque mois, certaines constellations sont plus visibles que d'autres. Elle commence par cette étoile tout en bas, ensuite elle s'incurve, puis se divise en cinq points, ce qui la fait ressembler à une sorte de pissenlit. Antarès est l'étoile la plus brillante de la constellation. Mon grand-père me disait que c'était le cœur du Scorpion. Tu la vois ?

Je pointai le doigt vers le ciel. Elle acquiesça.

– Selon la mythologie, Orion, le chasseur, se vantait de pouvoir tuer tous les animaux de la planète. Il fut vaincu par un scorpion et Zeus, qui avait observé le déroulement de la bataille, éleva le scorpion dans le ciel nocturne pour l'éternité.

– C'est beau.

Je l'observai un instant, puis je regardai le ciel de nouveau.

– Oui, c'est vrai.

– Ça aussi, c'est beau, dit-elle.

– Quoi ?

Ses lèvres se retroussèrent pendant qu'elle continuait à regarder les étoiles.

– La façon dont tu me regardes quand tu penses que je ne te vois pas.

Mon cœur s'arrêta de battre. Elle avait remarqué que je la regardais ?

– Ça t'arrive de m'observer ?

Elle hocha lentement la tête.

– Et après, quand nous ne sommes plus ensemble, je ferme les yeux et je te vois dans ma tête. Dans ces moments-là, je ne me sens plus jamais seule.

Je suis en train de tomber amoureux de toi.

J'avais envie d'ouvrir la bouche et de le lui dire. J'avais envie de lui ouvrir mon âme et de lui raconter comment je rêvais d'elle en étant éveillé. Mais aussitôt je me rappelai qui elle était, et qui j'étais, moi, et pourquoi je ne pouvais pas lui dire ça.

Un silence gêné s'installa jusqu'à ce qu'Alyssa le brise.

– Oh ! Je nous ai aussi préparé un petit souper, s'exclama-t-elle en tendant la main vers le panier de pique-nique. Maintenant, je ne veux pas que tu te sentes offensé par l'excellence de ma cuisine. Je sais que tu as l'habitude d'être le meilleur chef de la ville, mais je crois que je pourrais bien t'avoir dépassé cette fois-ci.

Elle chercha dans le panier et en sortit une boîte qui contenait des sandwiches au beurre de cacahuètes et à la gelée. Je me mis à rire.

– J'y crois pas ! C'est toi qui as fait ça ?

– Entièrement, du début à la fin. À part le beurre de cacahuètes, la confiture et le pain. Tout ça, je l'ai pris au supermarché.

Ma meilleure amie, je vous dis.

Je mordis dans le sandwich.

– De la confiture de fruits rouges ?

– De la confiture de fruits rouges.

– C'est le grand luxe !

Elle sourit. Et je me sentis mourir un peu.

– Pour le dessert, j'ai des framboises et ça.

Elle sortit un paquet d'Oreos.

– J'ai sorti le grand jeu, non ? Attends.

Elle sortit un biscuit, l'ouvrit posa une framboise à l'intérieur et le referma. Puis elle entreprit de le faire voler comme un avion autour de ma bouche. J'ouvris grand les lèvres, mordis dedans et gémis de plaisir. Elle haussa un sourcil, satisfaite.

– Ce sont mes cookies qui te font gémir de plaisir ?

– Ce sont absolument tes cookies qui me font gémir de plaisir.

Elle se dandina en poussant un soupir exagéré.

– Si j'avais reçu un dollar pour chaque fois qu'un gars m'a dit ça !

– Tu aurais zéro dollar zéro cent.

Elle me fit un petit signe dédaigneux et je l'aimai encore plus. Je ne savais pas ce dont j'avais le plus envie, ses lèvres sur les miennes ou l'écouter parler. L'idée d'avoir les deux me ravissait plus que je n'aurais jamais cru.

La parole, choisis la parole.

– Quel est ton plus grand rêve ?

Je me jetai quelques framboises dans la bouche, avant d'en lancer quelques-unes dans la sienne.

– Mon plus grand rêve ?

– Ouais. Que voudrais-tu être ou faire dans l'avenir ?

Elle se mordit la lèvre inférieure.

– Je veux jouer du piano et faire sourire les gens. Les rendre heureux. Je sais que ça ne paraît pas très ambitieux aux yeux de beaucoup de gens, comme ma mère. Et je sais que c'est un peu bête comme but dans la vie, mais c'est ce que je veux. Je veux que ma musique inspire les autres.

– Tu peux y arriver, Alyssa. Tu le fais déjà.

Je croyais à son rêve bien plus que je ne pouvais l'exprimer. Chaque fois que je l'entendais jouer du piano, c'était comme si toutes les choses horribles de la vie disparaissaient. Les sons qu'elle tirait du piano m'aidaient à trouver quelques instants de paix.

– Et toi ?

Elle posa une framboise entre mes lèvres. Ma situation dans la vie ne m'avait jamais vraiment autorisé à rêver, mais quand j'étais avec Alyssa, tout semblait devenir possible.

– Je voudrais être chef. Je voudrais que les gens arrivent grognons et repartent heureux grâce à ce que j'ai mis dans leur assiette. Je voudrais que les gens se sentent bien en dégustant ma cuisine et oublient tous les embêtements de la vraie vie pendant quelques instants.

– J'adore cette idée. Nous devrions ouvrir un restaurant, y mettre un piano et l'appeler le AlyLo.

– Ou le LoAly.

– AlyLo ça sonne beaucoup, beaucoup mieux. En plus, c'était mon idée.

– Eh bien, d'accord, on va faire ça. On va ouvrir le AlyLo et faire de la cuisine géniale et jouer de la musique géniale et vivre heureux jusqu'à la fin des temps.

– Fin ?

– Fin.

– Ton petit doigt ?

Elle me tendit son petit doigt et j'y accrochai le mien. Nos mains étaient comme liées l'une à l'autre.

– As-tu un autre rêve ?

J'hésitai à le lui confier parce que cela semblait tellement nul, mais s'il y avait une personne en qui je pouvais avoir confiance pour ne pas me juger, c'était bien elle.

– Je veux devenir père. Je sais que ça a l'air idiot, mais je le veux vraiment. J'ai passé toute ma vie avec des parents incapables de donner de l'amour. Mais si j'étais père, j'aimerais mes enfants plus que je ne peux le dire. J'assisterais à leurs matchs de base-ball, à leurs récitals de danse, et je les aimerais, qu'ils veuillent devenir avocats ou éboueurs. Je serais un meilleur parent que les miens.

– J'en suis sûre, Lo. Tu serais un père génial.

Je ne sais pas pourquoi, mais en l'entendant dire ça, les larmes me montèrent aux yeux.

Nous sommes restés là-haut encore un moment, sans dire un mot, en nous contentant de regarder en l'air.

C'était encore si paisible là-haut. Je ne pouvais m'imaginer ailleurs. Nous ne nous étions pas lâché les mains. Est-ce qu'elle aimait me tenir la main ? Est-ce que son cœur battait plus vite par moments ? Est-ce qu'elle aussi était plus ou moins en train de tomber amoureuse de moi ? Je serrai sa main un peu plus fort. Je n'étais pas sûr d'être capable de la lâcher.

– C'est quoi ta plus grande peur ? demanda-t-elle doucement.

De ma main restée libre, je sortis mon briquet et me mis à l'allumer et l'éteindre.

– Ma plus grande peur ? Je ne sais pas. Qu'il arrive quelque chose aux quelques personnes à qui je tiens. Kellan. Toi. Ma mère. Et toi ?

– Perdre mon père. Je sais que ça paraît idiot, mais tous les jours, quand la sonnette de la porte retentit, je me demande si c'est lui. Chaque fois que mon téléphone sonne, mon cœur s'arrête de battre, et j'espère que c'est lui. Je sais que ces derniers mois il a été pas mal absent, mais je sais aussi qu'il va revenir. Il revient toujours. Mais l'idée de le perdre pour toujours me brise le cœur.

Nous avons échangé des réflexions sur nos côtés obscurs et nous nous sommes dévoilé nos lumières respectives.

– Raconte-moi une belle histoire sur ta mère.

– Hum...

Je me mordillai la lèvre inférieure.

– Quand j'avais sept ans, j'allais tous les jours à l'école à pied. Un jour, je suis rentré à la maison et j'ai entendu de la musique qui jouait à tue-tête sous le porche de notre vieil immeuble. Ma mère avait un lecteur de CD avec lequel elle écoutait des vieux tubes, The Temptations, Michael Jackson, tous les classiques. Elle a dit que c'était un voisin qui lui avait donné le CD et cela lui avait donné envie de danser. Alors, elle s'était mise à danser dans la rue, en ne montant sur le trottoir que lorsqu'une voiture passait. Elle était si belle ce jour-là, et elle m'a fait danser avec elle toute la soirée jusqu'à ce que la lune soit haute dans le ciel. Kellan est venu, lui aussi. Il était venu à vélo apporter des restes de son dîner pour maman et moi. Quand il est arrivé, on a dansé tous les trois.

Je veux dire, en y repensant, je suis sûr qu'elle avait pris quelque chose, mais je ne le savais pas alors. Je me souviens juste d'avoir ri et d'avoir tourné et dansé librement avec elle et Kellan. Le son de son rire était ce que je préférais, parce qu'elle riait si fort et sans retenue. C'est mon meilleur souvenir d'enfance. C'est le souvenir vers lequel je me tourne chaque fois qu'elle a l'air tellement ailleurs.

– C'est un bon souvenir auquel te raccrocher, Lo.

– Ouais.

Je lui fis un petit sourire, je ne laissais jamais personne se rendre compte à quel point ma mère me manquait, mais je savais qu'elle comprenait, parce que son père lui manquait aussi.

– Tu as un beau souvenir de ton père ?

– Tu vois la platine vinyle qui est dans ma chambre ?

– Oui.

– Il me l'a offerte une année pour Noël, et nous avons instauré une tradition : tous les soirs avant que j'aille me coucher, nous écoutions et nous chantions une chanson. Puis le lendemain matin, quand nous nous réveillions, nous chantions une chanson aussi. De la musique moderne, des vieux succès, n'importe quoi. C'était notre truc. Parfois ma sœur Erika venait chanter avec nous, parfois ma mère hurlait pour qu'on baisse le son, mais nous riions et nous nous souriions.

– C'est pour ça qu'il y a toujours de la musique le soir quand je viens te voir ?

– Oui. C'est marrant, je joue toujours les mêmes chansons que nous chantions lui et moi, mais maintenant les paroles semblent si différentes.

Nous avons continué cette conversation toute la nuit.

Je lui donnais des framboises et elle m'offrait ses rêves.

Elle me donnait des framboises et je lui confiais mes peurs.

Nous avons observé le ciel nocturne, nous nous sentions en sécurité et libres, l'espace d'un moment.

– Ça t'arrive de te dire à quel point les gens sont fous ? Il y a plus de trois cents milliards d'étoiles rien que dans la voie lactée. Trois cents milliards de points lumineux, qui nous rappellent tout ce qu'il y a là-haut, dans l'univers. Trois cents milliards de flammes qui paraissent si petites, alors qu'en fait elles sont bien plus grandes que tout ce qu'on peut imaginer. Il y a toutes ces différentes galaxies, tous ces autres mondes que nous n'avons jamais découverts et que nous ne découvrirons jamais. Il y a tellement de merveilles dans le monde, et pourtant, au lieu de nous y intéresser et de prendre le temps de nous rendre compte que nous sommes tous infiniment petits dans un lieu lui-même miniature, nous faisons comme si nous étions les maîtres de l'univers. Nous aimons nous donner de l'importance. Et chacun d'entre nous aime faire croire que ce qu'il fait est ce qu'il y a de mieux et que ses blessures sont les plus graves, alors qu'en fait nous ne sommes rien de plus qu'un minuscule point en fusion qui fait partie d'un ciel gigantesque. Un point minuscule dont personne ne remarquerait l'absence. Un point minuscule qui sera incessamment remplacé par un autre qui pense être plus important qu'il n'est en réalité. Je voudrais seulement que les gens arrêtent un peu de se battre à propos de choses aussi stupides et sans intérêt que la race, l'orientation sexuelle et la téléréalité. Je voudrais qu'ils se rappellent qu'ils sont tout petits et qu'ils prennent cinq minutes par jour pour regarder le ciel et respirer à fond.

– Logan ?

– Oui ?

– J'aime ton esprit.

– Alyssa ?

– Oui ?

Je suis en train de tomber amoureux de toi...

– Merci pour cette soirée. Tu n'imagines pas à quel point j'avais besoin de ça. Tu n'imagines pas à quel point j'avais besoin de toi.

Je lui serrai la main doucement.

– Tu es ce qu'il y a de mieux pour moi. Mon plus beau trip.

5

LOGAN

– *Lo ! Lo ! Lo !*

Une semaine plus tard, Alyssa arriva en courant sous une pluie battante en criant mon nom. J'étais sur la plus haute marche de l'échelle, en train de nettoyer l'extérieur des vitres, au troisième étage. Apparemment, ma mère ne me demandait de les faire que lorsqu'il pleuvait à verse. Les cris d'Alyssa me firent sursauter et je lâchai le seau d'eau (maintenant rempli surtout d'eau de pluie) qui alla s'écraser au sol.

– Bon sang, Alyssa !

Elle fronça légèrement les sourcils en tenant un parapluie jaune vif à pois au-dessus de sa tête.

– Qu'est-ce que tu fais ?

– Je fais les vitres.

– Mais il pleut.

Bien vu, Sherlock. Mais je me dis aussitôt que ce n'était pas de sa faute si je faisais les carreaux et qu'elle n'avait pas mérité ma mauvaise humeur. Je descendis les barreaux de l'échelle et la regardai fixement. Elle fit un grand pas vers moi et nous abrita tous les deux sous son parapluie.

– C'est ta mère qui t'a obligé à faire ça ? demanda-t-elle avec le regard le plus triste que j'aie jamais vu.

Je ne répondis pas.

– Qu'est-ce que tu fais là ? je lui demandai, légèrement énervé.

Je n'habitais pas dans le même genre d'environnement qu'elle. J'habitais dans un quartier pourri, et ce n'était pas l'endroit le plus sûr, surtout pour quelqu'un comme Alyssa. Au bout de la rue, il y avait un terrain de basket où avaient lieu plus de deals de drogue que de matchs. Il y avait les individus qui restaient plantés du matin au soir au coin des rues, qui se bousculaient, qui essayaient de se faire un dollar de temps en temps. Il y avait les prostituées abruties par la drogue qui arpentaient les trottoirs. Et puis il y avait les coups de feu qu'on entendait tout le temps, mais heureusement je n'en avais jamais vu aucun atteindre sa cible.

Je détestais ce coin. Ces rues. Ces gens.

Et je détestais qu'Alyssa se pointe par ici quelquefois.

Elle battit des paupières une ou deux fois comme si elle avait oublié pourquoi elle était venue.

– Ah oui !

Son froncement de sourcils se transforma en un large sourire.

– Peau-de-Fesse m'a appelée ! J'avais tellement envie qu'il vienne assister à mon récital de piano ce soir, mais il ne m'avait pas rappelée, tu te souviens ? Jusqu'à maintenant ! Il vient de m'appeler et il m'a dit qu'il pouvait venir ! dit-elle d'une voix suraiguë.

Je battis des paupières, impassible. Peau-de-Fesse avait le chic pour faire ce genre de promesse à Alyssa et reculer à la dernière minute.

– Ne fais pas ça, dit-elle en pointant son doigt sur moi.

– Qu'est-ce que je fais ?

– Ne me regarde pas avec cet air de dire « Ne te fais pas d'illusion, Alyssa ». Ce n'est pas *moi* qui l'ai appelé. C'est *lui*. Il veut être là.

Elle ne pouvait pas s'empêcher de sourire. Cela me faisait de la peine pour elle. Je n'avais jamais de ma vie vu quelqu'un qui avait tant besoin de se sentir désiré.

Tu es désirée, Alyssa Marie Walters. Je te le promets.

– Je ne t'ai pas regardée comme ça.

C'était un mensonge éhonté. Je l'avais bien regardée comme ça.

– Ok. Pesons le pour et le contre de cette situation.

Avant qu'Alyssa et moi passions le bac en juin dernier, on avait un prof d'histoire qui nous faisait faire des listes de points positifs et de points négatifs pour toutes les guerres qui avaient existé. C'était incroyablement chiant, d'autant plus que ce prof avait la voix la plus monotone qu'on puisse imaginer. Alors, depuis ce temps-là, Alyssa et moi avions pris l'habitude de dresser des listes de positif et de négatif pour tout et pour rien, en prenant une voix monotone bien sûr.

– Positif numéro un, dit-elle d'une voix de plus en plus lasse, il vient.

– Négatif numéro un, il ne vient pas.

Elle fronça le nez, agacée.

– Positif numéro deux, il vient avec des fleurs. Quand il a appelé, il m'a demandé quelle était ma fleur préférée. On ne fait pas ça si on n'a pas l'intention d'apporter des fleurs à la personne !

Des marguerites.

Peau-de-Fesse aurait dû le savoir.

– Négatif numéro deux, il appelle et annule à la dernière minute.

– Positif numéro trois, dit-elle en posant la main sur sa hanche. Il vient et il me dit que je suis géniale. Et qu'il est super-fier de moi. Et que je lui ai manqué et qu'il m'aime.

Je m'apprêtais à répondre, mais elle me fit taire et abandonna son ton monotone.

– Écoute, Lo. Assez de points négatifs. J'ai besoin que tu me regardes et que tu me dises que tu es content pour moi, ok ? Même si tu fais semblant.

Elle continuait à sourire et à parler sur un ton enthousiaste, mais ses yeux et son tempo saccadé me renseignaient toujours sur ce qu'elle ressentait réellement. Elle avait le trac, elle craignait qu'il la laisse tomber une fois de plus.

Alors, j'ai souri pour lui faire plaisir, parce que je ne voulais pas qu'elle soit nerveuse ni qu'elle ait peur. Je voulais qu'elle soit vraiment aussi heureuse qu'elle faisait semblant de l'être.

– C'est super, Alyssa, j'ai dit en lui donnant un petit coup dans le bras. Il va venir !

Elle poussa un profond soupir et hocha la tête.

– Oui, absolument, il sera là.

– Bien sûr, j'ai dit avec une fausse assurance. Parce que s'il existe une personne dans ce monde qui vaut le déplacement, c'est bien cette foutue Alyssa Walters !

Le rouge aux joues, elle acquiesça.

– C'est moi ! Cette foutue Alyssa Walters !

Elle plongea la main dans sa poche arrière et en sortit un sachet fermé par une fermeture à glissière, qui renfermait un billet.

– Okay. J'ai besoin de ton aide. Je suis parano à l'idée que ma mère découvre que j'ai essayé de parler à papa. Je ne veux pas qu'il s'approche de chez nous. Alors, je lui ai dit de venir chercher le billet ici.

Alyssa me regardait en espérant que j'approuve son plan. Il ne m'avait pas échappé qu'elle recommençait à l'appeler « papa » et plus Peau-de-Fesse. Cela me fit encore plus de peine pour elle.

Purée, j'espérais de tout mon cœur qu'il allait venir.

– Pas de problème.

Les larmes lui montèrent aux yeux et elle me tendit le parapluie pour que je le tienne, le temps qu'elle les essuie.

– Tu es le meilleur ami qu'une fille puisse avoir.

Elle se pencha vers moi et m'embrassa la joue pas moins de six fois.

Et je fis semblant de ne pas remarquer que mon cœur bondissait six fois aussi.

Elle ne le remarquait pas, elle, hein ? Elle ne remarquait pas qu'elle embrasait mon cœur chaque fois qu'elle se tenait à côté de moi.

6

ALYSSA

– Comment s'est passée ta répétition ? demanda ma mère lorsque je rentrai de chez Logan.

Au lieu d'aller à la répétition, j'étais allée chez lui pour le supplier de donner un billet à mon père. Mais je ne pouvais pas le dire à ma mère, elle n'aurait pas compris. Elle était assise dans son bureau, en train de taper sur son ordinateur, faisant ce qu'elle faisait le mieux, elle travaillait. Un verre de vin était posé à côté d'elle, la bouteille pleine à portée de main. Elle ne leva pas les yeux vers moi et, sans me laisser le temps de répondre, elle ajouta :

– Mets tes vêtements sales dans le panier dans la salle de bains. Et puis si tu peux, lave-les et plie-les pour les mettre dans le sèche-linge.

– D'accord.

– Et j'ai préparé des lasagnes, tu veux bien les mettre au four à deux cents pendant une heure.

– Ok.

– Et s'il te plaît, Alyssa...

Elle s'arrêta de taper et se tourna vers moi en se pinçant l'arête du nez.

– Pourrais-tu ne pas laisser traîner tes chaussures dans l'entrée ? Tu n'as que deux pas à faire pour les mettre dans le placard.

Je jetai un coup d'œil dans l'entrée où j'avais laissé traîner mes Converse.

– Je les ai mises dans le placard.

Elle me lança un regard qui voulait dire « Ben voyons ! ».

– Va les ranger dans le placard, s'il te plaît.

Je les rangeai dans le placard.

Quand vint le moment du dîner, ma mère et moi nous assîmes à la table de la salle à manger, elle les yeux rivés sur son téléphone, répondant à des mails, et moi, les yeux rivés sur mon téléphone, commentant les publications sur Facebook.

– Les lasagnes n'ont pas le même goût que d'habitude.

– J'ai remplacé la pâte par des blancs d'œufs en omelette.

– Mais ce ne sont plus des lasagnes s'il n'y a pas de pâte. Sans ça, on mange juste des œufs, de la sauce et du fromage.

– Mais comme ça, il y a moins de glucides, et tu sais bien que je t'ai dit que tu devais réduire les glucides avant d'aller à la fac. La prise de poids chez les étudiants de première année ce n'est pas une blague, en plus j'ai lu un article qui disait que ceux qui sont déjà en surpoids ont tendance à prendre encore plus de poids que les gens normaux.

– Que les gens normaux ? Tu veux dire que je ne suis pas normale ?

Je sentis ma poitrine se serrer.

Ma mère leva les yeux au ciel avec ostentation.

– Ce que tu peux être susceptible, Alyssa ! Je regrette que tu ne sois pas aussi stable que ta sœur Erika. En plus, elle a des habitudes alimentaires qui sont dix fois meilleures que les tiennes. Je ne fais que constater les faits. Il faut que tu fasses plus attention à ce que tu manges, c'est tout.

Elle changea rapidement de sujet.

– Au fait, tu ne m'as pas répondu. Comment s'est passée ta répétition ?

Elle prit une bouchée de son repas.

– Bien. Tu sais le piano et moi, c'est une vieille histoire.

Elle soupira.

– Oui, je sais. Je suis désolée de ne pas pouvoir assister au récital, ce soir. J'ai trop de travail.

Je levai les yeux au ciel avec une exagération caricaturale, ce qu'elle ne remarqua même pas. Elle ne venait jamais à aucun de mes récitals, parce que, pour elle la musique était un passe-temps, pas un choix de vie. Quand elle avait découvert que j'allais à la fac pour étudier la musicothérapie, elle avait presque refusé de participer à mes frais d'inscription, jusqu'à ce qu'Erika la fasse changer d'avis. Même si ma sœur était comme elle quand il s'agissait d'être réaliste, elle croyait quand même en ma musique. Peut-être parce que son petit ami Kellan était musicien, et qu'elle l'aimait, lui et sa profondeur d'artiste.

Parfois, je fermais les yeux et j'essayais de me rappeler une époque où ma mère n'était pas si dure, si impitoyable. Dans mes souvenirs, je la revoyais plus ou moins en train de sourire, mais peut-être que c'était juste mon imagination qui voulait quelque chose de beau à quoi se raccrocher. Était-elle devenue froide le jour ou papa nous avait quittées ou bien était-ce sa chaleur à lui qui dissimulait la froideur de son âme à elle ?

– Je pense que je vais aller à l'auditorium pour me préparer pour ce soir. Merci pour le dîner, Maman.

Elle se servit un autre verre de vin.

– Ouais.

Alors que j'enfilais un blouson léger, mes Converse et que je prenais le sac artisanal que papa m'avait rapporté d'un concert en Amérique du Sud, ma mère me rappela.

– Alyssa !

– Oui, Maman ?

– Mets le lave-vaisselle en route avant de partir. Et va sécher le linge. Et prends-moi un pot de glace chez Bally. Mais surtout, évite d'en prendre pour toi. Tu sais, la prise de poids des étudiants de première année, et tout ça.

* * *

J'avais l'impression que ma poitrine était en feu.

Le fauteuil 4A était toujours vide quand j'avais jeté un coup d'œil depuis l'arrière de la scène. *Il va venir. Il m'a appelée, il a dit qu'il serait là. Avec des marguerites.*

J'adorais les marguerites, c'était mes fleurs préférées, papa le savait et il allait m'en apporter. Parce qu'il avait promis de le faire.

– C'est à toi après, Alyssa, dit mon professeur.

Je sentais mon cœur battre la chamade dans ma poitrine. À chaque pas qui me rapprochait du piano, j'avais l'impression que j'allais m'écrouler. Je suffoquais, je savais qu'il n'était pas là, j'avais le vertige en pensant que rien ne sortait de sa bouche qui ne soit un mensonge. Toujours des mensonges. Cruels et inutiles.

C'est alors que je levai les yeux.

Pour...

Le fauteuil 4A était occupé.

Il était venu.

Je me détendis une fois assise sur le banc du piano et je me laissai aller à me perdre au clavier. Mes doigts faisaient partie intégrante du piano et faisaient naître la magie. Permettaient aux sons de mon âme d'emplir l'espace. Sans que je le veuille, quelques larmes tombèrent pendant que je jouais. À la fin du morceau, je me levai et saluai. Le public n'était pas censé applaudir jusqu'à ce que les intervenants soient tous passés, pour éviter à ceux qui n'avaient pas bien joué de se sentir mal en ne recevant pas les acclamations des spectateurs. Mais le garçon du fauteuil 4A était debout. Une seule marguerite à la main, il applaudissait comme un fou, en sifflant et en hurlant.

Je souris au garçon qui portait un costume trop grand pour lui.

Sans réfléchir, je traversai le public en courant et je le pris dans mes bras.

– Le billet était pour toi, de toute façon.

Ce n'était pas vrai, mais il me serra plus fort.

Qui avait besoin de Peau-de-Fesse de toute façon ? J'avais Logan Francis Silverstone.

Et cela me suffisait amplement.

7

LOGAN

– Ton costume est trop grand, dit-elle en remontant les manches qui pendaient au-delà du bout de mes doigts. La marguerite que je lui avais donnée était coincée derrière son oreille gauche depuis que nous avions quitté le récital.

– C'est à Kellan. Il est venu le déposer quand il a compris que Peau-de-Fesse ne viendrait pas.

– Tu flottes dedans. Mais tu es beau quand même. Je ne t'avais jamais vu habillé si chic. Ça t'a plu, le récital ? Ce n'était pas ma meilleure prestation.

– C'était parfait.

– Merci, Lo. Je pense que nous devrions faire quelque chose d'amusant ce soir. Pas toi ? Je pense que nous devrions, oh je ne sais pas... faire quelque chose de fou !

Elle parlait, elle parlait, elle n'arrêtait pas. Elle avait le chic pour ça. Pendant que nous marchions, elle tournait en rond, elle souriait et elle parlait, et elle parlait et elle souriait.

Mais je ne l'écoutais pas vraiment, j'avais l'esprit ailleurs.

J'avais envie de lui redire à quel point elle avait été géniale pendant le récital de piano. À quel point je m'étais senti vivant grâce à ses doigts évoluant sur le clavier. Que mes yeux ne l'avaient pas quittée d'une seconde pendant tout le temps où elle avait joué. Que, quand elle m'avait pris dans ses bras, je ne voulais plus jamais la lâcher. Lui dire qu'il m'arrivait souvent de penser à elle en faisant des choses ordinaires comme de me brosser les dents, ou de me coiffer, ou de chercher des chaussettes propres. J'avais envie de lui dire tout ce que je pensais, parce que toutes mes pensées tournaient autour d'*elle*.

J'avais envie de lui dire ce que je ressentais pour elle. De lui dire que j'étais en train de tomber amoureux d'elle. Que j'adorais ses cheveux rebelles et sa bouche toujours en train de bavarder d'une chose ou d'une autre.

J'avais envie de...

– Logan, murmura-t-elle, figée sur le trottoir.

Je ne sais comment, mes mains se retrouvèrent sur ses reins et je l'attirai vers moi. Mon souffle sortait de mes lèvres qui ne se trouvaient qu'à quelques centimètres de sa bouche. Son souffle chaud se mêlait à mes inspirations haletantes et nos deux corps tremblaient l'un contre l'autre.

– Qu'est-ce que tu fais ?

Qu'est-ce que je faisais ? Pourquoi nos lèvres étaient-elles si proches ? Pourquoi nos corps étaient-ils serrés l'un contre l'autre ? Pourquoi ne pouvais-je pas détourner mon regard ? Pourquoi étais-je en train de tomber amoureux de ma meilleure amie ?

– Vérité ou mensonge ?

– Mensonge.

– J'arrange la fleur dans tes cheveux.

Je fixai ses boucles derrière son oreille.

– Maintenant, repose-moi la question.

– Qu'est-ce que tu fais ?

Je m'approchai un peu plus, et je sentis ses mots effleurer mes lèvres.

– Vérité ou mensonge ?

– Vérité.

– Je n'arrête pas de penser à toi. Pas seulement maintenant, je veux dire tout le temps. Le matin, l'après-midi, le soir, tu es dans mes pensées. Je n'arrête pas de penser à t'embrasser, non plus. Je n'arrête pas de penser à t'embrasser lentement. Il faut que ce soit lent. Parce que, plus c'est lent, plus cela dure longtemps. Et je veux que ça dure.

– Et ça, c'est la vérité ? dit-elle d'une voix douce, les yeux rivés sur mes lèvres.

Elle eut un petit hoquet.

– C'est la vérité. Mais si tu ne veux pas que je t'embrasse, je ne le ferai pas. Si tu veux que je te mente, je te mentirai.

Elle me regarda droit dans les yeux et posa les mains sur mon torse. Mon cœur battait à se rompre sous ses doigts tandis qu'elle se serrait contre moi. Elle se mordit la lèvre inférieure, et un minuscule sourire se dessina sur sa bouche.

– Tu es mon meilleur ami, murmura-t-elle en tirant sur le bas de sa robe à pois. Tu es la première personne à qui je pense en me réveillant. Tu es celle qui me manque quand tu n'es pas allongé sur mon lit avec moi. Tu es la seule chose qui m'ait toujours semblé bonne pour moi,

Lo. Et si j'étais honnête, je te dirais que j'ai voulu que tu m'embrasses, pas une seule fois, mais des tas de fois.

Nos corps s'enroulèrent l'un dans l'autre, et je mesurai sa nervosité quand elle fut secouée de hoquets.

– Nerveuse ?

– Nerveuse.

Nous étions maladroits, mais en même temps c'était exactement ce que j'avais toujours espéré. Comme s'il ne pouvait pas en être autrement.

Je haussai les épaules.

Elle haussa les épaules.

Je ris.

Elle rit.

J'entrouvris les lèvres.

Elle entrouvrit les lèvres.

Je me penchai vers elle.

Elle se pencha vers moi.

Et ma vie bascula pour toujours.

Je serrai les mains plus fort dans son dos lorsqu'elle m'embrassa. Elle m'embrasait de plus en plus intensément à chaque seconde qui passait, un peu comme si elle essayait de déterminer si ce moment était réel ou pas.

Était-il réel ?

Peut-être que mon esprit tordu fabriquait des fantasmes alors que nous étions debout l'un contre l'autre. Peut-être qu'en réalité, je rêvais tout simplement.

Peut-être même qu'Alyssa Walters n'avait jamais existé. Peut-être était-elle seulement quelqu'un que j'avais inventé dans ma tête pour m'aider à supporter mes journées pourries.

Mais si tout ça n'était que le produit de mon imagination, pourquoi est-ce que cela me paraissait si réel ? Nos lèvres se séparèrent pendant une fraction de seconde.

Nous nous regardions droit dans les yeux, éberlués, comme si nous nous demandions tous les deux si nous pouvions continuer à faire vivre ce rêve, ou si nous ne ferions pas mieux d'arrêter avant de détruire ce havre de paix qu'était notre amitié.

Son visage se rapprocha du mien et elle passa dans mes cheveux ses mains qui tremblaient.

– S'il te plaît, murmura-t-elle.

Mes lèvres effleurèrent les siennes, et elle ferma progressivement les yeux avant que nos bouches ne s'écrasent l'une contre l'autre. Puis elle m'attira contre elle et glissa sa langue entre mes lèvres. Je lui rendis son baiser avec encore plus de fougue. Nous dégringolâmes contre le mur de l'immeuble le plus proche et je la soulevai contre les pierres fraîches. Je la désirais plus qu'elle ne pourrait jamais me désirer. Nos baisers devinrent plus ardents tandis que nos langues s'entremêlaient, alors que mon esprit se prenait à croire que je pourrais sentir Alyssa contre moi pour toujours.

Je n'étais pas en train d'inventer cette scène, ses lèvres, les mêmes que j'avais imaginées contre les miennes depuis si longtemps, les mêmes qui souriaient pour illuminer mes journées, ces lèvres étaient en train de m'embrasser.

J'embrassais ma meilleure amie et elle me rendait mes baisers.

Elle m'embrassait comme si elle était sincère, et je l'embrassais comme si elle représentait tout pour moi.

C'est le cas.

Elle représente tout pour moi.

Lorsque nous cessâmes de nous embrasser, nous respirions tous les deux difficilement. Je la reposai sur le sol.

Elle fit un pas en arrière.

Je fis de même. Nous étions tout tremblants, elle et moi, et nous restions plantés là sans savoir quoi faire.

Je haussai les épaules.

Elle haussa les épaules.

Je ris.

Elle rit.

J'entrouvris les lèvres.

Elle entrouvrit les lèvres.

Je me penchai vers elle.

Elle se pencha vers moi.

Et nous recommençâmes tout depuis le début.

8

ALYSSA

Nous étions silencieux.

Je choisis de ne remarquer que quelques bruits dans ma chambre. Le bruit du ventilateur au plafond qui tournait et tournait au-dessus de nos têtes, alors que nous étions allongés côte à côte sur mon lit. Il y avait le bruit de la platine vinyle posée sur la commode, qui tournait en hoquetant régulièrement comme si elle était abîmée – en même temps, elle semblait être tout à fait en bon état. Un diffuseur de parfum d'ambiance vaporisait un jet de senteur de rose toutes les deux ou trois minutes, l'odeur venait nous chatouiller les narines. Et pour finir, il y avait nos brèves inspirations et expirations.

Si mon cœur battait si violemment la chamade, c'était qu'il avait peur, j'en étais certaine. Au fur et à mesure que nous passions plus de temps ensemble je tombais de plus en plus amoureuse de lui. Ce soir, nous nous étions embrassés. Nos baisers avaient semblé durer une éternité, et pourtant nous n'en avions jamais assez.

Et maintenant, j'avais peur.

Je me disais que son cœur avait aussi peur que le mien. *C'était obligé.*

– Lo ?

J'avais la gorge sèche, et ma voix se brisa.

– Oui, High ?

Il avait commencé à m'appeler High au moment où nous étions redescendus du panneau publicitaire, après qu'il m'avait dit que « j'étais son plus beau trip », que personne ne le faisait planer aussi haut.

Cela me plaisait plus qu'il ne pourrait jamais l'imaginer. Je me blottis contre lui, en me lovant contre la courbe de son côté. Il me donnait toujours le sentiment d'être ma couverture de sécurité, l'endroit où je pouvais toujours m'emmitoufler quand la vie devenait un peu froide. Il m'avait toujours soutenue, même quand il se sentait lui-même tellement perdu.

Je lui murmurai à l'oreille :

– Tu vas me briser le cœur, hein ?

Il acquiesça avec un regard empreint de culpabilité.

– Ça se pourrait.

– Et ensuite, qu'est-ce qui se passera ?

Il ne répondit pas, mais je la vis dans ses yeux, la peur qu'il puisse me faire du mal. Il m'aimait. Il ne l'avait jamais dit, mais c'était là.

Logan avait une façon bien à lui d'aimer une personne. En silence, presque en secret.

Il avait peur de laisser voir qu'il aimait, parce que si la vie lui avait enseigné quelque chose, c'était que l'amour n'est pas une récompense mais une arme. Et il en avait plus qu'assez d'être blessé.

Si seulement il avait su que son amour était la seule chose qui continuait à faire battre mon cœur... J'aurais tellement aimé qu'il me l'avoue à voix haute.

Nous retombâmes dans le silence.

– High ? murmura-t-il en se rapprochant légèrement de moi.

– Oui ?

– Je suis en train de tomber amoureux de toi, dit-il doucement en reflétant mes pensées.

Mon cœur cessa de battre.

Je percevais la peur et l'excitation dans le ton de sa voix. La peur était nettement la plus forte, mais la félicité sous-jacente était bien là, aussi.

En hochant lentement la tête, je tendis la main vers la sienne, qu'il m'abandonna. Je la serrai fort, parce que je savais qu'on y était. C'était le moment qui allait tout changer. Le point de non-retour. Cela faisait quelques mois que nous faisions ça, que nous éprouvions ces sentiments auxquels nous n'avions rien compris. C'était étrange d'aimer son meilleur ami. Mais quelque part, c'était bien. Avant ce soir, il n'avait jamais semblé prêt à prononcer le mot amour. Je n'étais même pas sûre qu'il y ait de la place dans le cœur de Logan pour un tel sentiment. Tout dans sa vie se passait dans le royaume de l'obscurité. Alors, qu'il le dise, cela signifiait beaucoup plus que quiconque ne pourrait jamais le comprendre.

– Ça te fait peur.

Il me serra un peu plus la main.

– Ça me fait très peur.

Avant, je me demandais comment on savait que l'on était en train de tomber amoureux. Quels étaient les signes ? Les indices ? Cela se faisait-il progressivement ou d'un seul coup ? Se réveillait-on un matin, on buvait son café, et tout à coup, on regardait l'autre assis en face de vous et on tombait en chute libre ?

Mais maintenant, je savais. On ne tombait pas amoureux. On se dissolvait dans l'amour. Un jour, vous étiez de glace, le lendemain, vous n'étiez plus qu'une petite mare d'eau.

Je voulais que cela mette un terme à notre conversation. Je voulais me pencher vers lui, le prendre dans mes bras, m'allonger de nouveau et m'endormir, la tête sur sa poitrine. Il poserait ses mains sur mon cœur pour sentir les battements provoqués par son amour. Il m'embrasserait doucement le menton et me dirait que je suis parfaite comme je suis. Il dirait que c'étaient mes petits défauts qui me rendent belle. Il me tiendrait dans ses bras comme s'il se tenait lui-même, avec soin et précaution. Je voulais me réveiller en sentant la chaleur de ce garçon torturé à côté de moi, le garçon dans lequel je me fondais.

Toutefois, on n'obtient pas toujours ce qu'on veut.

– Je ne sais pas si c'est une bonne idée, dit-il.

Ces mots me blessèrent plus que je ne pourrais jamais l'admettre.

– Tu es ma meilleure amie, High.

– Tu es mon meilleur ami, Lo.

– Et je ne veux pas perdre ça. Je n'ai pas tellement d'amis... je n'ai confiance qu'en deux personnes, toi et mon frère. Et je prendrais le risque de bousiller notre amitié. Je sais que je le ferais. Je ne peux pas accepter cette idée. Je vais te faire du mal. Je fais du mal et je gâche tout.

Il se tourna vers moi, et nos fronts se pressèrent l'un contre l'autre. Il avait les yeux dilatés, et sous ma main posée sur son torse, je sentais à quel point ses propres paroles le blessaient lui-même. Il entrouvrit la bouche et se rapprocha pour murmurer contre mes lèvres.

– Je ne suis pas assez bien pour toi, High.

Menteur.

Il était tout ce qu'il y avait de bon dans ma vie.

– Nous pouvons le faire, Logan.

– Mais… je te ferai du mal. Je ne le veux pas, mais je ne pourrai pas faire autrement.

– Embrasse-moi une fois.

Il fit ce que je lui disais. Sa bouche trouva la mienne et il m'embrassa lentement, puis il s'écarta encore plus lentement. Tout mon corps frémit lorsqu'il passa les doigts dans mes cheveux bouclés.

– Embrasse-moi une deuxième fois.

Une fois encore il s'exécuta, en se soulevant légèrement de façon à ce que son corps se trouve au-dessus du mien. Nos regards rivés l'un à l'autre, il me regardait fixement comme s'il essayait de me promettre l'éternité, même si nous n'avions que le moment présent. Le second baiser fut plus intense, plus sexy, plus réel.

– Embrasse-moi une troisième fois.

Ses lèvres se promenèrent sur mon cou, où il me massa de la langue, en suçant lentement. Instinctivement, je poussai mes hanches vers lui.

– Logan, je…

Ma voix tremblait alors que nous étions allongés dans la chambre plongée dans l'obscurité.

– Je n'ai jamais…

Mes joues s'empourprèrent et je ne pus continuer. Mais il savait déjà.

– Je sais.

Je me mordis la lèvre, et mon estomac frémit.

– Je veux que tu sois le premier.

– Tu es nerveuse ?

– Je suis nerveuse.

Il fit une petite grimace.

– Si tu ne veux pas...

– Si, je veux.

– Tu es belle.

Du bout des doigts, il repoussa mes cheveux derrière mon oreille.

– Je suis toujours un peu nerveuse.

– Tu me fais confiance ?

Je fis oui de la tête.

– Okay. Ferme les yeux.

Je fis ce qu'il me disait. Mon cœur battait de plus en plus vite. Qu'allait-il se passer en premier ? Est-ce que j'aurais mal ? Est-ce qu'il me détesterait ? Est-ce que je pleurerais ?

Les larmes commençaient déjà à me monter aux yeux.

Je pleurerais.

Il posa un baiser au bord de mes lèvres.

– Tu es en sécurité, High, promis.

Il se mit lentement à relever mon haut de pyjama trop grand, et je me raidis.

– Tu ne risques rien, murmura-t-il contre mon oreille en me mordillant le lobe avec douceur. Tu me fais confiance ? demanda-t-il à nouveau.

Je me détendis et je me mis à pleurer, non plus parce que j'étais nerveuse mais parce que je ne m'étais jamais sentie plus en sécurité.

– Oui. Je te fais confiance.

Chaque fois qu'une larme coulait, il l'essuyait d'un baiser.

Il enleva mon T-shirt petit à petit, puis le jeta à l'autre bout de la chambre. Sa bouche partit du haut puis descendit peu à peu. Il me lécha dans le cou, suça ma poitrine, suivit de la pointe de sa langue les contours de mon soutien-gorge, déposa des baisers sur la totalité de ma peau nue.

– Alyssa, murmura-t-il, juste avant d'atteindre la ceinture de ma culotte.

En respirant lourdement, je cambrai les hanches. J'avais besoin qu'il continue à me toucher. Mes mains retombèrent sur ma poitrine où elles mesurèrent le contrôle qu'il exerçait sur les battements de mon cœur.

– Tu me dis d'arrêter si tu veux, d'accord ?

Sa sollicitude était perceptible dans sa voix.

– Non... je t'en prie...

Il fit glisser ma culotte le long de mes jambes, et à chaque centimètre, mon cœur s'emballait de plus belle.

– Alyssa.

Il leva les yeux vers moi, me regardant droit dans les yeux une fraction de seconde avant d'écarter mes jambes et de descendre la tête. Quand sa langue me trouva, je poussai un cri étouffé, tellement le plaisir était grand. Mes doigts se crispèrent sur les draps quand sa langue se mit à aller et venir en moi. Ma tête tournait. Je ne sais comment mon cœur trouvait le moyen tout à la fois d'accélérer et d'arrêter de battre. C'était comme si à chaque seconde j'allais mourir et ses lèvres, sa langue, son âme me ressuscitaient.

Je n'avais jamais imaginé que quelque chose d'aussi simple pouvait être si...

Logan...

– Oui...

Je haletais, me tortillais et me retournai quand il glissa deux doigts en moi, les faisant pénétrer en une lente poussée pour les retirer encore plus lentement. Puis il reprit plus fort, plus vite, plus profondément...

Lo...

J'étais au bord de l'explosion et j'entortillai les draps entre mes doigts. J'étais à la limite de le supplier de m'emmener au bord du gouffre et de me laisser tomber en chute libre.

– J'ai envie de toi, Logan. Oui...

Ma respiration se faisait plus saccadée et mon corps s'habituait au plaisir qu'il me donnait.

– Pas encore, dit-il en s'écartant de moi tout en retirant ses doigts.

Nos regards se soudèrent, et à la façon dont il me regarda, je sentis que je ne serais jamais seule.

– Alyssa, je t'aime.

Sa voix tremblait et ses yeux étaient humides, mais c'est des miens que les larmes coulèrent.

Tu es mon meilleur ami, Lo.

Nous étions plus proches l'un de l'autre que je n'aurais jamais cru possible. Il faisait partie de moi à tout point de vue, nos vies s'entremêlaient comme si nous formions une flamme unique qui brûlait dans la nuit.

Quand il avait envie de pleurer, les larmes commençaient toujours par couler de mes yeux. Quand son cœur menaçait de se briser, le mien volait en éclats.

Tu es mon meilleur ami.

Il se pencha en avant pour m'embrasser. Son baiser s'accompagnait de promesses que nous ne nous étions jamais faites. D'excuses pour des fautes qu'il n'avait jamais commises. Il m'embrassa avec tout ce qu'il était, et je lui rendis son baiser avec tout ce qui existait en moi.

Il se releva et enleva son pantalon et son boxer. Bien que je me sente en confiance, les papillons se formaient toujours dans mon estomac.

– Tu peux changer d'avis, High. Tu peux toujours changer d'avis.

Je lui tendis la main et il la prit dans la sienne. Il revint vers moi et s'allongea sur moi en écartant mes genoux. Quand ses hanches effleurèrent le haut de mes cuisses, je poussai un petit gémissement, mes jambes frémirent de désir, de peur, de passion et d'amour.

– Je t'aime, je murmurai, ce qui le fit hésiter.

Ses lèvres s'écartèrent, mais aucun son n'en sortit. Il semblait étonné que quelqu'un puisse l'aimer.

– Je t'aime.

Je le répétai en observant la douceur qui s'installait dans ses yeux.

– Je t'aime.

– Je t'aime, murmura-t-il en posant ses lèvres sur les miennes.

Des larmes coulèrent de ses yeux, venant se mélanger aux miennes. Je savais combien ces mots étaient difficiles à prononcer pour lui. Je savais à quel point cela l'angoissait de se dévoiler comme ça. Mais je savais aussi à quel point je l'aimais.

– Dis-moi d'arrêter si je te fais mal, dit-il.

Mais ce n'était pas la peine. La douleur était là, mais le désir était plus grand. Il était ma couverture de survie, mon refuge, mon superbe Lo. Il balança ses hanches contre les miennes, en me pénétrant plus profondément.

– Je t'aime, murmura-t-il.

Il donna une poussée.

– Je t'aime... dit-il encore une fois.

Une deuxième.

– Je t'aime...

Trois fois.

– Logan... je... je vais...

Une fois, deux fois, trois fois, quatre...

High. / Le haut.

Low. / Le bas.

Le paradis.

L'enfer.

Lui.

Moi.

Nous.

Nous atteignîmes la jouissance, tremblant l'un contre l'autre, en nous écroulant tout en nous reconstruisant d'une certaine façon.

Je l'aimais.

Je l'aimais du plus profond de mon être et il m'aimait en retour.

Il tint sa promesse. Je me sentis en sécurité du début à la fin. C'était la personne vers laquelle je me tournais chaque fois que j'étais blessée ou que j'avais peur.

Comme vers un foyer.

Logan était mon foyer.

– Alyssa, c'était...

Il soupira, allongé à côté de moi, hors d'haleine.

– Fantastique.

Je souris en tournant la tête de l'autre côté. Du bout des doigts, j'essuyai les larmes qui continuaient à couler, et je fis tout mon possible pour rire afin d'éloigner ce sentiment de félicité qui contenait une once d'inquiétude. Qu'allait-il se passer ensuite ?

– Si j'avais un dollar pour chaque fois que j'ai entendu ça !

Il plissa les yeux, sachant que ma plaisanterie était destinée à masquer mon angoisse, avant de m'attirer contre lui.

– Ça va, High ?

– Ça va.

Je hochai la tête en le regardant dans les yeux.

Il se pencha et essuya de ses lèvres les quelques larmes qui s'attardaient.

– Ça va même mieux que ça.

– Je veux que ce soit ça pour nous. Pour toujours, je veux ça, dit-il.

– Moi aussi. Moi aussi.

– Pour toujours, High ?

– Pour toujours, Lo.

Il inspira profondément, et ses yeux sourirent en même temps que ses lèvres.

– Je suis tellement heureux, là maintenant.

Ce furent les derniers mots qu'il prononça ce soir-là, et je me dis qu'ils décrivaient à la perfection ce que je ressentais moi aussi.

Le ventilateur au plafond tournait et tournait au-dessus de nous allongés côte à côte sur mon lit. La platine vinyle tournait sur la commode, hoquetant toutes les deux ou trois secondes tout en semblant être en parfait état. Le parfum de rose venait rafraîchir l'air à intervalles aussi réguliers que nos respirations.

Nous étions silencieux.

9

ALYSSA

Cela faisait deux mois maintenant que Logan et moi nous étions officiellement déclaré notre amour. Je n'aurais pas cru que notre amitié pouvait se renforcer simplement en tombant amoureux, mais d'une certaine façon cela fut le cas. Il me faisait rire les jours où j'étais triste et cela comptait plus que tout pour moi. Quand on trouve une personne qui parvient à vous faire rire quand votre cœur a envie de pleurer, il faut s'y accrocher. Ce sont ces personnes-là qui changent notre vie pour le meilleur.

J'avais aussi planifié un tas de détails. Dans trois semaines, je partais vivre sur le campus de mon université, mais j'avais programmé les visites de Logan. Nous continuerions à être aussi proches que maintenant et nous serions de plus en plus amoureux. Il avait dit que l'idée lui plaisait, ce qui était génial, parce que je l'aimais de tout mon être.

J'étais sur un petit nuage depuis des semaines, et lorsque je rentrais à la maison après une journée de travail, ma mère était là, prête à me ramener sur terre.

– Alyssa ! cria-t-elle dès que je fis un pas dans la maison.

Je balançai mes chaussures dans l'entrée et les ramassai aussitôt pour les ranger dans le placard.

– Je les ai déjà ramassées !

– Ce n'est pas ce que j'allais dire, répliqua-t-elle depuis son bureau.

En me dirigeant vers le son de sa voix, je jetai un coup d'œil par la porte ouverte. Elle avait les yeux rivés sur l'écran et un verre de vin à la main.

– J'ai fait un pain de viande sans viande, avec des protéines en poudre et du tofu. Tu n'as qu'à le mettre au four.

Ce n'est plus un pain de viande, Maman.

– D'accord.

– Au fait, tu as reçu une lettre de ton père.

J'écarquillai les yeux, tout excitée soudain.

– Quoi ?

– Il t'a écrit une lettre. Elle est sur le plan de travail dans la cuisine.

Papa m'avait écrit une lettre, aujourd'hui !

Papa m'avait écrit une lettre, aujourd'hui !

Je me précipitai dans la cuisine, de plus en plus excitée. Je saisis brusquement l'enveloppe qui n'était pas fermée, et en sortit la lettre.

Ma petite Aly chérie,

Le début était prometteur.

Mes yeux parcoururent les pages de gauche à droite, absorbant chaque mot, chaque note, ne cherchant rien de plus qu'une phrase qui mentionnerait combien je lui manquais, combien il m'aimait, combien il pensait à moi. Il y avait tant de mots, tant de pages. Des pages noircies des deux côtés, couvertes de mots dont certains étaient longs, d'autres tellement courts. Il y avait des points, des points d'interrogation et des points d'exclamation.

Il avait une très belle écriture, parfois difficile à déchiffrer.

Ma poitrine s'embrasait à la lecture de chaque caractère, des caractères qui formaient des mots, des mots qui formaient des phrases, des phrases qui exprimaient des excuses, des excuses qui sonnaient faux parce que qui pouvait faire une telle chose en vrai ?

Je ne serai pas souvent là.

Je pris une brève inspiration en atteignant le dernier paragraphe.

Ma musique décolle. Je suis le leader de ce nouveau groupe.

Une nouvelle respiration courte.

Je me concentre sur ma carrière...

Mon pouce se coinça entre mes lèvres. Quand j'arrivai à la dernière ligne de la lettre, je la posai en regardant, éberluée, les cinq feuillets entièrement couverts de mots, des deux côtés.

Je ne serai pas souvent là, ma petite Aly chérie. J'espère que tu comprends. Continue à faire vivre la musique.

Mon père *rompait avec moi* par l'intermédiaire de cinq feuilles de papier, et quand le pain de viande sans viande arriva ce soir-là, ma mère me dit :

– Je te l'avais bien dit :

Impossible de manger. Je passai la plus grande partie de la soirée dans la salle de bains, à vomir tripes et boyaux. Je n'arrivais pas à croire qu'une personne puisse faire une chose aussi cruelle. Il avait écrit ces mots comme s'ils avaient vraiment un sens pour lui, ce qui me rendait encore plus malade.

Je restai toute la nuit sur le sol de la salle de bains, à me demander ce que j'avais fait de mal et pourquoi mon père ne m'aimait plus.

* * *

– Il a rompu avec toi dans une lettre de cinq pages ?

Logan était choqué. Embarrassée par cette lettre, j'avais passé les cinq derniers jours loin de lui. Mon estomac ne voulait rien garder et renvoyait tout ce que j'essayais d'avaler. Et ce qui me tracassait le plus, c'était que ma mère avait l'air de se réjouir que mon père m'ait laissée tomber. Elle avait toujours l'air contente quand j'avais de la peine. J'étais assise avec Logan au panneau publicitaire. Je connaissais les cinq pages de la lettre par cœur.

– Techniquement, il m'a quittée dans une lettre de dix pages, puisqu'elles sont écrites des deux côtés.

– Donne-moi l'enveloppe, ordonna-t-il.

Ses narines palpitaient, son visage était rouge de colère. Je n'aurais pas cru qu'il serait si contrarié par cette lettre, mais il semblait prêt à péter les plombs.

– Pour quoi faire ?

– L'adresse de laquelle il l'a envoyée, c'est probablement là où il vit. On pourrait y aller. On pourrait l'affronter, on pourrait...

– Il n'y avait pas d'adresse sur l'enveloppe. Il l'a déposée chez nous, directement dans la boîte aux lettres, j'imagine.

Il se passa les mains sur le visage. Il poussa un profond soupir et recommença à feuilleter les pages de la lettre.

– Et le nom du groupe dans lequel il joue, c'est quoi? Il le dit dans sa lettre?

– Non.

– C'est des conneries.

– Ça ne fait rien.

Je haussai les épaules. Je n'avais pas encore complètement réalisé. Quelque part, je continuais à croire qu'il allait revenir. L'espoir est une chose dangereuse quand on compte sur des personnes qui ne sont pas fiables.

– Je m'en fiche.

Je ne m'en fichais pas. Loin de là.

– *Eh bien, pas moi!* cria-t-il en se levant pour faire les cent pas. Ce n'est pas juste. Qu'est-ce que nous leur avons fait à ces gens? Tes parents. Mes parents. Qu'est-ce qu'on a fait de mal?

Je n'avais pas la réponse. Il y avait probablement beaucoup de gens qui ne comprenaient pas ce qui nous rapprochait, Logan et moi. Nous étions tellement différents, sauf que nous avions en commun le plus grand feu qui brûlait en nous: tous les deux, nous manquions cruellement de l'amour de nos parents.

– Tu es une fille super, Alyssa. Tu as tout fait pour être une bonne fille pour lui. Tu t'es démenée pour ce connard et il n'a même pas les couilles de rompre avec toi de vive voix?! Je veux dire, quand même! Qui rompt avec son enfant par courrier postal? Et d'abord, quel genre de parent rompt avec son enfant?

– Tu vois pourquoi je t'ai dit de rompre avec Shay en personne, au lieu de lui envoyer un texto?

C'était une plaisanterie, mais elle ne le fit pas rire.

– Logan, allez. Tout va bien.

– Tu sais quoi? Qu'il aille se faire foutre, High! Tu feras de grandes choses. Tu vas changer le monde, sans lui. Tu vas réussir au-delà de ses plus folles espérances. Tu n'as pas besoin de lui.

– Pourquoi cela te met tellement en colère ?

– Parce que, comment peut-il faire ça ? Comment peut-il te tourner le dos ? Tu es la personne la plus belle, la plus authentique, la plus douce que je connaisse. Et il te quitte. Pour quoi ? Pour la musique ? Pour l'argent ? Pour la gloire ? C'est de la merde tout ça, ça ne compte pas.

Il revint s'asseoir à côté de moi, le souffle court, furieux.

– J'essaie juste de comprendre, c'est tout, dit-il en balançant les jambes au bord du panneau publicitaire, regardant au loin avec moi.

– Comprendre quoi ?

– Comment une personne peut t'abandonner.

* * *

Cette nuit-là, je finis par réaliser. Papa ne reviendrait pas. Il ne voulait plus faire partie de ma vie. Il me laissait tomber pour la musique, ce qui était ironique, puisque pour moi, c'était lui ma musique. Je passai le reste de l'après-midi à être malade, je ne voulais qu'une chose, que cette sensation de vide en moi disparaisse.

Moi : Tu peux venir chez moi ?

Logan arriva vers onze heures du soir. Je lui fis un petit sourire pincé quand il me regarda en me serrant fort dans ses bras.

– Comment tu vas ?

– Ça va.

Il plissa les yeux.

– Mensonge ?

– Mensonge.

– Vérité ?

Je haussai les épaules et les larmes me montèrent aux yeux.

– Peux-tu juste me tenir dans tes bras ?

Il devint aussitôt extrêmement inquiet. Il s'écarta un peu de moi pour scruter mon visage.

– High... qu'est-ce qui se passe ?

Je déglutis avec difficulté.

– Il m'a vraiment quittée. Il ne veut plus de moi.

Il m'accompagna jusqu'à ma chambre et referma la porte derrière nous. Je grimpai dans mon lit pendant qu'il cherchait dans ma collection de disques vinyle. Il en sortit un et le mit, mes yeux se remplirent de larmes à nouveau.

Lorsque la chanson de Sam Smith « Life Support » démarra, Logan éteignit la lumière, vint s'allonger sur le lit et me prit dans ses bras. Lorsqu'il m'attira contre lui, en emboîtant son corps dans le mien, je me mis à trembler et il commença à chanter doucement à mon oreille.

Je me mis à pleurer. Il continua à chanter et mon corps continua à trembler contre le sien. Il m'attira encore plus près, me serra encore plus fort. La chanson passait en boucle, encore et encore. Il continua à chanter contre moi, pénétrant mon âme, apprivoisant le feu, me serrant le cœur.

Sa voix m'endormit, ses bras me protégeaient.

Quand je me réveillai au milieu de la nuit, en larmes à la suite d'un cauchemar, Logan était profondément endormi. Ses bras le long de son corps, son souffle passait entre ses lèvres, et je le regardais, les larmes continuant à couler sur mes joues.

– Lo, dis-je tout bas.

Il remua.

– Ouais ?

– J'ai fait un cauchemar. Tu veux bien me prendre dans tes bras ?

Sans hésiter, il m'attira contre lui et me laissa poser la tête sur sa poitrine, et sentir les battements de son cœur.

– Tout va bien, Alyssa Marie Walters.

Il soupira contre ma peau.

Je continuai à pleurer en me serrant contre lui.

– Tout va bien, Logan Francis Silverstone.

10

ALYSSA

Un malheur n'arrive jamais seul.

Ma mère disait toujours ça quand, au milieu d'une affaire judiciaire, les mauvaises nouvelles arrivaient en cascade. Une mauvaise chose se produisait, une autre encore pire ne tardait pas à la suivre. Je n'ai jamais vraiment cru à ce dicton, parce que j'étais optimiste de nature, je voyais toujours le verre à moitié plein. Mais, depuis quelque temps, il semblait se vérifier. Une semaine à peine s'était écoulée depuis que papa avait rompu avec moi. Je n'avais pas eu le temps de digérer cet événement que déjà le monde me tombait sur la tête, une fois encore. Les paroles de ma mère tournaient en boucle dans ma tête.

« *Un malheur n'arrive jamais seul, Alyssa. La vie est ainsi faite, on n'y peut rien.* »

– Alors, soupira Erika, debout à mes côtés dans une allée de supermarché. Combien on en prend ?

Depuis deux semaines, je vomissais tous les matins. Ce que j'avais pris pour du stress s'était changé en une peur bien plus grande quand nous nous retrouvâmes plantées devant le présentoir des tests de grossesse. Qui d'autre que ma sœur aurais-je pu appeler ? Quand elle avait entendu le tremblement dans ma voix, elle n'avait pas hésité un instant. Trois quarts d'heures plus tard, elle se garait devant la maison. Erika avait beau être aussi réaliste et énergique que notre mère, elle n'était pas aussi insensible. Elle m'aimait pour mon côté créatif et ma personnalité originale, et je savais qu'elle ferait tout pour m'aider.

– Deux, peut-être, je murmurai en tremblant de tous mes membres.

Elle posa une main rassurante sur mon épaule.

– On va en prendre cinq, juste au cas où.

Lorsque la caissière nous vit arriver avec tous ces tests, elle nous regarda comme si nous étions folles. Erika prit aussi une grande bouteille d'eau. Alors que je m'apprêtais à sortir du magasin en courant, tellement je me sentais humiliée par le jugement que je lisais dans les yeux de l'employée, Erika lui dit d'un ton hautain :

– On ne vous a jamais dit que c'était impoli de dévisager les gens ?

Elle enregistra nos achats sans relever les yeux.

Au moment où nous sortions du magasin, je reçus une alerte sur mon téléphone.

Logan : Où es-tu ? Il faut que je te voie.

J'étais incapable de répondre. Je reçus quatre autres messages de lui pendant le trajet pour rentrer à la maison. J'éteignis mon téléphone.

Nous étions assises dans la salle de bains avec la porte verrouillée. Ma mère n'était pas encore rentrée, et les cinq tests de grossesse, sortis de leurs emballages, étaient posés sur le lavabo en attendant que je leur fasse pipi dessus. J'avais bu toute une bouteille d'eau et quand les effets commencèrent à se faire sentir, Erika s'assura que j'avais bien compris la marche à suivre.

– Tu dois faire un peu pipi sur un bâtonnet, puis te retenir, puis tu recommences sur un autre bâtonnet, tu te retiens, puis un troisième et...

– J'ai compris, répliquai-je sur un ton vif.

Ce n'était pas contre elle que je râlais, mais contre moi, de me retrouver dans cette situation. J'étais censée partir pour la fac le week-end prochain, et pas pisser sur cinq bâtonnets.

Une fois l'opération terminée, nous avons attendu dix minutes. Sur les paquets, il était écrit que cela prenait seulement deux minutes, mais je me disais que dix minutes, ce serait plus sûr.

– Qu'est-ce que ça signifie, une ligne rose sur celui-ci ?

J'avais ramassé le premier bâtonnet.

– Enceinte, murmura Erika.

Je pris le second.

– Et un signe plus ?

– Enceinte.

Mon estomac se serra.

– Et deux lignes roses ?

Elle fronça les sourcils. J'avais envie de vomir.

– Et encore un signe plus ?

– Alyssa...

Sa voix tremblait.

– Et celui-ci qui dit enceinte ? Qu'est-ce que ça veut dire ?

Les larmes coulaient sur mes joues, je ne savais pas comment les arrêter. Je respirais difficilement et mon cœur se mit à battre de façon désordonnée. Je ne savais pas à quoi ni à qui penser en priorité. Logan ? La fac ? Maman ? Mes larmes ?

– Aly, ce n'est pas la fin du monde. On va trouver une solution. Ne panique pas.

Seule la main d'Erika sur ma jambe m'empêchait d'aller me recroqueviller dans un coin en me balançant d'avant en arrière.

– Je suis censée entrer à l'université le week-end prochain.

– Et tu vas le faire. Il faut juste qu'on trouve une solution...

– Alyssa ! hurla ma mère en arrivant. Qu'est-ce que je t'ai dit à propos de tes chaussures dans l'entrée ? Viens immédiatement les ranger !

Mes mains se mirent à trembler de façon incontrôlable et Erika dut m'aider à me lever, puis elle balança tous les tests de grossesse dans un sac en plastique qu'elle fourra dans son immense sac à main.

– Allez.

Elle se lava les mains, m'obligea à en faire autant puis fit un signe de tête vers la porte.

– Allons-y.

– Non. C'est impossible. Je ne peux pas la voir pour l'instant. Je ne peux pas sortir d'ici.

– Tu ne peux pas non plus rester cachée là. Ne t'inquiète pas. On ne va rien lui dire. Respire un bon coup.

Elle sortit de la salle de bains en premier et je la suivis.

– Erika ? Qu'est-ce que tu fais là ? demanda ma mère d'une voix aiguë.

– J'ai eu envie de vous rendre une petite visite. Et peut-être même dîner avec vous.

– Ce n'est guère poli de s'inviter à dîner sans avoir appelé d'abord. Et si je n'avais pas ce qu'il faut ?

D'ailleurs, j'avais l'intention de nous faire livrer, ce soir. Alyssa n'a pas fini de faire ses bagages, et pourtant je lui avais dit de le faire le week-end dernier. Et...

– Je suis enceinte.

Ma mère tourna brusquement les yeux vers moi et Erika resta bouche bée.

– Qu'est-ce que tu viens de dire ?

À peine avais-je répété que les hurlements commencèrent. Elle me dit à quel point je la décevais. Elle me hurla son dégoût à la figure. Elle ajouta qu'elle avait toujours su que je raterais tout et que Logan était un bon à rien.

– Tu vas te faire avorter, dit-elle sèchement. Point barre. Nous irons dans une clinique dès cette semaine pour régler cet incident, et tu partiras à l'université comme prévu.

Je n'avais pas encore réussi à réaliser que j'étais enceinte que déjà elle me disait qu'il fallait que je me débarrasse du bébé.

– Maman, arrête. On peut parler raisonnablement, dit Erika en prenant ma défense, voyant que j'étais incapable de dire un mot.

– Raisonnablement ?

Maman croisa les bras sur sa poitrine et haussa un sourcil en me jetant un regard glacial.

– Parce que c'est raisonnable de tomber enceinte cinq jours avant d'entrer à l'université ? C'est raisonnable de sortir avec un loser qui n'a aucun projet de vie ? C'est raisonnable d'avoir un enfant alors qu'on n'a même pas fini de grandir soi-même ?

– Logan n'est pas un loser !

C'était tellement loin de ce qu'il était vraiment. Ma mère leva les yeux au ciel et se dirigea vers son bureau.

– J'ai une audience demain, mais nous irons à la clinique immédiatement après. Sinon, tu n'auras qu'à te débrouiller pour trouver un moyen de payer tes études. Je ne mettrai pas un sou dans des études bidon, alors que tu n'iras même pas jusqu'au bout et que tu n'auras rien au bout du compte. Tu es bien comme ton père.

Je pris une inspiration, et le couteau planté dans mon cœur s'enfonça un peu plus profondément.

Erika passa la nuit à la maison et occupa sa soirée à changer les meubles de place dans le salon. Modifier la disposition des choses était sa façon à elle de gérer sa frustration. Elle pouvait aussi casser des assiettes et des verres.

– Elle ne sait pas ce qu'elle dit, Aly. Tu n'es pas obligée de l'écouter, tu sais. Et si elle te menace, ne te laisse pas impressionner. Je t'aiderai à trouver une solution.

Je souris, puis je fronçai les sourcils.

– Il faut que je le dise à Logan. Il m'a envoyé des textos tout l'après-midi, et je n'ai pas répondu. Je ne sais pas ce que je vais lui dire.

Erika plissa le front, l'air préoccupé.

– Ça ne va pas être facile, mais le plus tôt sera le mieux.

Je déglutis avec difficulté, je savais que cela ne pouvait pas attendre.

– Je ne te cache pas que je suis inquiète, Alyssa. Je connais Logan depuis longtemps, et il n'est pas toujours très stable.

Erika ne portait pas Logan dans son cœur, et je pouvais le comprendre. C'est lui qui avait mis le feu à l'appartement qu'elle partageait avec Kellan, un an auparavant, alors qu'il était complètement défoncé à la suite d'une altercation avec ses parents qui l'avaient rabaissé et frappé.

– Seulement cinq pour cent.

– Quoi ?

– Il n'est comme ça que cinq pour cent du temps, Erika. Les autres quatre-vingt-quinze pour cent, il est doux. Il est gentil. Mais parfois, les cinq pour cent prennent le dessus et il n'est plus lui-même. Il perd la bataille entre ses vérités et les mensonges que ses parents lui racontent. Mais tu ne peux pas le juger sur ces moments-là.

– Pourquoi pas ?

– Parce que si tu le juges seulement sur ces rares moments de creux, alors tu passes à côté de tout ce qu'il y a de beau chez lui.

* * *

Un malheur n'arrive jamais seul, et quand ça commence, ça peut durer.

En deux ans, j'avais eu plusieurs fois l'occasion de voir les mauvais côtés de Logan. Quand cela arrivait, je ne le reconnaissais plus. Sa voix était pâteuse, il marchait en titubant et parlait beaucoup trop fort. Il était en colère, et plutôt méchant, et c'était comme ça chaque fois qu'il ne se contentait pas de fumer de l'herbe, mais prenait d'autres drogues. Certes, je savais que cela arrivait surtout quand ses parents lui avaient fait du mal, en laissant des cicatrices de maltraitance sur son cœur. Les bleus au cœur étaient les plus difficiles à guérir, ils semblaient être ceux qui persistaient le plus longtemps. Quand ces moments de creux se produisaient, je savais qu'il était plus sage d'attendre que ça passe, parce que, après, il retrouvait toujours son chemin vers le Logan que j'aimais, que j'adorais.

Cinq pour cent de creux, quatre-vingt-quinze pour cent de moments super.

Quand je me décidai à rallumer mon téléphone ce soir-là, j'avais quinze textos de Logan.

Logan : Où es-tu, High ?

Logan : J'ai besoin de toi.

Logan : S'il te plaît. Ça ne va pas bien. Mon père vient de partir et ce n'est pas la grande forme.

Logan : Alyssa ? High ?

Logan : Laisse tomber.

Oh non. Il était dans un de ses moments de creux. Ceux qui me faisaient le plus peur.

Moi : Je suis là.

Il ne répondit pas avant trois heures du matin. Quand il appela, j'entendis dans sa voix qu'il était complètement parti.

– Je suis sous ton porche.

En ouvrant la porte, je poussai un cri étouffé. Son œil gauche, tout enflé, était fermé, sa lèvre était éclatée. Sa peau, naturellement hâlée, prenait des teintes bleues et noires.

– Lo !

Je tendis la main vers son visage. Il tressaillit et recula.

– C'est ton père ?

Il ne répondit pas. Je le regardai plus attentivement. Tout d'abord, je remarquai les contractions de son visage, puis la mauvaise coordination de ses mouvements. Il se grattait frénétiquement et n'arrêtait pas de se passer la langue sur les lèvres.

Dans quelles sombres profondeurs es-tu allé te perdre ce soir, Logan ?

– Est-ce que je pourrais prendre une douche ? Je ne peux pas rentrer chez moi, ce soir.

Il renifla en essayant d'ouvrir son œil gauche, mais celui-ci restait désespérément fermé.

– Oui, oui, bien sûr. Entre.

Je le conduisis à ma salle de bains, il titubait à mes côtés. Une fois à l'intérieur, je refermai la porte derrière nous. J'attrapai un linge que je trempai dans l'eau tiède tandis qu'il s'asseyait sur le couvercle des toilettes. Quand je commençai à lui tamponner le visage, il siffla entre ses dents.

– Ça va, dit-il en s'écartant.

– Non, ça ne va pas. Tu ne peux pas ouvrir ton œil.

– Mais je te vois quand même.

Il resta la bouche ouverte un instant avant de recommencer à se lécher les lèvres.

– Tu étais occupée tout à l'heure ?

Je battis des paupières, en détournant le regard. Je mouillai le linge encore une fois.

– Ouais.

– Trop occupée pour répondre à mes textos ?

– Ouais, Lo. Je suis désolée.

Ma respiration s'accéléra, et je regardai la porte. J'avais besoin de m'éloigner un instant.

– Hé, murmura-t-il en posant son index sous mon menton et en le relevant pour m'obliger à le regarder dans son œil valide. Je vais bien.

– Tu es défoncé ?

Il hésita avant de se mettre à rire.

– Va te faire foutre, High. Tu as vu mon visage ? Qu'est-ce que tu crois ?

Je flanchai. Il ne me parlait jamais comme ça, sauf quand il était vraiment au fond du trou. J'aurais dû répondre à ses textos.

– Je vais aller chercher de la glace pour ton œil, ok ? Tu peux utiliser la douche.

Je me levai, mais il me rappela.

– High ?

– Lo ?

Il déglutit, et une larme coula de son œil fermé.

– Excuse-moi, putain. Je ne sais pas pourquoi je t'ai dit ça.

Je lui fis un petit sourire et sortis précipitamment.

Mes mains tremblaient quand je tentai d'attraper un petit sac en plastique pour le remplir de glace. Je n'avais jamais vu Logan dans cet état et si mal en point. *Qu'est-ce que ton père t'a fait ?* Pourquoi son père était-il si monstrueux.

– High ?

Je fis un bond en entendant la voix de Logan derrière moi. Mes poils se dressèrent sur mes bras quand, en me retournant, je vis qu'il tenait quelque chose à la main.

– Qu'est-ce que c'est que ça ?

– Oh, mon Dieu. Logan, j'allais t'en parler.

Je regardai, effarée, le test de grossesse qu'il tenait à la main, nous avions dû l'oublier dans la salle de bains un peu plus tôt dans l'après-midi.

– Que signifient les deux lignes roses ?

Il titubait, à peine capable de se tenir debout.

Tu es trop défoncé pour que nous ayons cette discussion ce soir.

– Nous devrions attendre demain pour en parler.

Je m'approchai pour poser la main sur son épaule. Il se dégagea violemment.

– Non, nous allons en parler tout de suite, dit-il d'une voix forte.

– Lo, peux-tu parler moins fort ? Ma mère dort.

– Je m'en fous. Tu es enceinte ?

– Nous ferions mieux d'attendre demain.

– Que se passe-t-il ?

Je reculai en voyant ma mère, en peignoir, entrer dans la cuisine. Lorsqu'elle aperçut Logan, elle se réveilla tout à fait.

– Qu'est-ce que tu fais là ? Sors de chez moi, immédiatement.

– Maman, arrête.

Je la suppliai en voyant son regard haineux.

– Nom de Dieu. Vous ne voyez pas que n... n... nous sommes en train de discuter, putain, dit Logan d'une voix pâteuse.

Cela n'allait pas améliorer la situation. Maman se précipita sur lui et lui saisit le bras.

– Tu n'as rien à faire ici. Va-t'en avant que j'appelle la police.

Il dégagea son bras brusquement, trébucha en arrière et alla se cogner contre le frigo.

– Ne me touchez pas. Je parle avec votre fille.

Ma mère tourna vivement les yeux sur moi.

– Voilà exactement pourquoi tu vas te faire avorter. C'est une épave.

Logan se redressa du mieux qu'il put, les yeux arrondis de dégoût.

– Avorter ? Tu vas te faire avorter ?

Je tremblais de tout mon corps, les yeux brouillés de larmes.

– Non. Attends. Maman, arrête. Tu compliques tout.

– Vous avez vraiment parlé d'avortement ?

– Nous allons le faire jeudi. J'ai déjà appelé pour prendre rendez-vous.

Ma mère mentait. J'avais dix-huit ans et j'avais le droit de disposer de mon corps comme je l'entendais, sans tenir compte de l'avis de ma mère.

Logan poussa un long soupir.

– Waouh. Alors, tu allais le faire sans m'en parler? Tu ne crois pas que je serai un bon père, c'est ça?

Ma mère se mit à rire d'un air sarcastique.

Ce qui n'arrangeait rien, encore une fois.

– Je n'ai jamais dit ça, Lo.

– Si, c'est ce que tu as dit! C'est ce que tu as pensé! hurla-t-il, les yeux vitreux, comme si la lumière que j'aimais tant chez lui avait disparu de son existence tout entière.

– Tu es défoncé, Logan, tu ne m'écoutes pas.

– Ce n'est pas nouveau, marmonna ma mère entre ses dents, l'air dégoûté.

– Maman, arrête, tu veux?

– Non. Elle a raison. Je suis toujours défoncé, non? C'est ce que vous pensez tous de moi, dit-il en nous désignant de la main, maman et moi. Vous et votre putain de fric dans votre putain de grande baraque où vous avez tout ce que vous voulez.

En titubant, il heurta accidentellement un ensemble de couteaux qui allèrent s'éparpiller sur le sol. Ma mère et moi sursautâmes.

Oh, Lo... Reviens...

– Sors d'ici. Immédiatement.

Ma mère attrapa son téléphone et le montra.

– J'appelle la police.

– Maman, arrête. S'il te plaît.

– Non. Je m'en vais. Tu peux garder tout ça, siffla-t-il. Ton argent. Ta maison. Ta vie. Ton avortement. Tout le bordel. Je me barre.

Il s'en alla précipitamment, et je regardai fixement ma mère, le visage noyé de larmes.

– C'est quoi ton problème?

– Moi? cria-t-elle, choquée. Ce garçon est une bombe à retardement. Je savais que tu étais naïve, Alyssa Marie.

Mais je ne pensais pas que tu pouvais être aussi stupide. C'est un toxico. C'est un malade, et il n'ira jamais mieux. Il t'aura entraînée en enfer avant que tu aies pu faire quoi que ce soit pour lui. Tu ferais mieux de renoncer à lui. C'est une cause perdue. Kellan et toi, vous êtes ses catalyseurs. C'est vous qui lui permettez de continuer à faire ça, et cela ne peut qu'empirer.

J'inspirai profondément avant de partir en courant pour rattraper Logan.

Il se dirigeait vers la grille pour l'escalader de nouveau.

– Logan, attends !

Il se retourna vers moi, haletant.

– Je me suis ouvert à toi, dit-il d'une voix dure, qui tranchait totalement avec la mienne, faible, douloureuse, terrifiée.

– Je sais.

– Je me suis ouvert à toi, même si je savais que ce n'était pas une bonne chose. Je te l'ai dit. Je ne suis pas capable d'aimer, Alyssa. Mais tu m'as forcé à t'aimer, putain.

– Je sais.

– Tu m'as forcé à t'aimer. Et je t'ai aimée, très fort, parce que je ne sais pas faire autrement. Je t'ai aimée de tout mon être, parce que tu m'as fait croire que cette vie valait, peut-être, la peine d'être vécue. Et là, tout d'un coup, tu te détournes de moi. Qu'est-ce que je t'ai fait ? Pourquoi est-ce que tu... je t'ai parlé de mes rêves. Je t'ai tout raconté.

Il fit quelques pas vers moi, en baissant la voix, tremblant. Quand nos regards se croisèrent, il secoua la tête et recula.

– Ne me regarde pas comme ça.

– Comment je te regarde ?

– Je ne suis pas ma mère.

– Je le sais bien.

– Alors, pourquoi tu me regardes comme si je l'étais, putain ?

– Logan... je t'en supplie, écoute-moi.

Il vint jusqu'à moi et nos corps fondirent comme ils le faisaient chaque fois. Il appuya son front contre le mien, ses larmes coulaient sur ma joue alors que je posai les mains sur son torse. Nous nous étreignîmes, nos deux corps en feu, brûlant de savoir pourquoi la vie devait être si dure. Il posa les lèvres contre mon oreille, et je sentis son souffle chaud effleurer ma peau quand il prononça les paroles qui rejetèrent mon âme.

– Je ne veux plus jamais te revoir.

***

Il disparut cette nuit-là.

Il disparut de ma vie en un clin d'œil. Finies les visites tard le soir. Sa douce voix, envolée. Tous les soirs, je me demandais où il était, s'il allait bien. Je passais régulièrement chez lui, il n'y était pas. Quand je l'appelais, je tombais toujours sur sa boîte vocale. Kellan, non plus, n'avait aucune nouvelle. Il ne l'avait pas revu et il avait aussi peur que moi.

Lorsque j'avais dit à ma mère que j'avais l'intention de garder le bébé, elle m'avait hurlé dessus et avait mis ses menaces à exécution. Elle avait annulé son échéancier de paiements pour mes frais de scolarité. Erika et Kellan m'avaient accueillie dans leur petit appartement et j'essayais de trouver ma place. Tous les soirs, Kellan et moi retournions en ville et nous parcourions en voiture tous les endroits où Logan était susceptible de se trouver. Nous parlions à ses copains, mais on arrivait toujours une minute trop tard, semblait-il.

Il était dans des fêtes, mais semblait toujours avoir disparu. Son pote Jacob nous dit que Logan consommait beaucoup, ces derniers temps, mais il n'avait pas réussi à lui parler.

– Je vais faire attention, nous jura-t-il. Si je tombe sur lui, je vous préviendrai.

J'avais un nœud à l'estomac.

Et si Logan franchissait la limite ?

Et s'il ne pouvait plus ressortir de cette souffrance qui le minait ?

Tout était de ma faute.

11

ALYSSA

J'avais horreur de recevoir des coups de fil au milieu de la nuit. Ils me rendaient toujours nerveuse. Aucune bonne nouvelle ne vous arrivait à trois ou quatre heures du matin. Malheureusement pour moi, j'avais reçu bien trop de ces appels au cours des derniers mois, tous à cause d'un garçon qui avait mis le feu à mon cœur. Chaque fois que le téléphone sonnait, j'imaginais toujours le pire – une maladie, un accident, une mort. Certains soirs, je restais éveillée, les paupières lourdes, en attendant ces appels. Quand je n'en recevais pas, je composais parfois son numéro juste pour entendre sa voix, juste pour m'assurer qu'il allait bien.

– Je vais bien, Alyssa Marie Walters, disait-il.

– Tu vas bien, Logan Francis Silverstone, je répondais avant de m'endormir, en l'écoutant respirer.

Mais ces derniers temps, nous ne nous parlions plus.

Quand j'étais inquiète, je ne pouvais pas l'appeler.

Quand j'avais peur, il n'y avait aucun son à l'autre bout de la ligne.

Alors, ce soir-là quand le téléphone a sonné, j'ai eu la peur de ma vie.

– Alyssa ? dit une voix dans le téléphone.

Ce n'était pas celle de Logan et pourtant c'était son nom qui s'affichait sur mon écran.

– Qui est à l'appareil ? dis-je, encore endormie.

– C'est Jacob... le pote de Logan. Je...

Il hésita.

– Écoute, je suis dans une fête et j'ai retrouvé Logan. Il ne va pas très bien. Je ne savais pas qui appeler.

Je me redressai dans mon lit, complètement réveillée.

– Où est-il ?

Jacob me donna tous les renseignements et je tombai du lit pour aller chercher de quoi écrire.

– Merci Jacob. J'arrive.

– Ok, d'accord. Écoute, tu ferais peut-être mieux de venir avec Kellan.

Je me précipitai jusqu'à la chambre de Kellan et Erika et je tambourinai sur la porte. Mon cœur battait la chamade et je me mordis la langue pour ne pas pleurer. Je n'arrivais pas à contrôler mes tremblements en attendant d'entendre la voix de Kellan. Quand il ouvrit la porte et se mit à parler, je pris une petite inspiration douloureuse. Il avait la même voix que Logan, j'en tombai presque à la renverse. Cela faisait plusieurs semaines que Logan avait décidé de ne plus me parler. Tout ce que je voulais, c'était entendre sa voix de nouveau.

– Alyssa ? Qu'est-ce qui se passe ? demanda-t-il d'un ton inquiet.

Il savait comme moi qu'un appel à une heure aussi tardive, alors que Logan avait recommencé à consommer, pouvait toujours être celui que nous redoutions le plus.

– Est-il...

– Je n'en sais rien.

Je lui racontai le peu que je savais, et quelques instants plus tard nous étions partis.

Quand nous arrivâmes à la fête, Jacob nous attendait sur le perron d'une maison délabré à côté de Logan allongé sur un banc. Ses yeux étaient révulsés et un filet de bave coulait au coin gauche de sa bouche.

– Nom de Dieu, marmonna Kellan en allant vers lui.

– Il ne réagit pas.

– Qu'est-ce qu'il a pris ? demanda Kellan.

– Il s'est shooté à l'héroïne et je crois qu'il avait sniffé avant. Mais je ne sais pas s'il a pris autre chose.

– Pourquoi n'as-tu pas appelé les flics ?!

Je criai en me précipitant vers Logan et j'essayai de le soulever. Il tressaillit et se mit à vomir sur le perron.

– Je ne sais pas, moi. Écoute, d'habitude Logan arrive à gérer. Mais depuis quelques semaines, il se défonce vraiment. Je ne pouvais pas appeler les flics parce que... Écoute, je ne savais pas quoi faire, c'est pour ça que je vous ai appelés.

Cela faisait un moment que je connaissais Jacob. Il n'y avait pas beaucoup de personnes que Logan considérait comme des amis, mais Jacob était un des rares dont il parlait de façon positive. Mais, ce soir-là, je n'étais pas d'accord. Un véritable ami – un ami sincère – ne laisserait jamais quelqu'un dégringoler si bas sans lui tendre la main.

– Tu aurais dû appeler une ambulance.

J'étais furieuse. Effrayée. Furieuse et effrayée.

– Aide-moi à le mettre dans la voiture, ordonna Kellan à Jacob.

Ils l'installèrent sur le siège arrière, et je montai à côté de lui.

– Il risque de recommencer à vomir, Alyssa. Tu ferais peut-être mieux de monter devant.

– Je préfère être là.

Kellan remercia Jacob, et nous partîmes à l'hôpital pour faire examiner Logan. Je ne l'avais jamais vu comme ça et j'avais l'impression de devenir folle.

– Maintiens-le éveillé, d'accord ? dit Kellan.

Je fis oui de la tête et mes larmes tombèrent sur les joues de Logan.

– Il ne faut pas que tu t'endormes, ok ? Garde les yeux ouverts, Lo.

Il posa sa tête sur mes genoux sur le siège arrière de la voiture de Kellan. J'étais terrorisée en me disant que s'il fermait les yeux, il ne les rouvrirait plus. Il était trempé de sueur et chacune de ses inspirations semblait douloureuse. Chacune de ses expirations, exténuante.

Il se mit à rire.

– Hi.

Je fis une moue.

– Salut, Logan.

Il secoua la tête et se redressa sur ses coudes.

– Non, pas « *hi* » comme salut. High. H-I-G-H. Comme « stone ».

Je détestais quand il parlait de défonce. Je détestais qu'il se perde dans quelque chose qui transformait mon meilleur ami en ma plus grande peur. *Que t'est-il arrivé ce soir, Logan ?* Qu'est-ce qui l'avait poussé aussi loin dans ces zones de ténèbres ?

Soudain, la réponse me sembla évidente.

C'était moi.

C'était moi qui lui avais fait ça.

C'était moi qui l'avais poussé à poursuivre ses ombres.

Je suis désolée, Logan.

Alors que je regardais fixement ses yeux à demi ouverts, les paroles de ma mère résonnèrent à mes oreilles et dans ma tête. *C'est un toxico, Alyssa. C'est un malade, et il n'ira jamais mieux. Il t'aura entraînée en enfer avant que tu aies pu faire quoi que ce soit pour lui. Tu ferais mieux de renoncer à lui. C'est une cause perdue. Kellan et toi, vous êtes ses catalyseurs. C'est vous qui lui permettez de continuer à faire ça, et cela ne peut qu'empirer...*

– Tu planes, murmura Logan en laissant retomber sa tête.

– Quoi ?

– Tu m'appelles Lo, ce qui me va bien parce que je suis nul. Je suis le fond du fond de ce putain de trou. Mais toi ?

Il ricana en fermant les yeux.

– Tu es mon plus beau trip, ce que j'ai de mieux. Et tu as brisé mon putain de cœur.

Mes yeux s'emplirent de larmes et je le serrai dans mes bras.

– Ne ferme pas les yeux, Lo, ok ? Ne ferme pas les yeux.

Je jetai un coup d'œil à l'avant de la voiture, Kellan s'essuyait le visage. Je savais que voir son frère dans cet état devait être la chose la plus difficile qu'il ait jamais eue à supporter.

Je savais que cela devait lui briser le cœur autant qu'à moi.

– Ramène-moi là-bas, marmonna Logan en essayant de se lever du siège.

– Calme-toi, Logan. Tout va bien, dit Kellan.

– Non. Ramène-moi, hurla-t-il en se levant d'un bond pour se jeter sur le volant, obligeant Kellan à faire une embardée.

– Ramène-moi là-bas !

Nous fîmes tout ce que nous pouvions pour l'arrêter, pour l'obliger à se maîtriser, à se calmer, mais tout à coup, Kellan perdit le contrôle de la voiture.

Elle fit un brusque virage à gauche.

Et tout devint noir.

12

LOGAN

Lorsque j'ouvris les yeux, j'étais dans une chambre d'hôpital et le soleil pénétrait par la fenêtre. J'essayai de me retourner, mais tout mon corps était douloureux.

– Merde.

– Ça va ?

En me tordant le cou, je vis Kellan assis sur une chaise avec des paquets de dépliants dans les mains et un gros pansement sur le front. Il portait un sweat à capuche et un pantalon de survêtement et, contrairement à son habitude, il ne souriait pas.

– Non. J'ai l'impression d'avoir été percuté par un semi-remorque.

– Ce n'est pas plutôt comme si tu étais rentré dans une saleté de mur ?

En me tournant vers la gauche, je vis Erika. Elle avait les bras croisés et me regardait d'un œil dur. Un homme avec un nœud papillon était à côté d'elle. Il tenait un bloc-notes à la main, et Jacob était assis dans un coin.

Que s'était-il passé ? Que faisait Jacob avec Kellan ?

– Tu ne te souviens pas ? demanda Kellan d'un ton peu aimable.

– Me souvenir de quoi ?

– D'avoir percuté un satané mur ! s'exclama Erika d'une voix tremblante.

L'homme qui se tenait à côté d'elle posa une main sur son épaule en un geste rassurant. Je fermai les yeux pour essayer de me souvenir, mais tout était très confus dans ma tête.

– Logan, dit Kellan en se pinçant l'arête du nez, nous t'avons trouvé inanimé sur le perron d'une maison. Alors, nous avons essayé de t'emmener à l'hôpital pour te faire examiner, mais tu as paniqué et tu as pris le contrôle du volant et tu nous as fait percuter un mur.

– Quoi ?

J'avais la gorge sèche.

– Tu vas bien ?

Il hocha la tête, mais Erika n'était pas d'accord.

– Montre-lui, Kellan.

– Arrête ça, Erika.

– Non. Il faut qu'il voie. Il faut qu'il voie ce qu'il a fait.

Kellan baissa la tête et regarda ses chaussures.

– Laisse tomber, Erika.

– Montre-moi.

Il se passa la main sur la nuque et souleva son sweat pour me montrer le côté de son torse qui était tout noir et bleu avec des nuances de violet, de haut en bas.

– Putain ! C'est moi qui ai fait ça ?

– Ça va, dit Kellan.

– Non, ça ne va pas, dit Erika d'une voix cinglante.

Elle a raison, ça ne va pas.

– Kel, je suis vraiment désolé, je ne voulais pas...

– Et ce n'est pas le pire ! Tu as failli tuer ma sœur !

Mon cœur se serra.

Alyssa.

High.

Mon plus beau trip.

– Qu'est-il arrivé à Alyssa ? Où est-elle ?

Je tentai de me redresser, mais la douleur qui me vrilla le dos m'en empêcha.

– Logan, reste tranquille. Les médecins s'occupent d'Alyssa. Mais pour l'instant, il s'agit de toi. Nous avons fait venir quelqu'un qui peut t'aider, dit Kellan.

– M'aider à quoi ? Je n'ai besoin de l'aide de personne. Qu'est-il arrivé à Alyssa ?

J'avais l'impression que les murs de la chambre se refermaient sur moi. Qu'est-ce que je faisais là ? Pourquoi est-ce que tout le monde me regardait comme si j'étais un déchet ? *Pourquoi refusaient-ils de me dire pour Alyssa ?*

– Nous sommes tous là parce que nous t'aimons, essaya d'expliquer Kellan.

Et soudain, un déclic se fit dans ma tête. Je compris pourquoi l'homme au nœud papillon était dans la chambre. *Ils mettent en place une procédure d'intervention pour moi. Dans une chambre d'hôpital.*

– Vous m'aimez ?

Ma voix se chargeait d'amertume à mesure que je prenais lentement conscience de ce qui se passait.

– Tu parles !

– Arrête, Logan. Tu n'es pas juste, dit Kellan.

En tournant la tête, je croisai le regard lourd d'angoisse et d'inquiétude de Kellan.

– Toi, arrête, Kellan, ok ?

Je levai les yeux.

– Alors quoi ? C'est une procédure d'intervention ? Vous pensez tous que je suis tellement déglingué qu'il était urgent que vous vous réunissiez dans une chambre d'hôpital pour me mettre le plus mal à l'aise possible, parce que vous estimez que je suis dangereux ? Il fallait que vous fassiez venir des gens qui n'en ont rien à foutre de moi ? J'ai commis une erreur hier soir.

Je fis un signe vers Jacob.

– C'est plutôt hypocrite de faire venir ce connard qui se défonçait avec moi la semaine dernière, tu ne crois pas ? Jacob, je suis pratiquement sûr que tu es défoncé, là maintenant.

Jacob fronça les sourcils.

– Arrête, Logan...

– Non. Et toi, Erika, je ne sais même pas ce que tu fais là, bordel. Tu ne peux pas me supporter.

– Je ne te déteste pas Logan.

Elle avala sa salive avec difficulté.

– Écoute, c'est un peu dur.

– Putain ! J'aimerais vraiment que vous arrêtiez tous de me parler avec cet air supérieur, comme si vous valiez mieux que moi. Vous n'êtes pas meilleurs que moi.

J'eus un petit rire sarcastique, en essayant de me redresser. J'étais sur la défensive, parce qu'au fond de moi je savais qu'ils avaient raison.

– En fait, c'est plutôt comique. On est là en train de me présenter comme un mec complètement perturbé alors que tous les gens assis dans cette pièce sont au moins aussi perturbés que moi. Kellan est incapable d'affronter son connard de père pour lui dire qu'il veut devenir musicien et non pas avocat. Jacob est addict à la pornographie chelou avec des fourchettes et des trucs merdiques.

Erika casse une assiette et en rachète cinquante pour la remplacer, juste pour le cas où l'assiette neuve serait cassée aussi. Personne ne trouve cette habitude de casser et de racheter complètement dingue ?

– Je pense que nous voulons seulement que tu ailles mieux, Logan, dit Kellan.

Je me demandais si son cœur battait de façon aussi frénétique que le mien.

– J'imagine à peine ce que tu as vécu avec maman, dit-il. Je me dis que ça ne doit pas être facile de rester clean avec elle.

– Tu dois te sentir plutôt bien dans tes baskets, je dis en lui passant le doigt sous le nez. Toi, tu es Kellan, l'enfant parfait. Celui qui a un père riche. Celui qui a un avenir. Celui dont le chemin est tout tracé pour aller dans une université réputée et devenir un avocat réputé. Et moi, je suis juste le frère perturbé avec une mère toxico et un père dealer. Eh bien, félicitations, Kellan. C'est toi qui gagnes. Tu es le fils préféré de maman, celui qui a fait quelque chose de lui-même, alors que moi je ne suis qu'un gamin pathétique qui sera probablement mort avant d'atteindre ses vingt-cinq ans.

Kellan prit une inspiration peinée.

– Pourquoi tu dis toutes ces conneries ?

Il faisait les cent pas dans la chambre, les narines dilatées.

– C'est quoi ton problème, Logan ? Réveille-toi. *Réveille-toi.* On fait tout ce qu'on peut pour t'aider, et toi tu nous hurles dessus comme si on était l'ennemi, alors qu'en réalité, l'ennemi est dans ta tête. Tu te détruis. Tu te détruis et tu t'en fous, cria-t-il.

Kellan n'élevait jamais la voix, jamais. J'allais dire quelque chose, mais son regard m'arrêta net.

Il plissa les yeux et, l'espace d'une seconde, j'aurais pu jurer y voir un éclair de haine.

Il se passa les mains sur le visage encore et encore en essayant de se calmer. En parlant, il reniflait pour dissimuler son émotion. Il me lança les brochures et quand elles atterrirent sur mes genoux, je lus les titres en boucle.

Centre de repos et de désintoxication Saint Michael Waterloo, Iowa.

– Désintox ? Tu penses que je dois aller en cure de désintox ? Vous pensez tous que j'ai besoin de me faire désintoxiquer ? Je vais bien.

– Tu as foncé dans un mur avec une voiture, dit Erika pour la centième fois.

– C'était un accident, Erika ! Tu n'as jamais fait d'erreur, toi, peut-être ?

– Si, Logan. Mais pas au point de manquer de tuer mon petit ami et ma sœur. Tu es un vrai désastre, et si tu ne te fais pas aider, tu vas faire encore plus de mal.

Où est High ?

– Écoute, on s'égare, là, Logan. Nous voulons t'aider. Mon père paiera pour ton séjour en Iowa. C'est une des meilleures institutions du pays. Je pense que tu pourras y trouver toute l'aide dont tu as besoin.

J'ouvris la bouche pour répondre, mais Kellan m'en empêcha. Il plissa les yeux et je pourrais jurer que, l'espace d'une seconde, j'y vis un éclair d'amour.

Un éclair d'espoir.

Un éclair de supplication.

– Est-ce que je pourrais rester seul avec mon frère ? je murmurai en fermant les yeux.

Tout le monde quitta la chambre en refermant la porte.

– Je suis désolé, Kel, je dis en me tordant les doigts. Je n'ai pas fait exprès de provoquer cet accident. Je ne voulais pas ça. Mais quand Alyssa a dit qu'elle allait se faire avorter...

– Quoi ? m'interrompit Kellan.

– Tu n'étais pas au courant ? Alyssa était enceinte. Mais elle a fait une IVG il y a quelques semaines. C'est sa mère qui l'a accompagnée, et ça m'a démoli, Kel. Je sais que je n'ai pas donné de nouvelles depuis plusieurs semaines, mais c'est le bazar dans ma tête.

– Logan...

Kellan se rapprocha et tira une chaise près de mon lit.

– Elle n'a pas fait cette IVG.

– Quoi ?

Mon cœur s'emballa, et j'agrippai les barrières de mon lit.

– Mais sa mère a dit...

– Sa mère l'a fichue dehors quand Alyssa lui a dit qu'elle allait garder le bébé. Elle voulait te le dire, mais tu as disparu des radars.

Je me redressai, animé par un espoir plus fort que la douleur.

– Elle ne l'a pas fait ?

Il baissa les yeux sur ses mains, croisées sur ses genoux.

– Non.

– Alors...

J'étouffais sous le choc des émotions qui me submergeaient.

– Je vais être papa ?

– Logan...

Kellan secouait la tête. Il ouvrit les lèvres, mais aucun son n'en sortit. Il se massa les tempes.

– Au moment de l'accident, elle n'avait pas sa ceinture. Quand tu as attrapé le volant, elle a essayé de t'en empêcher et, au moment de la collision, elle a été éjectée par le pare-brise arrière qui a volé en éclats.

– Non.

Je secouai la tête.

– Elle va bien, mais...

– Non, Kellan.

– Logan. Elle a perdu le bébé.

Je pressai mes pouces sur mes yeux pour retenir mes larmes.

– Ne dis pas ça, Kel. Ne dis pas ça.

Je le repoussai violemment.

– Ne me dis pas ça.

– Je suis tellement désolé, Logan.

Je me mis à sangloter dans mes mains, en tremblant de façon hystérique. *C'est moi qui suis responsable. J'ai provoqué l'accident, c'est moi qui l'ai fait. C'est entièrement de ma faute.*

Kellan me prit dans ses bras, et je m'effondrai, incapable de parler, incapable de faire cesser la douleur, incapable de respirer. Chacune de mes respirations était douloureuse, chaque expiration me demandait un effort.

13

ALYSSA

– Salut, murmura Logan en pénétrant dans ma chambre d'hôpital.

Il portait ses vêtements habituels, et les quelques ecchymoses sur son visage ne semblaient pas trop graves. J'espérais qu'il se rendait compte de la chance qu'il avait d'être sorti indemne de cet accident.

– Salut.

Depuis la veille, j'étais dans ce lit d'hôpital à me demander ce que j'allais lui dire. Mes sentiments passaient d'un extrême à l'autre, alternant entre le chagrin et la fureur. J'avais envie de lui hurler au visage. De lui dire à quel point je lui en voulais et de déverser toute la rancœur que j'avais accumulée contre lui pour avoir osé mettre en doute mes intentions pour le bébé. Je connaissais ses rêves, et je connaissais ses sentiments. Je savais que nous aurions pu trouver un moyen de nous en sortir.

Et lui, il avait fichu le camp. J'avais envie de le haïr, mais à l'instant où je le vis, tout cela fut modifié.

Je ne ressentis plus qu'un immense chagrin.

Il ouvrit la bouche, mais la referma aussitôt. Il se passa la main dans les cheveux en évitant mon regard. C'était comme dans un rêve – nous étions tout près l'un de l'autre, mais un gouffre nous séparait encore. C'était un rêve que je ne parvenais pas à dissiper, et je voulais que ce soit Logan qui me réveille.

Je voulais qu'il me promette que ce n'était qu'un rêve qui s'était transformé en un affreux cauchemar sans qu'on sache comment, mais qu'au lever du jour, je me réveillerais.

Je voulais me réveiller. Mon Dieu... faites que je me réveille.

J'étais assise du côté droit du lit, les genoux repliés sur la poitrine. Je m'étouffais à chaque respiration que je prenais. L'air dans la pièce était irrespirable, toxique, empoisonné. Mon envie de pleurer était de plus en plus difficile à contrôler et je tremblais de tous mes membres. Le seul fait de regarder Logan faisait voler mon cœur en éclats, mais je ne versai pas une larme.

– Je vais bien, je finis par dire, alors que mon corps tout entier me disait que ce n'était pas vrai.

– Est-ce que je peux te prendre dans mes bras ?

– Non, dis-je froidement.

– D'accord.

Je regardai mes mains, en pleine confusion.

– Oui.

– Oui ? demanda-t-il en haussant légèrement la voix.

– Oui.

Il posa la main sur mon épaule avant de monter sur le lit et de m'entourer de ses bras. Je frissonnai en sentant ses doigts sur ma peau pour la première fois depuis si longtemps.

– Je suis désolé, High.

Sa caresse était si chaude...

Tu es revenu vers moi.

Les larmes roulèrent sur mes joues. Tout mon corps était secoué d'un tremblement incontrôlable, mais Logan me serrait fort contre lui, refusant de me lâcher de sitôt. Nous appuyâmes nos fronts l'un contre l'autre, et ses larmes chaudes se mêlèrent aux miennes.

– Je regrette tellement, High.

Nous restâmes enroulés l'un dans l'autre, portant le monde sur nos épaules, jusqu'à sombrer tous les deux dans le sommeil. *Il était revenu.*

Quand je m'éveillai, il me tenait toujours serrée contre lui, comme si j'étais sa planche de salut. Je me retournai pour lui faire face. Il dormait, sa respiration régulière était à peine plus qu'un murmure. Je pris ses mains dans les miennes et croisai nos doigts ensemble. Il s'agita un peu avant d'ouvrir les yeux.

– Alyssa, je ne sais pas quoi dire. Je ne savais pas que tu étais... je ne...

Je n'avais jamais entendu une telle vulnérabilité dans sa voix. Le Logan qui était parti de chez moi plusieurs semaines auparavant était si détaché de moi, de ses émotions. Mais maintenant, le voir pleurer en prenant mon visage entre ses mains brisait le petit morceau de mon cœur qui continuait à battre.

– Je n'aurais pas dû péter les plombs. J'aurais dû rester. J'aurais dû te parler. Mais maintenant à cause de moi... à cause de moi...

Il enfouit la tête dans le creux de mon épaule et s'effondra.

– Je l'ai tué, dit-il en parlant du bébé. C'est de ma faute.

Je pris son visage entre mes mains comme il tenait le mien.

– Logan. Tu te fais du mal.

Je pouvais presque sentir ses remords sous mes doigts tandis que ses yeux s'emplissaient de larmes. Je nichai ma tête contre son cou, et mon souffle chaud fondit sur sa peau. Mes paupières tombaient de fatigue et je battis des cils deux ou trois fois avant de fermer les yeux et de lui murmurer à l'oreille.

– Arrête de te faire du mal.

Je ne pouvais pas le détester. Quoi qu'il arrive, je ne pourrais jamais détester Logan. Quant à l'aimer ? Cet amour existerait toujours. Nous allions trouver ensemble un moyen de dépasser le traumatisme de ce terrible accident.

C'était nous contre le monde, nous serions solidaires.

– Je vais partir, dit-il en se reprenant et en s'essuyant les yeux.

Je me redressai, alarmée.

– Quoi ?

– Je m'en vais. Je vais dans un centre de désintoxication, dans l'Iowa.

Mes yeux brillèrent d'impatience. Un peu plus tôt, Kellan m'avait parlé de ce centre de désintoxication, et nous espérions vraiment l'un et l'autre que Logan accepterait de suivre le programme de quatre-vingt-dix jours. Cela ne ferait pas disparaître la douleur que nous éprouvions lui et moi, mais il pourrait apprendre à mieux la gérer.

– C'est super, Lo. C'est une bonne nouvelle. Et quand tu reviendras, nous pourrons repartir à zéro. Nous serons de nouveau tous les deux.

Il plissa le front en secouant la tête.

– Je ne reviendrai pas, High.

– Quoi ?

– Je vais quitter True Falls et je ne reviendrai pas. Je ne reviendrai jamais dans le Wisconsin, jamais, et je ne reviendrai jamais ici.

Je m'écartai légèrement de lui.

– Arrête ça.

– Je ne vais pas revenir. Je finis toujours par faire du mal aux gens. Je détruis des vies. Et je ne peux pas continuer à détruire la tienne ou celle de Kellan. Je dois disparaître.

– Tais-toi, Logan ! je hurlai. Arrête de dire ça.

– J'ai bien vu comment ça se passait. Nous rentrerions dans une routine, dans la roue du hamster où on tourne encore et toujours, et où je démolis toujours ta vie. Je ne peux pas te faire ça. Je ne veux pas.

Il se leva du lit et enfonça ses mains dans ses poches. Il haussa les épaules et me fit un petit sourire triste.

Je suis désolé, High.

– Ne fais pas ça, Lo. Ne me quitte pas comme ça.

En le suppliant, je lui pris les mains pour l'attirer vers moi.

– Ne me quitte pas encore une fois. Ne fuis pas. Je t'en supplie. J'ai besoin de toi.

Je ne pourrais pas surmonter cette épreuve sans lui. J'avais besoin de lui pour apprendre à me relever. J'avais besoin d'entendre sa voix tard le soir, j'avais besoin de son amour tôt le matin. J'avais besoin de la seule personne qui avait perdu ce que j'avais perdu pour le pleurer avec moi.

J'avais besoin de mon Lo, aussi déprimé et douloureux fût-il, à mes côtés.

Il déposa un unique baiser sur mon front et me chuchota quelques mots à l'oreille avant de se retourner et de me quitter. Je criai son nom.

La dernière chose qu'il m'avait dite se mit à tourner et à tourner sans cesse dans ma tête. Des mots qui me blessaient plus que tout.

– J'aurais été nul, avait-il murmuré dans mon oreille en me faisant frissonner. J'aurais été nul comme père. Mais toi ?

Il avait dégluti avec difficulté.

– Tu aurais été la meilleure des mères. Notre enfant aurait été honoré d'être aimé par toi.

Et il avait disparu.

Avec ces quelques mots simples et le son de son pas qui s'éloignait, j'ai découvert ce que cela voulait vraiment dire d'avoir le cœur brisé.

DEUXIÈME PARTIE

De leurs cendres, ils se relevèrent
pour de nouveau se consumer d'un feu ardent.

Il n'avait jamais oublié son éclat.
Elle ne l'avait jamais oublié.

MESSAGE 1

Salut, Logan, c'est Alyssa. J'appelle juste pour savoir comment tu vas. C'est juste que... je déteste repenser à la façon dont nous nous sommes quittés. Ça me fait mal de me dire que les derniers moments que nous avons passés ensemble n'étaient pas terribles. C'est affreux ce que tu me manques. Tout ça me fait du mal, et j'ai horreur de ça.

Pourtant, je vais continuer à t'appeler, tous les jours, même si tu ne réponds pas. Je veux que tu saches que tu n'es pas tout seul. Même si c'est très difficile. Je veux que tu saches que tu n'es pas seul.

À bientôt, Lo.

MESSAGE 2

Salut, c'est moi.

Cela fait cinq jours que tu es à la clinique, et j'aurais aimé entendre ta voix.

Kellan m'a dit qu'il t'avait parlé et que tu vas bien. Est-ce que tu vas bien ? Je l'espère sincèrement. Tu me manques Logan. Tellement. Je suis heureuse que tu travailles sur toi-même. Tu le mérites.

À bientôt, Lo.

MESSAGE 14

Deux semaines. Tu es là-bas depuis deux semaines, et Kellan m'a dit que tu allais bien. Il dit que tu as un peu de mal à supporter le manque, mais je sais que tu es plus fort que tes pires démons.

Hier soir, j'étais allongée sur mon lit et j'écoutais un disque sur la platine vinyle qui saute à intervalles réguliers, et cela m'a fait penser à toi.

Cela m'a rappelé la première fois où nous...

Laisse tomber.

Tu me manques, c'est tout. Certains jours sont plus durs que d'autres.

À bientôt, Lo.

MESSAGE 45

Tu as fait la moitié de la cure. Comment vas-tu? Manges-tu suffisamment? Est-ce que tu as les idées claires? J'espère qu'ils ont des documentaires en DVD pour toi. Si tu veux, je pourrais peut-être venir t'en apporter. J'ai vu un nouveau doc sur les Beatles et j'ai pensé qu'il te plairait.

Veux-tu que je te l'apporte? Je viendrai si tu veux.

Il suffit que tu me le dises.

J'ai laissé des messages sur ta boîte vocale tous les jours depuis quarante-cinq jours et je vais continuer. Je voudrais seulement entendre ta voix. J'aimerais tellement que tu répondes au téléphone.

Lo...

S'il te plaît.

Bon sang, ce que tu peux me manquer.

À bientôt, Lo.

MESSAGE 93

Salut, c'est Alyssa.

La cure est terminée, et j'ai du mal à retenir mes larmes. Je suis tellement fière de toi. C'est bien. C'est super...

Kellan dit que tu vas bien. Que tu es en forme et que tu as le moral.

Il m'a aussi dit qu'il t'avait apporté des DVD. Pourquoi tu ne me l'as pas demandé à moi ? Pourquoi tu réponds à ses appels et pas aux miens ? Qu'est-ce que j'ai fait de mal ?

Je te les aurais apportés, Logan, les DVD. Je te les aurais apportés.

Mais ça ne fait rien.

À bientôt, Lo.

MESSAGE 112

Il m'a dit que tu ne reviendrais pas à True Falls. Il dit que tu restes dans l'Iowa. Je ne t'avais pas cru quand tu me l'avais dit. Je ne voulais pas te croire.

Il m'a dit que tu avais trouvé un appart et un boulot...

C'est bien. Si tu as besoin de quoi que ce soit, de nourriture, de meubles... de compagnie.

C'est seulement que tu me manques, c'est tout.

Je ne peux pas croire que tu ne vas pas revenir.

C'est bien, malgré tout. C'est bien pour toi.

Je t'aime.

À bientôt, Lo.

MESSAGE 270

Sais-tu que c'est ce mois-ci que le bébé serait né? Je serais à l'hôpital et tu me tiendrais la main. Je sais qu'on pourrait croire que je pleure, mais non.

Je suis seulement un peu soûle ce soir.

Je ne bois jamais, alors il ne m'en faut pas beaucoup. Une amie m'a invitée pour me changer les idées.

Ça aurait été encore mieux si j'avais entendu ta voix.

Mais tu ne m'as pas appelée.

Peut-être que tu as changé de numéro.

Peut-être que tu es passé à autre chose. Peut-être que tu n'en as plus rien à foutre. Je m'en fous que tu t'en foutes!

Ça ne fait rien.

Tu peux aller te faire foutre, Logan. Pour ne m'avoir jamais appelée, pas même une fois. Tu ne m'as pas appelée.

Excuse-moi.

Je suis un peu soûle, ce soir.

À bientôt, Lo.

MESSAGE 435

Qu'est-ce que tu fais la nuit quand il pleut ?
Moi, je m'allonge sur mon lit et je pense à ta voix.
À bientôt, Lo.

MESSAGE 756

C'est décidé, je te déteste.
Je déteste tout ce qui te concerne.
Mais pourtant, j'espère que je te verrai bientôt, Lo.

MESSAGE 1 090

Je lève le drapeau blanc, Logan.
Je suis fatiguée et j'abandonne. J'arrête.
Cinq ans.
C'est fini, je ne laisserai plus de messages.
Je t'aime.
Tu me manques.
Je te souhaite d'être heureux.

MESSAGE 1 123

Logan, c'est Kellan. Écoute, je sais que tu as refait ta vie là-bas dans l'Iowa et que tout va bien pour toi. Et je ne te demanderais jamais de revenir dans cette ville de merde si ce n'était pas vraiment important pour moi et... Erika et moi allons nous marier. Mais je ne peux pas me marier sans que mon frère soit là. Je ne peux pas me tenir devant l'autel sans que le reste de ma famille soit à mes côtés.

Je sais que c'est beaucoup demander.

Mais je te promets que je ne te demanderai plus jamais rien d'autre.

En plus, j'ai acheté le doc sur la NASA dont nous avons parlé il y a quelques semaines.

Tu ne l'auras que si tu es mon putain de garçon d'honneur.

Oui. J'essaie d'acheter ton amour et je ne culpabilise pas du tout.

À bientôt au téléphone.

14

LOGAN

Cinq ans plus tard

Tous les soirs, j'allumais une cigarette et je la posais sur le rebord de ma fenêtre. Le temps qu'elle se consume, je m'autorisais à repenser à mon passé. Je m'autorisais à souffrir et à ressasser mes regrets jusqu'à ce que la braise atteigne le filtre. Alors, je bloquais mon esprit et je m'autorisais à oublier, parce que la douleur était trop difficile à affronter. Quand mon esprit était réduit au silence, je m'activais pour maintenir les souvenirs à distance. Je regardais des documentaires, je faisais des petits boulots, je faisais de la musculation, je faisais tout ce qui était possible pour m'empêcher de me souvenir.

Mais aujourd'hui mon frère m'avait rappelé, de l'endroit même que je fuyais depuis cinq ans. Lorsque je me retrouvai à True Falls, je restai assis dans la gare à me demander si je ne ferais pas mieux de trouver un moyen de réunir l'argent pour m'acheter un billet simple, retour direct dans l'Iowa.

– Vous arrivez ou vous partez? me demanda une femme assise deux sièges plus loin.

Je me tournai vers elle, quelque peu pris de court par l'intensité de ses yeux verts. Elle me fit un petit sourire et se mit à mâchouiller l'ongle de son pouce.

– Je ne sais pas encore. Et vous?

– Je reviens. Pour de bon, je pense.

Elle continuait à sourire, mais plus elle souriait plus elle semblait triste. Je ne savais pas qu'un sourire pouvait refléter autant de tristesse.

– J'essaie seulement de gagner encore un peu de temps avant de retourner à ma vie.

C'était une chose que je pouvais comprendre.

Je me renfonçai dans mon siège en essayant de ne pas me rappeler la vie que j'avais laissée derrière moi tant d'années auparavant.

– J'ai même retenu une chambre d'hôtel pour la nuit, dit-elle en se mordant la lèvre inférieure. Juste pour avoir encore quelques heures d'oubli, vous voyez? Avant de retourner dans la vraie vie.

J'acquiesçai d'un signe de tête. Elle se rapprocha de moi en glissant sur les sièges, sa jambe effleura la mienne.

– Tu ne te souviens pas de moi, hein?

Je penchai la tête vers elle, et elle m'adressa de nouveau ce sourire triste tout en passant les doigts dans ses longs cheveux.

– Je devrais?

Elle secoua la tête.

– J'imagine que non. Je m'appelle Sadie.

Elle battit des paupières comme si son nom devait me rappeler quelque chose. Les coins de sa bouche retombèrent.

– Bref. Tu m'as l'air d'être le genre à vouloir oublier pendant un moment, toi aussi. Si tu veux, tu peux m'accompagner au motel.

J'aurais dû lui dire non. J'aurais dû ignorer son offre. Mais il y avait quelque chose qui m'attirait dans la tristesse qu'elle dégageait, dans la façon dont son âme torturée semblait se consumer comme la mienne. Alors, j'ai attrapé mon sac à dos, je l'ai passé sur mon épaule et j'ai suivi Sadie vers le pays de l'oubli.

* * *

– On a fréquenté la même école pendant des années, dit Sadie alors que nous étions allongés dans une chambre d'un motel pourri.

Je m'étais déjà retrouvé dans ce motel il y avait une éternité de ça. Dans les vapes, dans une baignoire crasseuse. Me trouver là ne réveillait pas les plus beaux souvenirs, mais je me dis qu'en revenant dans le Wisconsin au bout de cinq ans, tout allait être comme ça, recouvert de rappels merdiques.

Ses lèvres tachées de vin bougèrent en claquant de façon stridente sur ses gencives.

– En terminale, tu copiais sur moi pour tous les tests de maths. C'est grâce à moi si tu as réussi ton bac.

Elle se redressa sur ses coudes.

– J'ai rédigé quatre de tes dissertations en anglais. Et si tu parles espagnol, c'est grâce à moi ! Sadie ? Sadie Lincoln ?

Aucun souvenir.

– Je ne parle pas espagnol.

– Eh bien, tu devrais. Tu ne te souviens vraiment pas de moi ?

Cela semblait l'attrister, mais elle n'aurait pas dû. Cela n'avait rien de personnel. Il y avait plein de choses que j'avais oubliées.

Et puis il y avait tout ce que j'aurais voulu oublier.

– Pour être franc, pendant la plus grande partie de mes études au lycée, j'étais shooté.

C'était la vérité.

– Ou alors, tu étais avec cette fille, Alyssa Walters.

Ma poitrine se serra en même temps que ma mâchoire. À la seule mention de son nom, un flot de souvenirs me revenaient à l'esprit.

– Elle est toujours en ville ? je demandai en m'efforçant de prendre l'air détaché.

Il y avait des mois qu'Alyssa ne me laissait plus de messages et quand Kellan m'appelait, nous évitions d'aborder le sujet.

Sadie fit oui de la tête.

– Elle travaille à Hungry Harry, le restau. Je l'ai vue aussi au magasin de meubles de Sam. Et puis elle joue du piano dans plusieurs bars. Je ne sais pas. On la voit partout. Cela m'étonne que tu ne le saches pas. Vous étiez toujours collés l'un à l'autre tous les deux, ce qui faisait bizarre quand on y pense, vous n'aviez rien en commun.

– Nous avions des tas de choses en commun.

Un rire sarcastique s'échappa de ses lèvres.

– Ah bon ? La bonne élève en musique qui avait toujours des bonnes notes et le camé avec une mère toxico, qui arrivait de justesse à ne pas avoir zéro – grâce à moi – avaient des tas de choses en commun ?

– Arrête de parler de ce que tu ne connais pas.

Elle commençait à m'énerver.

À l'époque, Alyssa et moi partagions plus de choses que n'importe qui sur cette planète. Et puis qu'est-ce qu'elle savait de ma mère, cette Sadie ? Qu'elle aille se faire foutre avec ça !

J'aurais dû sortir de cette chambre. J'aurais dû lui dire de foutre le camp et d'aller se chercher quelqu'un d'autre à emmerder, mais le truc, c'était que je n'avais vraiment pas envie d'être seul. Je venais de passer cinq années d'une solitude totale, si on ne tenait pas compte des visites éventuelles d'une souris, de temps en temps.

Sadie garda le silence aussi longtemps qu'elle le put, autant dire très peu de temps. Elle ne savait pas ce que c'était que la paix du silence.

– Alors, c'était vrai ? Que tu étais en désintox ?

Elle parlait trop pour moi. J'avais horreur d'évoquer la cure, parce que la moitié du temps je regrettais de ne plus être à la clinique. L'autre moitié, j'aurais voulu être de nouveau dans une ruelle à sniffer une ligne ou deux sur le couvercle d'une poubelle. Cela faisait un temps fou que je n'avais pas consommé, et pourtant je continuais à y penser pratiquement tous les jours, putain ! Le docteur Kahn avait dit que ce serait dur de retourner dans la vraie vie, mais qu'elle croyait que je pouvais y arriver. Je lui avais promis que chaque fois que j'aurais envie d'en reprendre, je ferais claquer sur ma peau l'élastique rouge qu'elle m'avait donné pour m'aider à me rappeler que les choix que j'avais faits étaient aussi réels que cette douleur sur ma peau.

Sur l'élastique, on lisait « force », ce qui était bizarre parce que, moi, j'avais l'impression d'en être totalement dépourvu. Je n'arrêtais pas de faire claquer l'élastique sur mon bras depuis que Sadie avait commencé à parler.

– En ville, le bruit courait que tu étais mort. Je crois que c'est ta mère qui avait lancé la rumeur.

– Tu sais que tu as de très beaux yeux ? dis-je pour changer de sujet.

Je commençai à l'embrasser dans le cou en écoutant ses gémissements.

– Bof, ils sont verts, c'est tout.

Elle avait tort. Ils étaient d'un vert céladon, assez unique, avec un peu de gris et de vert.

– Il y a quelques années, j'ai vu un documentaire sur la poterie chinoise et coréenne. Tes yeux ont la couleur de l'émail qu'ils utilisaient dans leurs poteries.

– Tu as regardé un documentaire chinois sur la poterie ? murmura-t-elle avec un petit rire, en essayant de reprendre son souffle tandis que mes lèvres suivaient la courbe de sa clavicule. (Je la sentis frissonner contre moi.) Tu devais être complètement à la ramasse.

Je ris, parce qu'elle n'imaginait pas à quel point.

– En Occident on appelle ça céladon, mais chez eux ça se dit *qingci*.

Je posai les lèvres sur les siennes. Elle me rendit mon baiser, parce que, après tout, c'était bien la raison pour laquelle nous étions dans cette chambre de motel crasseuse. Nous étions là pour faire comme si nos baisers exprimaient une sorte de passion. Nous étions là pour faire passer notre solitude pour de la plénitude. C'est fou ce qu'on peut faire – et avec qui – pour tromper sa solitude.

– Tu peux rester toute la nuit ? murmura-t-elle.

– Bien sûr, soupirai-je en faisant rouler ma langue contre son oreille.

J'avais envie de passer la nuit avec elle, parce que la solitude me gonflait. J'avais envie de passer la nuit avec elle, parce que l'obscurité gagnait. Je voulais passer la nuit avec elle, parce qu'elle me l'avait demandé. Je voulais passer la nuit avec elle, parce que *je voulais que la nuit passe.*

Elle fit glisser mon T-shirt par-dessus ma tête, et ses doigts roulèrent sur mon torse.

– Purée ! s'exclama-t-elle d'une voix aiguë. Tu es super bien foutu !

Elle gloussa. Putain. Est-ce que j'avais vraiment envie de rester toute la nuit ?

Sans répliquer, je lui enlevai sa robe, puis j'ôtai mon jean. Je me penchai sur elle, allongée sur le lit, et je déplaçai mes lèvres sur son cou, puis sur sa poitrine, sur son ventre, et je marquai une pause en arrivant à la ceinture de sa culotte. Elle se mit à gémir quand je la caressai de mes pouces à travers le tissu de sa culotte.

– Oui... oui...

Bon Dieu, elle jouait le rôle de mon addiction ce soir-là. Je me sentais un peu moins seul. Je me voyais déjà la rappeler le lendemain, la retrouver au motel et la baiser encore une fois sur ce lit pourri.

En un temps record, mon boxer vola et je me retrouvai sur elle. J'enfilai rapidement un préservatif, et juste au moment où j'allais la pénétrer, elle poussa un petit cri.

– Non, attends !

Un éclair de peur traversa ces yeux *qingci.* Elle porta les mains à sa bouche et ses yeux s'emplirent de larmes.

– Je ne peux pas. Je ne peux pas.

Je m'immobilisai, figé au-dessus d'elle. La culpabilité m'assena un coup à l'estomac. Elle ne voulait pas coucher avec moi.

– Oh, mon Dieu. Excuse-moi. Je croyais...

– Je ne suis pas libre, dit-elle. Je ne suis pas libre.

Attends.

– Quoi ?

– J'ai un copain.

Un copain ?

Merde.

Elle mentait.

Elle trichait.

Elle a un copain.

Je m'écartai d'elle et m'assis au bord du lit. Je me cramponnai au bord du matelas en écoutant le froissement du drap qui accompagnait chacun de ses mouvements. Elle se mit à parler doucement.

– Je suis désolée. Je croyais pouvoir le faire. Je croyais que j'y arriverais, mais je ne peux pas. Je pensais que ce serait facile avec toi, tu vois ? De me laisser aller, sans me prendre la tête. Je pensais que je pourrais oublier pendant un petit moment.

Sans la regarder, je haussai les épaules.

– Pas de problème.

Je me levai et me dirigeai vers la salle de bains.

– Je reviens.

La porte se referma derrière moi et je me passai les mains sur le visage. J'enlevai la capote et la jetai dans la poubelle avant de m'adosser à la porte pour me caresser.

C'était pathétique.

Je suis pathétique.

Je me branlai en pensant à la cocaïne. À la poussée d'énergie qu'elle me procurait et qui m'échauffait. La sensation de paix totale et de félicité. Je me caressai plus vigoureusement, en me rappelant comment la coke faisait disparaître tous les problèmes, toutes les peurs, tous les conflits. J'avais l'impression d'être le maître du monde, irrésistible. L'euphorie. La jubilation. L'amour. L'euphorie. La jubilation. L'amour. L'euphorie. La jubilation. L'amour.

La haine. La haine. La haine.

Une respiration profonde.

Je déchargeai.

Je me sentais plus vide que jamais.

Je me tournai vers le lavabo et je me lavai les mains en me regardant dans la glace, plongeant profondément dans mon propre regard. Des yeux marron qui n'avaient rien de spécial. Des yeux marron qui avaient l'air triste. Des yeux marron, obscurcis par une vague dépression.

Je repoussai cette pensée, me séchai les mains et allai la retrouver.

Elle se rhabillait en s'essuyant les yeux.

– Tu t'en vas ?

Elle hocha la tête.

– Tu... (je m'éclaircis la voix)... tu peux rester, tu sais. Je ne suis pas le genre de connard à te mettre à la porte à trois heures du matin. De plus, c'est ta chambre. C'est moi qui vais partir.

– J'avais dit à mon copain que je rentrerais dès que j'arriverais en ville, me dit-elle avec un sourire forcé.

Vêtue seulement de son soutien-gorge et de sa culotte, elle alla jusqu'au balcon, ouvrit la fenêtre mais ne sortit pas. Il tombait des cordes, et la pluie martelait la balustrade métallique. La pluie me faisait toujours penser à Alyssa et à son horreur de dormir les soirs d'orage. Je me demandai où son esprit se trouvait ce soir. Je me demandai comment elle supportait le son de la pluie sur sa fenêtre.

« *Je n'arrive pas à dormir, Lo. Tu ne veux pas venir ?* »

La voix d'Alyssa était comme un enregistrement qui passait dans ma tête, un son qui se baladait en boucle dans mon cerveau jusqu'à ce que je le pousse dehors.

Sadie passa les doigts dans ses longues boucles. Son sourire forcé se transforma en grimace.

– Il n'est probablement pas encore rentré. J'avais horreur de dormir seule quand j'étais célibataire. Et maintenant que je suis en couple, je me sens toujours aussi seule.

– Tu voudrais que je te plaigne parce que tu es une tricheuse ?

– Il ne m'aime pas.

– En tout cas, moi, je peux te dire à quel point toi, tu l'aimes, dis-je d'un ton moqueur.

– Tu ne comprends pas, dit-elle, sur la défensive. C'est un maniaque du contrôle. Il m'a éloignée de tous les gens que j'aimais. Avant, j'étais clean, comme toi maintenant. Je ne touchais jamais à la drogue avant de le connaître. Il m'a piégée, et maintenant quand il lui arrive de rentrer, je peux sentir un parfum sur lui qui n'est pas le mien. Il va se coucher sans même me toucher.

Des pensées se mirent à tourner dans ma tête, mais je savais que c'était une mauvaise idée.

Reste avec moi ce soir.

Reste avec moi demain matin.

Reste avec moi.

La solitude est cette voix dans votre tête qui vous fait prendre de mauvaises décisions au simple motif d'une peine de cœur.

– Ça ne te fait pas bizarre ? D'être revenu ? demanda-t-elle pour changer de conversation.

Bonne idée. Elle tourna lentement sur elle-même et nos regards se croisèrent une fois de plus. Ses joues étaient cramoisies et, sur le moment, je sentis mon cœur se briser à l'idée qu'elle allait se retrouver seule.

– Un peu.

– Tu as vu Kellan depuis que tu es arrivé ?

– Tu connais mon frère ?

– Il participe de temps en temps à des soirées *open mic*[3] en ville. Il est très bon.

Je ne savais pas qu'il avait recommencé la musique. Elle haussa un sourcil, curieuse.

– Vous êtes proches, tous les deux ?

– Je viens de passer cinq ans dans l'Iowa et lui, il est ici, dans le Wisconsin.

Elle hocha la tête pour montrer qu'elle comprenait. Je me raclai la gorge.

– Mais oui, nous sommes proches.

– Meilleurs amis ?

– Amis, seulement.

– Je suis vraiment étonnée que ton amitié avec Alyssa n'ait pas duré. J'étais sûre que tu lui aurais au moins fait un gosse depuis tout ce temps.

À une époque je pensais ça, moi aussi.

Arrête de parler d'Alyssa. Arrête de penser à Alyssa.

Peut-être que si je passais la nuit avec Sadie, je réussirais à chasser Alyssa de mon esprit. Peut-être que si je m'endormais en la tenant dans mes bras, ça me prendrait moins la tête d'être revenu dans la ville où réside toujours la seule fille que j'aie vraiment aimée. Je me rapprochai de Sadie en me passant la main sur le menton.

– Écoute, tu peux...

– Il vaut mieux pas, murmura-t-elle sans me laisser terminer ma phrase.

Elle était étrange. Nos regards se séparèrent quand elle baissa les yeux.

– Il ne m'a jamais trompée. Il est... Il m'aime.

Cette confession soudaine jeta encore plus la confusion dans mon esprit.

3. « Micro ouvert ». Soirées où tout le monde peut participer et monter sur scène.

Elle mentait.

Elle trichait.

Elle partait.

– Reste, s'il te plaît.

Le ton de ma voix me faisait paraître plus désespéré que je ne l'aurais voulu.

– Je dormirai sur le canapé.

Ce n'était pas vraiment un canapé, plutôt un genre de futon déglingué avec plus de taches que de coussins. En vérité, çela aurait été probablement plus confortable sur la moquette. J'aurais pu aussi appeler Kellan et aller dormir chez lui.

Mais je n'étais pas encore prêt pour ça.

Je savais que dès que je verrais quelqu'un surgir de mon passé – quelqu'un dont je me souvenais vraiment –, j'allais replonger dans mon ancienne vie. La vie que j'avais fuie. La vie qui m'avait presque tué. Je n'étais pas prêt. Comment quelqu'un pourrait-il être prêt à affronter son passé et faire comme si toute la douleur et le chagrin avaient disparu ?

Elle enfila sa robe et me regarda par-dessus son épaule. Ses yeux étaient empreints d'une compassion attristée.

– Tu m'aides ?

En trois enjambées, j'étais derrière elle et je remontai la fermeture à glissière de sa robe qui épousait toutes les courbes de son corps. Je laissai traîner ma main sur sa taille et elle se pencha en arrière.

– Tu veux bien m'appeler un taxi ?

Je voulais bien et je le fis. Au moment de partir, elle me remercia et me dit que je pouvais garder la chambre pour la nuit, elle était payée et ce serait dommage de ne pas en profiter. J'acceptai son offre, mais je ne comprenais pas bien pourquoi elle me remerciait. Je n'avais rien fait pour elle. Ou alors, je l'avais aidée à tricher.

Non.

Une personne qui trompe pour la première fois devait probablement ressentir de la culpabilité.

Elle, elle ne ressentait visiblement rien.

J'espérais ne jamais la revoir, parce que c'était déprimant de côtoyer des individus qui ne ressentent rien.

Après son départ, j'arpentai la chambre dans tous les sens pendant une heure. Y avait-il d'autres personnes comme moi ? Des personnes qui se sentaient si seules qu'elles étaient prêtes à passer des nuits sans lendemain avec des personnes sans importance, simplement pour avoir la possibilité de regarder quelqu'un dans les yeux pendant quelques heures ?

Je détestais être seul, parce que lorsque j'étais seul, je repensais à toutes les choses que je détestais en moi. Je me souvenais de toutes mes erreurs passées, qui m'avaient entraîné jusqu'à un point où au lieu de vivre, je ne faisais plus qu'exister. Si je vivais pleinement ma vie, je finirais par faire du mal à tous ceux qui étaient près de moi, et je ne pouvais plus faire ça. Ce qui revenait à dire que je devais être seul.

Par le passé, je n'étais jamais seul quand j'avais ma drogue, mon amie silencieuse, destructrice, mortelle. Je n'étais jamais seul quand j'avais mon plus beau trip.

Alyssa...

Merde.

Mon esprit me jouait des tours, les paumes de mes mains commençaient à me démanger. J'essayai de regarder la télévision, mais il n'y avait que des conneries de téléréalité. Je tentai de dessiner un petit moment, mais le stylo de la chambre n'avait plus d'encre. Je m'efforçai d'isoler mon cerveau, mais je continuai à penser au plus beau trip que j'avais jamais eu.

Quand la reverrais-je ?

Et d'abord, est-ce que je la reverrais ?

Bien sûr. Sa sœur épouse mon frère.

Avais-je envie de la revoir ?

Non.

Je n'en avais pas envie.

Bon Dieu. Si.

J'en avais envie.

J'avais envie de la tenir dans mes bras et, en même temps, je ne voulais plus jamais la toucher de ma vie.

J'avais envie de l'embrasser et, en même temps je ne voulais plus jamais me souvenir de ses rondeurs.

J'avais envie de...

Ta gueule, mon cerveau.

Je pris mon téléphone et j'appuyai sur le chiffre deux. C'était une voix différente cette fois, mais l'annonce d'accueil était la même. Ils me remerciaient d'avoir appelé la hotline du centre d'appel pour drogués et alcooliques. Ils m'encourageaient à parler des problèmes que je rencontrais actuellement et de mes envies, dans un cadre confidentiel.

Je raccrochai, comme toujours.

Parce que les gens comme moi, avec un passé comme le mien, ne méritaient pas qu'on les aide. Ils ne méritaient que l'isolement.

Mes pas m'entraînèrent sur le balcon et j'allumai une cigarette que je posai par terre dans un endroit sec. J'écoutai la pluie qui martelait les toits de la ville de True Falls et je fermai les yeux. Je pris une profonde inspiration et m'autorisai à souffrir pendant le court moment qu'il fallait à la cigarette pour se consumer.

Je pensai à Alyssa. Je pensai à ma mère. Je pensai à toutes les drogues.

Et puis comme toujours, je finis par penser à l'enfant que j'aurais pu tenir dans mes bras s'il n'y avait pas eu tous ces démons en moi.

Certaines fois, la cigarette mettait huit minutes pour se consumer. D'autres fois, dix.

Une chose ne changeait pas, quel que soit le temps que la cigarette mettait à brûler, c'était la façon dont mon cœur brisé trouvait encore le moyen de continuer à se briser, en morceaux toujours plus petits.

15

ALYSSA

Tous les jours, je me rendais au boulot en covoiturage avec ma voisine, Lori, une serveuse de soixante-dix ans. Nous faisions toutes les deux le matin au restau Hungry Harry et nous détestions ça autant l'une que l'autre. Cela faisait vingt-cinq ans que Lori travaillait là et elle m'avait dit que son plan de sortie était d'épouser un des trois Chris, Evans, Hemsworth ou Pratt, peu lui importait. Tous les jours pendant le trajet en voiture, Lori se plaignait parce que nous risquions d'être cinq minutes en avance. Elle disait que votre lieu de travail était bien le dernier endroit où arriver en avance. Je n'allais pas dire le contraire.

Je travaillais depuis cinq ans chez Hungry Harry. Le pire dans ce boulot, c'était que j'y arrivais en sentant la rose et le shampooing à la pêche et que j'en ressortais imprégnée d'une odeur de burger frit et de pommes de terre sautées, tous les jours que Dieu faisait. La seule chose qui me faisait tenir, c'était l'idée que chaque heure de travail me rapprochait un peu plus de mon rêve d'ouvrir un piano-bar.

– Tu peux y arriver, ma petite, disait Lori quand nous nous garions devant le restau. Tu es encore fraîche et en forme. Tu as tout le temps de réaliser ton rêve. La clé, c'est de ne pas écouter ce que disent les autres. Les gens ont toujours des opinions sur les vies qu'ils ne vivent pas eux-mêmes. Garde la tête haute et évite d'écouter leurs conneries.

– Merci du conseil.

Je souriais, consciente qu'elle ne parlait que pour nous éviter d'avoir à entrer dans le bâtiment une seconde plus tôt que notre heure de prise de service.

– Tu sais ce que ma mère me disait quand j'étais gosse et qu'on m'embêtait à l'école ?

– Non ?

– Un jour à la fois. Il n'en faut pas plus pour tout traverser. Ne pense pas trop à l'avenir. Ne fais pas de fixation sur le passé, vis dans le présent. Ici et maintenant. C'est la meilleure façon de vivre ta vie. Dans le moment présent. Un jour à la fois.

Un jour à la fois. Un jour à la fois.

Je me répétais ces mots dans ma tête quand un client impoli me criait dessus parce que les œufs brouillés n'étaient pas assez cuits, ou quand un enfant jetait son assiette pleine sur le sol et que ses parents me le reprochaient, ou quand un mec bourré vomissait sur mes chaussures.

Je détestais l'industrie de la restauration. Mais, en même temps, ce n'était pas inintéressant de voir comment fonctionne ce genre d'endroit, parce que quand j'aurais mon piano-bar, une grande part du travail serait de faire tourner la cuisine.

Un jour à la fois.

– Tu pars toujours en balançant les hanches comme ça après avoir pris la commande du client ? dit une voix moqueuse derrière moi, et je souris quand je compris à qui elle appartenait.

– Seulement si je sais qu'il va me laisser un bon pourboire.

Je me retournai en souriant, Dan était debout derrière moi, les bras chargés de dossiers. Il était très beau avec son pantalon bleu marine et sa chemise bleu clair aux manches roulées jusqu'au coude. Il avait un grand sourire éclatant comme toujours et c'était à moi qu'il souriait. Je fourrai mon bloc et mon stylo dans la poche de mon tablier et allai vers lui.

– Qu'est-ce qui t'amène si tôt ?

– Je me suis renseigné sur la propriété dont nous avons parlé.

– Ah oui ?

– Oui. Elle me plaît beaucoup. Vraiment. Mais il y a un problème de termites. Tu as une minute pour qu'on regarde deux ou trois autres choses ? J'ai apporté les plans de plusieurs endroits qu'on pourrait voir.

Je fronçai les sourcils en jetant un coup d'œil circulaire dans le restaurant.

– Je pense que je risque de me faire virer si j'arrête mon travail pour étudier des plans de pianos-bars.

Dan était un ami que j'avais rencontré quelques années auparavant dans un piano-bar, justement. Actuellement, il travaillait pour une des agences immobilières les plus réputées de l'État et quand je lui avais parlé de mon projet d'ouvrir ma propre affaire, il avait sauté sur l'occasion pour m'aider à rechercher quelque chose, même si je lui avais dit que ce n'était pas pour tout de suite, qu'il me faudrait du temps avant que cela puisse se réaliser.

– Oh, oui, bien sûr. Mais je passais dans le coin, alors je me suis dit que j'allais faire un saut et prendre une tasse de café et des *hash brown*[4]. Je vais travailler de toute façon.

Je lui fis un large sourire et il sourit encore plus.

– On peut regarder ça demain soir si tu veux ?

– Oh oui, oui, s'exclama-t-il, débordant d'enthousiasme. Je pourrai les apporter chez toi. On pourra commander du chinois et je prendrai du vin. Je pourrais aussi faire la cuisine pour toi...

Il s'arrêta, conscient qu'il s'emportait un peu vite. Il se passa la main dans les cheveux en haussant les épaules.

– Enfin, tu vois.

– Cela me semble être une bonne idée. Juste une petite précision cependant, ma maison est encore en pleins travaux. Et avec la pluie, il y a eu des fuites dans le toit.

– Tu sais que ma proposition tient toujours. Tu peux venir t'installer chez moi le temps de terminer la rénovation de ta maison. Je sais que ce genre de truc peut devenir une vraie prise de tête.

– C'est gentil, mais je crois que je vais m'accrocher et me débrouiller avec les complications que me réserve mon foyer.

– D'accord. Bon eh bien, je ferais mieux d'aller travailler, mais on se verra demain chez toi pour étudier tout ça.

Il agita les dossiers qu'il tenait à la main et me fit un clin d'œil.

– Attends, tu n'avais pas dit que tu étais passé pour prendre un café et des *hash brown* ?

---

4. Galettes de pommes de terre râpées et frites qui accompagnent le petit déjeuner.

– Ah oui, c'est vrai. Mais je viens de me rappeler...

Il avait l'air embêté, et je ne pus m'empêcher de sourire devant son attitude.

– Il faut que j'arrive en avance au boulot pour vérifier deux ou trois trucs pour mon patron.

– Bon, à demain alors. Je me charge de l'alcool, et toi des propriétés.

Sur ce, il disparut. Je poussai un soupir. Dan en pinçait pour moi depuis trois ans, pratiquement depuis que nous nous étions rencontrés, mais je n'avais jamais éprouvé ce genre d'attirance pour lui. Il occupait une place importante dans ma vie cependant, et j'espérais toujours qu'il n'ait rien contre une relation qui ne dépasse pas le cadre de l'amitié.

– Je te jure ! Ce gars te dégote des propriétés, il a un boulot stable, il prétend qu'il veut manger des *hash brown* rien que pour te voir, il a ce sourire genre « où tu veux quand tu veux », et en plus il te propose de te faire la cuisine. Et toi, tu ne fais même pas l'effort de lui accorder un peu de ton temps ? dit Lori qui portait un plateau chargé d'œufs brouillés, de *hash browns* et de chapelets de saucisses.

Je rigolai.

– Ma maison est très bien. J'ai économisé pendant des années pour acheter la maison de mes rêves, et maintenant que je l'ai, je ne suis pas près de la lâcher. Elle a juste besoin de quelques rustines, c'est tout.

– Chérie. Ta maison a besoin de bien plus que de quelques rustines.

Elle sourit en posant les assiettes pleines sur la table cinq avant de revenir vers moi, une main sur la hanche et la moue insolente.

– Je dis juste que si Dan me proposait de m'héberger, j'irais vivre avec lui et je le laisserais me montrer ses plans sur toutes les parties de mon corps, dans toutes les parties de sa maison.

– Lori !

Je la fis taire en rougissant.

– Moi, je dis ça, je ne dis rien. Tu fais trois boulots pour payer les traites d'une maison dans laquelle tu dois faire des travaux, tout ça pour prouver que tu es une femme indépendante. Tu pourrais faire les travaux dans ta maison *et* vivre avec Dan, tu sais.

– Ma maison n'est pas si délabrée que ça.

– Aly, gémit-elle en se tapant la joue. La dernière fois que je suis venue boire un verre chez toi, je suis allée aux toilettes sans fermer la porte. Tu sais pourquoi ? *Parce que les toilettes n'avaient pas de porte.*

Je rigolai.

– D'accord. J'ai compris. Donc, elle est délabrée. Mais le challenge me plaît.

– Hum. Tu dois vraiment être un bon coup pour que Dan s'accroche comme ça.

– Quoi ? Dan et moi ne couchons pas ensemble.

– C'est pas vrai ? Tu veux dire qu'il bave devant toi et que vous n'avez jamais fait la chose, tous les deux ?

– Jamais.

– Mais... ce sourire !

Je gloussai.

– Je sais. Mais c'est un ami. Et j'ai une règle en ce qui concerne mes relations amoureuses : elle inclut de ne jamais sortir avec aucun de mes amis. Jamais.

J'étais déjà passée par là, et je n'avais pas la moindre intention de m'aventurer de nouveau sur ce terrain. Jusqu'à ce jour, je n'avais jamais cessé de penser à Logan et je pleurais toujours l'amitié que j'avais chérie et perdue.

Il aurait mieux valu pour nous deux n'être jamais tombés amoureux l'un de l'autre.

– Tu sais, Charles et moi étions amis avant de décider de nous fréquenter. Il a été l'amour de ma vie, et personne ne l'a jamais égalé. Il me faisait tellement rire, avant même que je sache ce qu'était l'amour. Certaines des plus belles choses de la vie naissent des amitiés les plus solides. (Lori baissa la tête et saisit le médaillon qui pendait à une chaîne autour de son cou et qui renfermait leur photo de mariage.) Mon Dieu, c'est fou ce que cet homme me manque.

Elle parlait très rarement de Charles, son défunt mari. Mais lorsqu'elle le faisait, ses yeux pétillaient comme si elle revivait en esprit le jour où elle était tombée amoureuse de lui.

Juste à ce moment-là, le patron nous dit d'arrêter de bavarder et de retourner travailler, ce que nous fîmes. Le matin était toujours très chargé, nous devions servir plus de clients que cela semblait humainement possible, mais plus il y avait de travail, moins j'avais de temps pour penser.

– Un peu plus de café ? je demandai à une femme assise près de la fenêtre.

La cafetière à la main, je passai entre les tables pour remplir les tasses.

– Non, ça va. Merci.

Je lui fis un large sourire en jetant un coup d'œil par la fenêtre. Mon cœur s'arrêta de battre. Je posai les doigts sur la vitre pour essayer d'atteindre et de toucher la silhouette de l'autre côté de la rue. Je battis des paupières, et ce que je pensais avoir vu avait disparu. Un frisson me parcourut la colonne vertébrale et je me redressai.

Lori regarda dans ma direction.

– Ça va, Alyssa ? On dirait que tu viens de voir un...
– Un fantôme ?
– Exactement.
Elle vint à côté de moi et regarda par la fenêtre.
– C'était quoi ?
Un fantôme.
– Rien. Ce n'était rien.
J'allai à la table suivante avec mon pot de café.
C'était mon imagination, rien de plus.
Ni plus ni moins.

16

LOGAN

Je suivais des yeux Alyssa qui se déplaçait entre les tables pour aller servir les clients. J'étais assis dans un coin, dans le fond de la salle, hors de portée de son regard. *Je ne devrais pas être là.* Mon cerveau connaissait toutes les raisons pour lesquelles je n'aurais pas dû entrer dans ce restau ce jour-là, mais mon cœur était attiré dans cette direction comme par un aimant.

Son sourire n'avait pas changé. Cela me rendit joyeux et triste à la fois. Combien de sourires avais-je manqués ? Pour qui souriait-elle aujourd'hui ?

– Votre omelette, me dit ma serveuse en posant l'assiette devant moi.

Elle avait le teint plutôt pâle, et de la sueur perlait sur son front. Elle se balançait d'un pied sur l'autre en se forçant à sourire.

– Désirez-vous autre chose ?

– Un jus d'orange, ce serait super.

Elle acquiesça et s'éloigna.

Je pris la salière et commençai à la secouer au-dessus de mon omelette. Un éclat de rire emplit la salle du restaurant et je pris une grande inspiration. Le rire d'Alyssa. Il n'avait pas changé. Je fermai les yeux en sentant ma poitrine se serrer. Les souvenirs me submergèrent comme un tsunami, me ramenant en arrière alors que défilaient devant mes yeux les nombreuses fois où, allongé auprès d'elle, j'avais écouté son rire dont les vagues se répercutaient dans mon âme.

– Si vous vouliez une assiette de sel avec une omelette à côté, il vous suffisait de le demander, dit une voix qui me fit sortir brutalement de mon passé.

Je baissai les yeux sur l'omelette que je recouvrais de sel depuis cinq bonnes minutes.

– Désolé, marmonnai-je en reposant la salière sur la table.

– Inutile de vous excuser. Les goûts et les couleurs, ça ne se discute pas, dit la voix. En tout cas, nous sommes en manque de personnel pour le service, Jenny a la grippe, le patron vient de lui dire de rentrer chez elle, et on m'a ordonné de vous apporter un jus d'orange et de m'occuper de votre table.

Je levai les yeux sur la jeune femme qui me parlait. Elle avait des lèvres pleines, peintes en rose, et des yeux bleus que j'aurais reconnus n'importe où. Ils étaient la chose la plus étonnante de cette ville. Ces yeux avaient le don de pouvoir sourire tout seuls. Elle avait des cheveux blonds et raides et sa frange lui recouvrait les sourcils.

Nous ne dîmes pas un mot, ni elle ni moi.

Elle se contentait de me regarder fixement.

J'étais incapable de détourner les yeux.

Alyssa.

High.

Mon plus beau trip.

Elle était très belle, mais cela n'avait rien d'étonnant. Je ne pouvais pas me rappeler un seul jour où elle n'était pas belle. Même les jours où j'étais trop shooté pour ouvrir les yeux, je me rappelais la beauté et la douceur de ses paroles qui me suppliaient de revenir à elle, de continuer à respirer.

– Logan, murmura-t-elle en posant le verre de jus d'orange sur la table.

Je me levai de ma chaise et elle s'avança vers moi. Tout d'abord j'ai pensé qu'elle allait me prendre dans ses bras, m'enlacer, me pardonner d'être moi et de n'avoir jamais répondu à ses appels. Mais en réalité, elle n'allait pas me serrer dans ses bras. Sa main était ouverte et je le compris immédiatement en la voyant, elle allait me donner une gifle. *De toutes ses forces.* Alyssa ne faisait jamais les choses à moitié, elle y mettait toujours tout son cœur.

Son bras se leva, vint vers moi vivement et je me préparai à ressentir la brulure que je méritais. Je fermai les yeux d'avance, mais je ne sentis pas le contact de sa main. Bon Dieu, comme je désirais ce contact ! J'ouvris les yeux, et je vis sa main tremblante, en suspension dans l'air, à quelques centimètres de ma joue. Nos regards se croisèrent et je vis les larmes qui brillaient au fond de ses yeux, j'y vis l'incompréhension, le chagrin.

– Salut Alyssa, dis-je doucement.

Elle se contracta et ferma les yeux. Je pris sa main restée en l'air dans la mienne et je posai ses doigts sur ma joue. Un petit gémissement de douleur s'échappa de ses lèvres quand sa peau toucha la mienne. Je l'attirai contre moi et la pris dans mes bras, et c'était exactement comme par le passé. Sa peau était froide, comme toujours et mon corps réchauffa le sien. Elle éloigna ses doigts de ma joue et passa les deux bras autour de mon cou, s'accrochant à moi comme si elle me pardonnait tous ses appels manqués et mon silence.

Elle m'agrippait de ses doigts, les plantant presque dans ma chair comme si elle craignait que je ne sois quelque mirage qui allait disparaître si elle ne s'y accrochait pas. Je ne pouvais pas lui en vouloir, j'avais déjà disparu auparavant.

Je respirai ses cheveux.

Une fragrance de pêche.

Bon Dieu, je détestais les pêches jusqu'à ce jour.

Elle avait l'odeur des jours où l'été s'endormait pour se réveiller en automne. Doux, suaves, parfaits.

Ma fichue High.

– Tu m'as manqué, me dit-elle à l'oreille.

– Je sais.

– Tu es parti...

– Je sais.

– Comment as-tu osé...

– Je sais.

Son corps se tendit et elle s'écarta vivement. La tristesse avait déserté ses yeux. Seule la colère demeurait.

Cela me semblait normal.

– Tu *sais* ? siffla-t-elle en se grandissant, mais toujours si frêle.

Elle croisa les bras en se mordant la lèvre inférieure. Les petites rides au coin de ses yeux se creusèrent et il m'apparut clairement qu'elle n'était plus la fille que j'avais quittée des années auparavant. C'était une femme maintenant, et le feu brûlait au fond de son âme.

– Je t'ai appelé.

– Je sais.

Elle fronça les sourcils.

– Non. Je t'ai appelé, Logan. Je t'ai appelé et j'ai laissé plus de cinq cents messages.

Mille quatre-vingt-dix messages pour être exact.

Je n'avais pas envie de la contredire.

– Tu as disparu. Tu m'as quittée. Nous. Kellan. Tu nous as tous quittés. Je peux comprendre que tu avais besoin d'espace, mais tu m'as quittée. Après tout ce que nous avions traversé – après ce qui s'était passé – tu m'as laissée seule avec ça.

– Je commençais à aller mieux. Je travaillais sur les problèmes avec ma mère, avec toi, eh oui, j'étais une épave, mais j'avais seulement besoin de temps.

– Je t'ai laissé de l'espace, mais tu n'es pas revenu pour autant.

– Tu m'appelais tous les jours, Alyssa. Ce n'est pas ce que j'appellerais me donner de l'espace.

– Kellan et moi t'avons sauvé la vie, et nous pensions que tu reviendrais. Je t'ai appelé tous les jours pour que tu saches que j'étais là, que je t'attendais. Je croyais que tu reviendrais pour moi. Pour nous.

– Tu ne peux pas sauver les gens contre leur volonté, et tu ne peux pas espérer qu'ils reviennent pour toi, Alyssa. Tu aurais dû le savoir après tout ce qui s'était passé avec...

Je me mordis la langue pour interrompre mon discours, mais je savais que je ne pouvais pas reprendre ce que j'avais dit. Elle savait ce que j'allais dire. *Tu aurais dû le savoir après ce qui s'était passé avec ton père.*

– Ça, c'est un coup bas.

– Je n'ai rien dit.

Elle secoua la tête.

– Pour quelqu'un qui n'a rien dit, on peut dire que tu as bien fait passer le message.

Sa voix se brisa.

– Plus de cinq cents messages et pas une seule réponse.

Mille quatre-vingt-dix messages.

Je ne la corrigeai toujours pas.

– Je n'avais rien à te dire.

Ce n'était pas vrai, mais c'était la première pierre du mur que je savais devoir ériger maintenant que j'étais revenu. Il fallait que je garde mon esprit et mes sentiments à distance pour éviter de retomber dans la vie d'Alyssa. La dernière fois que j'avais fait partie de sa vie, je l'avais détruite. Je ne pouvais pas me laisser aller à lui faire ça encore une fois. Alors, il fallait que je sois froid, dur même, avec elle.

Parce qu'elle méritait mieux que de passer sa vie à côté de son téléphone à attendre que quelqu'un comme moi la rappelle.

– Rien ?

Elle recula, stupéfaite.

– Rien du tout ? Pas même bonjour ?

– J'ai toujours été plus doué pour dire au revoir.

– Waouh...

Elle souffla vivement.

Tous les sentiments que j'avais éprouvés pour elle au fil des années me revenaient, plus forts que jamais. Je m'en voulais à mort de ne pas l'avoir appelée. J'étais triste, j'étais heureux, j'étais perdu, j'étais amoureux. J'étais tout ce qu'Alyssa m'avait toujours fait ressentir.

Mon esprit était au bord de l'explosion.

– Tu sais quoi ?

Elle s'éclaircit la voix et me fit un petit sourire pincé.

– On ne va pas faire ça.

– Faire quoi ?

– Se battre. Se disputer. Parce que si nous faisions ça, tu sais ce que cela signifierait ? Cela voudrait dire que toi et moi nous avions une sorte de relation, ce qui n'est pas le cas. Tu es devenu un étranger à partir du moment où tu t'es volatilisé dans les champs de blé de l'Iowa.

Mes lèvres s'entrouvrirent, mais avant que je puisse dire quoi que ce soit, elle avait tourné les talons et s'était éloignée rapidement vers une autre table. Elle arborait un sourire de convenance tout en s'adressant aux clients. Elle tapait du pied nerveusement et son corps vacillait légèrement d'avant en arrière.

Elle me jeta un bref coup d'œil en continuant de prendre la commande.

– Eh bien, je pense que je vais prendre les œufs au...

Sans lui laisser terminer sa phrase, Alyssa revint vers moi à grandes enjambées.

– ... bacon.

– Est-ce que Kellan sait que tu es là, au moins ? Ou bien avais-tu l'intention de lui tomber dessus sans prévenir, à son boulot, lui aussi ?

Les mains sur ses hanches, elle haussa un sourcil.

Je fis de même.

– Ouais. C'est à cause de lui si je suis là. Tu sais, pour le mariage.

– Quoi, demanda-t-elle, l'air troublé.

– Le mariage... tu sais bien, mon frère qui épouse ta sœur.

– Mais...

Elle s'interrompit, toute colère disparue.

– Le mariage n'a lieu que dans un mois. Tu es revenu un mois en avance pour aider ?

– Kellan m'a dit que c'était ce week-end.

– Première nouvelle. Mais avec tout ce qui se passe, plus rien ne me surprend.

– Que veux-tu dire ? Qu'est-ce qui se passe ?

Elle ouvrit la bouche, mais aucun son n'en sortit. Elle fit une autre tentative en se mordillant la lèvre inférieure.

– Tu as replongé, Logan ?

– Quoi ? Qu'est-ce que ça veut dire ?

– Tu sais très bien ce que ça veut dire. Je voudrais juste...

Elle se mit à trembler, ses nerfs prenaient le dessus.

– J'ai besoin de savoir si tu es clean. Si tu as pris quelque chose.

– Cela ne te regarde pas. Vu que si je te disais quelque chose, cela voudrait dire que nous avons une relation quelconque, et comme tu l'as dit tout à l'heure, nous...

– Lo, murmura-t-elle.

Ce surnom, sortant de ses lèvres, me fit revenir sur ma contrariété et mon attitude défensive.

Ses yeux.

Ses lèvres.

Alyssa.

High.

Mon plus beau trip.

– Ouais ?

– As-tu replongé ?

– Non.

– Pas même de l'herbe ?

– Seulement de l'herbe.

Elle poussa un soupir lourd de signification.

– Ça va, Alyssa, lâche-moi un peu. L'herbe est légale dans certains États.

– Pas dans l'Iowa.

Elle commençait à avoir l'air inquiète, ce qui voulait dire qu'elle était concernée, ce qui voulait dire qu'un espoir était possible. Mais à quoi bon espérer ? Le mur destiné à maintenir Alyssa à l'écart était construit et je n'avais pas l'intention de l'abattre de sitôt. Je prendrais le premier train qui m'emmènerait loin d'ici s'il n'y avait pas de mariage.

– Seulement de l'herbe, alors ?

– Seulement de l'herbe.

– Promis ?

– Promis.

Elle fit un pas en arrière suivi de deux pas en avant. Elle me tendit son petit doigt.

– Juré craché ?

Je fixai son petit doigt en repensant à toutes les promesses que nous nous étions faites quand nous étions plus jeunes, en croisant ainsi nos petits doigts.

J'accrochai mon petit doigt au sien, submergé d'émotion par ce simple contact.

– Juré craché.

Quand nous relâchâmes cette étreinte, elle fit deux pas en arrière suivis d'un pas en avant.

Elle me tendit les mains et, sans réfléchir, je les pris dans les miennes. Elle me fit lever de mon siège et me prit dans ses bras. À la façon dont elle se serra contre moi, j'eus le pressentiment que quelque chose n'allait pas.

– High, qu'y a-t-il ?

Elle me serrait encore plus fort, et moi je ne voulais plus la lâcher. Ses lèvres étaient contre mon oreille et son souffle chaud dansait sur ma peau.

– Rien. Ce n'est rien.

Quand nous nous séparâmes, elle joignit les mains, comme pour une prière, et les appuya contre ses lèvres, en inclinant légèrement la tête.

– Lo...

Je me passai la main dans les cheveux en hochant la tête.

– High...

– Bienvenue à la maison.

– Je ne suis pas rentré à la maison. Je suis seulement de passage avant de repartir.

Elle haussa les épaules.

– La maison reste la maison. Même quand on ne veut pas qu'elle le soit. Et... Logan ?

Elle se balançait légèrement sur ses talons d'arrière en avant.

– Ouais ?

Elle ne prononça pas un mot, mais je l'entendis clairement.

Toi aussi tu m'as manqué, High.

17

LOGAN

Je laissai tomber mon sac à dos sous le porche de Kellan et Erika avant de frapper à la porte. J'avais l'estomac noué, ne sachant pas ce que ça allait me faire de les revoir après si longtemps. Le temps changeait les gens et je me demandais dans quelle mesure je les trouverais changés. J'attendis encore quelques secondes avant de rassembler le courage de frapper à la porte.

Quand elle s'ouvrit, un profond soupir de soulagement s'échappa de mes lèvres. Kellan m'accueillit avec son large sourire fraternel avant de me serrer dans ses bras.

– Je croyais que ton train arrivait hier. Tu t'es perdu, frangin ?

Je me mis à rire.

– J'ai pris le chemin le plus long.

– Ok, laisse-moi te regarder.

Il fit un pas en arrière, croisa les bras et rigola.

– Tu as l'air en forme, dis donc. On peut dire que quand tu es parti d'ici, tu étais Peter Parker et tu reviens en Spiderman.

– Ces araignées radioactives dans l'Iowa, elles ne rigolent pas, mec. Et regarde-toi !

Je lui donnai un coup de poing dans l'estomac pour rigoler.

– On dirait une cacahuète. Je pourrais peut-être bien te botter le cul maintenant au lieu que ce soit l'inverse.

– Hé, ne crois pas ça. Dis donc, tu prends toujours autant soin de tes cheveux, à ce que je vois, comme une femme, dit-il en ébouriffant mes cheveux parfaitement peignés.

– L'envie est un des sept péchés capitaux, frangin.

– Je m'en souviendrai, ricana-t-il.

Bon Dieu. C'était bon de le revoir. Il avait toujours l'air aussi génial. C'est seulement quand on revoit une personne après une si longue absence qu'on s'aperçoit à quel point elle vous a manqué.

– Kellan, c'est qui ?

Erika sortit de la salle de bains en se séchant les cheveux avec une serviette. Quand elle me vit, elle eut l'air stupéfaite.

– Qu'est-ce que tu fais ici ?

– Moi aussi, cela me fait plaisir de te voir, Erika.

– Qu'est-ce que tu fais ici ? demanda-t-elle à nouveau.

Je regardai Kellan puis Erika, puis de nouveau Kellan.

– Je commence à me le demander moi-même. Que se passe-t-il, Kel ? Je suis tombé sur Alyssa tout à l'heure et...

– Tu es tombé sur Alyssa ?! s'exclama Erika.

C'était drôle... son côté théâtral ne m'avait vraiment pas beaucoup manqué.

– C'est ce que je viens de dire. Bref, elle m'a dit que le mariage n'était pas prévu pour ce week-end.

– Le mois prochain, me reprit-elle. C'est le mois prochain. Pourquoi as-tu un sac à dos ?

– Euh, on m'a dit que je logerais chez vous. Pour le mariage qui n'aura pas lieu, semble-t-il.

– Mais c'est le mois prochain, répéta-t-elle. C'est le mois prochain. Je ne savais même pas que tu devais venir. Loger chez nous ?

Elle se mit à se gratter dans le cou, sa peau très pâle se couvrit de plaques rouges. Elle ressemblait terriblement à sa sœur, mais elles avaient des personnalités si différentes qu'elles auraient aussi bien pu être des étrangères.

– Bébé, je peux te parler dans la chambre, une minute ?

Je fis un pas en avant pour la suivre, ce qui fit sourire Kellan, alors qu'Erika grognait d'impatience.

– Oh, excuse-moi. Quand tu as dit Bébé, j'ai cru que tu t'adressais à moi. Mais maintenant, je vois que c'était à mon frère. Désolé.

Kellan rigola.

– Arrête de faire le con.

– Je ne peux pas m'en empêcher. J'en suis un, alors je me conduis en conséquence.

Ils se précipitèrent dans la chambre en claquant la porte. Je m'assis sur le canapé et, au moment où je mettais la main dans ma poche, la porte se rouvrit brusquement.

– Logan ? dit Erika.

– Oui ?

– Ne touche à rien.

Je levai les mains docilement, et elle retourna dans la chambre en claquant la porte encore une fois.

– Je n'arrive pas à croire que tu ne m'aies pas dit qu'il venait, Kellan !

Sa voix résonnait dans toute la maison et je ne pus m'empêcher de rigoler. Même si je n'avais pas la moindre idée de la raison pour laquelle j'étais de retour dans cette ville qui était à l'origine de tous mes démons, je me sentais toujours chez moi quand je pouvais mettre Erika hors d'elle.

Je pris mon paquet de cigarettes dans ma poche et j'en allumai une avec mon briquet. Le coup d'œil que je jetai autour de moi me rappela qu'Erika était une vraie maniaque du rangement, et je ne comprenais vraiment pas comment Kellan pouvait la supporter. J'étais persuadé qu'elle était sur son dos toute la journée.

Je me mis à paniquer en voyant la cendre s'accumuler au bout de ma cigarette. Erika allait péter un câble si je la faisais tomber sur sa table basse probablement très chère. Je me précipitai vers la table de salle à manger qui était dressée comme si un grand dîner se préparait et je saisis une soucoupe pour y mettre la cendre de ma cigarette. Je retournai sur le canapé en emportant la soucoupe et je me détendis un peu.

Je les entendais discuter à travers les murs peu épais.

– Kellan, c'est juste... on est déjà tellement stressés. Tu as plein de trucs à faire, avec ton travail. Moi, avec mon master. Et tous les préparatifs du mariage. Tu crois que c'est une bonne idée que Logan soit là ?

– C'est mon frère.

– Tu es... nous... je ne sais pas si c'est une bonne idée.

– C'est mon frère.

– Mais tu sais comment il est. Il va t'entraîner dans sa vie de fou, comme il fait toujours.

– Erika, il est clean. Cela fait des années maintenant.

Je percevais l'agacement dans la voix de Kellan et je sentis un peu de déception m'envahir. Il faisait partie des rares personnes qui croyaient vraiment que je pouvais devenir clean. Lui et Alyssa. Tous les autres pensaient que j'étais une cause perdue. La voix d'Erika laissait transparaître ce genre d'agression.

– C'est ce qu'il dit. Sérieusement, combien de fois l'avons-nous entendu dire ça. Tu ne peux pas t'empêcher de les materner, lui et ta mère. Tu n'es pas en charge de leur vie, Bébé. Et tu n'es pas son père. Bon sang, ce n'est même pas vraiment ton frère ! Il n'est que ton demi-frère.

J'entendis un grand claquement, et mon estomac se serra. Je me levai, prêt à aller voir ce qui se passait. La soucoupe pleine de cendres à la main, je me dirigeai vers la porte de la chambre, mais je m'arrêtai en entendant la voix de Kellan.

– Si jamais tu redis ça, je sors d'ici sans me retourner. Oui, c'est vrai, Logan a déconné dans le passé. Il a coupé les ponts avec toi et un tas d'autres personnes. Aux yeux de beaucoup, il est impardonnable. Mais c'est mon frère. Et je ne veux pas entendre cette connerie de « demi ». Il est mon frère à cent pour cent. Je m'occuperai toujours de lui, je ne le laisserai jamais tomber. Je ne couperai jamais les ponts, Erika. Alors, si tu as quelque chose à redire à cela, eh bien, cela va probablement être un problème entre nous.

Ils baissèrent la voix et je dus tendre l'oreille pour entendre les excuses d'Erika, suivies d'un échange de « je t'aime » et encore des excuses.

Quand la porte se rouvrit, j'étais planté devant, la cigarette aux lèvres. Ils me regardèrent, choqués de me trouver si près.

– Écoutez, tous les deux...

– Tu fumes dans la maison ?

Erika m'arracha la cigarette des lèvres.

– Et en plus, tu mets tes cendres dans ma plus belle porcelaine ?!

En pleurnichant, elle me prit la soucoupe des mains d'un geste brusque.

– Oh, mon Dieu. Ma mère va arriver dans quelques heures et toute la maison sent le tabac !

La mère d'Erika. La seule personne au monde qui était encore plus théâtrale et agaçante qu'Erika elle-même. *Quel rapport Alyssa pouvait-elle avoir avec ces gens-là ?*

Elle se précipita vers l'évier où elle noya ma cigarette avant de la balancer dans la poubelle. Elle marmonna quelque chose en récurant énergiquement la soucoupe.

Un silence gêné s'installa dans la pièce. Kellan et moi regardions fixement sa fiancée qui semblait plus dingue que jamais ce jour-là.

– Bon... dit Kellan en se balançant d'un pied sur l'autre. Ça te dirait d'aller voir le restaurant de Jacob ?

– Ouais, je répondis, plus rapide que l'éclair.

Jacob était un vieux pote à qui je n'avais pas reparlé depuis que j'avais dit une vacherie au sujet de sa collection de films porno. Je ne savais pas très bien comment allaient se passer ces retrouvailles, mais j'espérais que ce serait mieux qu'avec Erika.

Nous sortîmes rapidement de la maison, juste avant qu'Erika ne se mette encore plus en colère.

– Tu crois qu'elle m'en veut toujours d'avoir presque mis le feu à son ancien appartement ?

– C'est sûr qu'elle ne l'a toujours pas digéré, dit Kellan en riant.

– Oh, ça va. C'était une connerie.

– Qui lui a coûté quatre mille dollars, ouais. Un peu chère, ta connerie. Mais elle s'en remettra, t'inquiète.

– Kellan, qu'est-ce que je fais ici ?

Avant qu'il ne puisse me répondre, la porte se rouvrit.

– Tu peux dormir dans une des chambres d'amis, dit Erika en faisant un signe de tête à Kellan.

Elle me regardait dans les yeux et elle semblait plus calme. Peut-être que sa session intensive de nettoyage avait rééquilibré son humeur.

– Je vais y mettre ton sac.

– Merci, Erika. Ça me fait très plaisir.

– On sera de retour pour le dîner, dit Kellan en l'embrassant sur la joue.

– On ? demanda-t-elle avec une certaine inquiétude dans la voix.

– Nous deux, dit-il en nous montrant tous les deux du doigt.

Elle fit de son mieux pour ne pas se renfrogner, mais sans beaucoup de succès.

– Oh, super. Je vais juste me débrouiller pour faire un pain de viande pour quatre au lieu de trois. Et je vais rajouter un couvert.

Je sentais bien que cela la contrariait, mais elle sourit avec douceur, rentra lentement dans la maison et referma la porte.

– Je pense que nous sommes maintenant, officiellement les meilleurs amis du monde, elle et moi, dis-je en rigolant.

– Les meilleurs des meilleurs amis. À ce propos... ça t'a fait quoi de revoir Alyssa ?

– C'était cool, mentis-je. J'ai seulement l'intention de l'éviter au maximum.

– Bien, dit-il en descendant les marches du perron. C'est probablement mieux que vos sentiments d'avant soient passés, non ? Peut-être que vous pourrez pardonner, oublier et passer à autre chose, tous les deux.

– Ouais, ça ne m'a rien fait de la revoir, en fait. Alors, tant mieux.

C'était la vérité. Et par « vérité », je voulais dire le pire des mensonges. Je me souvenais de ce qu'Alyssa avait dit un peu plus tôt.

– *La maison reste la maison. Même quand on ne le veut pas.*

Après tout ce temps passé, après toute cette distance, Alyssa Marie Walters demeurait la maison pour moi, en quelque sorte.

Je ne savais pas très bien comment gérer ce fait et c'était précisément pour cela qu'il fallait que je prenne un aller simple pour repartir de True Falls, Wisconsin.

Vite fait.

18

ALYSSA

— Sur une échelle de un à dix, tu comptais attendre combien de temps avant de m'appeler à partir du moment où tu savais que Logan était revenu ? Un étant : tu n'en savais rien, et dix étant « je déteste ma sœur en secret », demandai-je à Erika au téléphone en me bagarrant avec mes clés pour rentrer chez moi.

J'avais les nerfs en pelote depuis que Logan et moi nous étions croisés au restaurant. Je n'arrivais pas à penser clairement, j'avais la nausée, j'étais en colère... j'étais... soulagée ?

Il m'arrivait parfois de douter qu'il soit encore en vie, même si Kellan me donnait de ses nouvelles de temps en temps.

– Je te jure que je n'en savais rien, tu dois me croire.

Je parvins finalement à ouvrir ma porte d'entrée et, en moins d'une minute, j'étais écroulée sur mon canapé.

– Kellan a dû lui envoyer un SOS, j'imagine. C'est la pagaille. Il paraît qu'il va rester chez nous pendant un moment.

– Un moment? demandai-je, curieuse. Ça veut dire quoi? Il est chez toi, là?

Je me demandais si je n'allais pas aller chez elle juste pour voir son visage. Simplement pour m'assurer qu'il était bien réel.

– Aly, me dit-elle sur un ton de réprimande qui me fit penser à ma mère quand elle nous grondait lorsque nous étions enfants. Ne recommence pas.

– Ne recommence pas quoi?

– Ne recommence pas avec ça. Logan Siverstone est sorti de ta vie. Et je pense que c'est mieux ainsi.

Comment pourrait-il rester en dehors de ma vie alors qu'il ne se trouve qu'à quelques pâtés de maisons de moi, chez ma sœur.

– C'était de la simple curiosité, Erika. Sérieux.

Je m'interrompis en écoutant les bruits que j'entendais dans le téléphone. Elle était en train de réorganiser toute sa maison, je le savais. Je l'entendais pousser les meubles. Chaque fois qu'Erika était nerveuse ou contrariée, elle réaménageait tout, ou alors elle brisait des objets et courait immédiatement au magasin pour les remplacer. C'était une manie bizarre chez elle, mais moi j'avais bien laissé des messages à un garçon tous les jours pendant près de cinq ans – tout le monde a ses propres bizarreries.

– Waouh, il doit vraiment t'avoir mise hors de toi, dis-je en sortant un tube de rouge à lèvres pour m'en appliquer couche sur couche. Je t'entends déplacer les meubles.

– C'est normal, non? C'est comme le fantôme de Noël dernier qui se pointerait pour me dire: « Oh? Tu es stressée ? Eh, bien, compte sur moi pour te rendre les choses un peu plus difficiles. »

– Combien d'assiettes as-tu déjà cassées ?

– Seulement une, heureusement. (Elle soupira.) Mais j'en avais une pile d'avance dans le placard.

Évidemment. Elle était toujours préparée pour à peu près n'importe quel incident.

– Il a fumé et mis ses cendres dans une de mes soucoupes, Alyssa ! Qui peut faire une chose pareille ?

Je ricanai.

– C'est moins grave que de les avoir mises sur ta table basse à cinq cents dollars.

– Tu trouves ça drôle ?

Un peu.

– Non, non. Ce n'est pas drôle. Excuse-moi. Écoute, je suis sûre que tout va rentrer dans l'ordre dans quelques jours. Tu ne te rendras probablement même plus compte que Logan est là.

– Tu crois qu'il consomme toujours ? murmura-t-elle dans le téléphone. Kellan est dans le déni, mais moi je ne sais pas. Je pense que c'est une très, très mauvaise idée. Ce n'est vraiment pas le moment.

– Il avait l'air d'aller bien, dis-je en allant dans ma salle de bains où je regardai dans la glace mes lèvres recouvertes de beaucoup trop de rouge.

Je pris une lingette démaquillante et entrepris d'enlever le rouge en repensant aux yeux de Logan qui me rappelaient tellement le passé.

– En fait, il avait vraiment l'air d'aller bien. En pleine forme.

– Mais tu ne t'inquiètes pas ? Tu n'as pas peur qu'il replonge ? Se retrouver ici où tous ses ennuis ont commencé, ça ne peut pas être bon pour lui.

– Je pense que nous ne devrions pas trop nous prendre la tête. Un jour à la fois. Une assiette cassée à la fois, Erika.

Elle ricana.

– Tu ne voudrais pas venir dîner ? Maman sera là pour accueillir Logan.

Oh non. Pauvre Logan.

Ma mère était loin d'être sa plus grande fan. Et la dernière fois que Logan l'avait vue, il l'avait traitée de monstre castrateur.

– J'adorerais participer à ce carambolage, mais je pense que je ferais mieux de m'abstenir.

Avoir vu Logan tout à l'heure m'avait embrouillé la tête. Je n'étais pas sûre de pouvoir supporter de renouveler l'expérience. Même si, au fond de mon cœur, j'avais envie de le voir ne serait-ce que pour m'assurer qu'il était réellement là.

– En tout cas, amusez-vous bien ce soir, et envoie-moi un texto pour me raconter les catastrophes en détail.

– Je n'y manquerai pas. Eh, Alyssa ?

– Ouais ?

– Ne retombe pas dans les filets de Logan. Rien de bon ne peut en sortir.

– D'accord. Eh, Erika ?

– Oui ?

– Ne casse pas une fichue lampe.

– Ça marche.

***

Je sortis le carton.

Le carton que j'étais censée détruire depuis des années. Le carton dont Erika pensait que je m'étais débarrassée, parce que j'avais fini par laisser tomber après le million de messages que j'avais laissés dans sa boîte vocale. Mais il était rangé sous mon matelas, avec tous nos souvenirs à l'intérieur.

Je soulevai le couvercle et me mis à regarder toutes les photos de nous quand nous étions plus jeunes. Je soulevai la marguerite séchée qu'il m'avait donnée la première fois qu'il m'avait embrassée. Je sortis l'ours en peluche qu'il avait volé au parc d'attractions quand le mec avait triché pour me prendre le premier prix.

Les tickets de cinéma des films que nous étions allés voir ensemble.

Les cartes d'anniversaire qu'il m'avait faites lui-même.

Son briquet.

– Pourquoi est-ce que tu m'as fait ça ? murmurai-je en soulevant le sweat à capuche rouge qu'il m'avait donné la première fois qu'on s'était baladés ensemble.

Je respirai son odeur, et je pus presque sentir les traces d'odeur de tabac qu'il avait laissées dans le tissu.

– Pourquoi a-t-il fallu que tu reviennes ?

Au fond de la boîte, il y avait une fourchette en argent encadrée. Je fermai les yeux en la tenant entre mes mains. Je restai assise au milieu de tous ces souvenirs jusqu'à ce qu'il soit temps de remplir la boîte à nouveau et de la remettre sous mon lit.

Je m'en débarrasserais un jour, j'en étais sûre.

Mais pas aujourd'hui.

19

LOGAN

Je fus stupéfait en entrant dans le restaurant de Jacob, Bro's Bistro. C'était génial de voir comment Jacob avait réussi à reprendre sa vie en main. Lorsqu'on était plus jeunes, on fumait de l'herbe et on plaisantait en disant qu'on voulait devenir des chefs tous les deux et posséder notre propre restaurant. C'était trop bien de voir son rêve réalisé.

– Putain, j'y crois pas ! Regardez ce que le chat nous a ramené ! s'exclama Jacob de derrière son grand comptoir. Logan Silverstone. Je ne pensais jamais te revoir dans cette partie de la ville.

Il avait les cheveux coupés très court et il affichait toujours ce même grand sourire niais qu'il avait dans le temps.

Je souris.

– Ça fait un bail, mon pote, tu peux le dire.

– Tu as l'air en pleine forme, dit-il en se précipitant vers moi pour me serrer vigoureusement dans ses bras.

– J'essaie, mon pote. J'essaie. C'est super-chouette, ici, Jacob.

– Ouais, ouais. Il est encore tôt. Il y aura plus de monde vers sept ou huit heures. Et demain c'est soirée *open mic*, tu pourras voir ton frère se produire sur scène.

Je haussai un sourcil.

– C'est vrai ? Ça fait vachement longtemps que je ne t'ai pas entendu chanter en t'accompagnant à la guitare, Kellan.

– Ouais. J'essaie de revenir aux choses que j'aime, tu vois. La vie est trop courte pour ne pas faire ce qui nous rend heureux.

– Ça, c'est vrai. Cet endroit est vraiment génial, Jacob. Ce n'est pas tous les jours que quelqu'un parvient à réaliser son rêve, je lui dis alors qu'il me faisait visiter. Mais toi, tu y es arrivé. Tu vis ton rêve.

– J'essaie, dit-il en riant. Mais, tu sais, faire tourner son propre restaurant, c'est super-dur, putain !

– Rien que d'y penser, je suis déjà fatigué.

– J'ai entendu dire que tu avais passé ton diplôme de cuisinier pendant que tu étais dans l'Iowa ? demanda-t-il en nous conduisant, Kellan et moi, vers le bar.

– Oui, c'est vrai. Je ne croyais pas que j'y arriverais, mais...

Alyssa, elle, y a toujours cru.

– Eh bien si, je l'ai fait.

Il me fit un grand sourire.

– Putain ! C'est génial, mec. Qui aurait pu penser que des gamins aussi paumés que nous feraient des études ? Qu'est-ce que je vous sers ? Une bière ? Un cocktail ? demanda Jacob en essuyant le comptoir.

– Je prendrai une eau minérale, dit Kellan.

Je me mis à rire.

– Tu n'as pas changé, frangin. Toujours le fêtard effréné. Pour moi, ce sera une Bud Light.

Kellan haussa les sourcils.

– Je vois que tu es au moins aussi déglingo que moi.

Jacob posa nos boissons. Les coudes sur le comptoir, il croisa les doigts et appuya la tête sur ses poings.

– Alors, l'Iowa ? Qu'est-ce qu'il y a à foutre dans l'Iowa ?

– Exactement ce que tu penses qu'il y a. Rien. Travail, dodo, les femmes et l'herbe. Laver, rincer, recommencer.

Kellan grimaça en m'entendant mentionner le mot herbe, comme l'avait fait Alyssa.

– Lâche-moi, Kellan. Je ne consomme rien d'autre. Juste un peu d'herbe de temps en temps.

– Je ne voudrais pas que tu replonges, c'est tout.

– Je ne l'ai pas fait depuis des années. Je vais bien.

Je me raclai la gorge.

– Au fait, merci de m'avoir aidé à payer mon loyer le mois dernier. Et le mois d'avant...

Ma voix devint un murmure.

– Et le mois d'avant...

J'avais beau avoir un diplôme, ça n'avait pas été facile de trouver un vrai travail.

– Ce n'est rien, sourit-il, sachant que je changeais de sujet mais acceptant de le faire. Mais pas un mot de ça à Erika, d'accord.

Jacob se mit à rire.

– Ça doit faire bizarre, Kellan.

– Quoi ?

– D'être tenu par les couilles par une femme....

Je ricanai.

– Je suis même surpris qu'il ait encore des couilles.

– Allez vous faire foutre, les gars ! Bon, c'est vrai, Erika est un peu...

Kellan fronça le nez, cherchant le mot juste.

– Maniaque du contrôle ? suggéra Jacob.

– Autoritaire ?

– Théâtrale ?

– Extrêmement théâtrale ?

– Maternante ?

– Castratrice ?

– Stable, dit Kellan en buvant son eau minérale. Erika est stable. Elle est tout ce qui me permet de garder les pieds sur terre. Elle n'est pas facile, c'est vrai, mais je suis prêt à l'accepter parce qu'elle est forte. Elle est mon point d'ancrage.

Jacob et moi nous tûmes, un peu ébahis.

– Waouh, souffla Jacob dans un profond soupir. C'est... ça c'est vraiment ringard, dit-il, les yeux embués de larmes.

Je rigolai.

– Le summum de la ringardise.

– Allez vous faire voir ! C'est sûr qu'on ne peut pas attendre de deux crétins célibataires comme vous qu'ils comprennent quoi que ce soit aux relations amoureuses, dit Kellan. Alors, il te plaît, cet endroit ?

– S'il me plaît ? C'est tout simplement génial. Je suis sûr que la cuisine est aussi bonne qu'elle en a l'air. Si je vivais ici, je serais là tous les jours.

Un sourire perfide apparut sur le visage de Kellan, et très vite le visage de Jacob prit la même expression.

– C'est marrant que tu parles de ça parce que Jacob et moi on s'est dit... si jamais tu restais en ville, tu aurais un boulot tout trouvé. Il cherche un chef, suggéra Kellan.

– Ça paye bien. Je veux dire, le chef est un parfait con, mais c'est un bon boulot, ajouta Jacob.

Je me mis à rire, parce que je trouvais l'idée complètement ridicule. Mais j'arrêtai en voyant qu'ils étaient aussi sérieux l'un que l'autre.

– Ne le prends pas mal, Kellan. Mais étant donné que ce fameux mariage n'est pas pour tout de suite, je reprends le premier train pour l'Iowa.

– Ah ouais ? Et tu as les moyens de te payer un billet de retour ? me demanda Kellan.

Je haussai un sourcil.

– Quoi ? Mais tu m'as dit que tu me le paierais.

– Pas du tout. Je t'ai dit que je te payais le billet pour venir ici. Je n'ai jamais parlé de retour.

– Va te faire foutre !

Je me tournai pour faire face à mon frère, sans vraiment comprendre.

– Tu es sérieux, là ?

Je regardai Jacob.

– Purée, il est sérieux, c'est ça ?

– Je dis ça comme ça, frangin. Tu es chez toi ici. Et tu es toujours le bienvenu chez toi.

– Vous me prenez en otage, répliquai-je, ahuri.

– On t'offre un boulot. Écoute, si ce que tu veux vraiment, c'est un aller simple pour retourner dans l'Iowa, je te l'achète demain matin. Mais l'offre tiendra toujours.

Kellan me poussait vraiment à rester, et je n'arrivais pas à comprendre pourquoi. True Falls n'était plus chez moi. C'était juste les anciens démons de ma vie.

– Je vais prendre le billet de retour. Ne le prends pas mal, Kellan. Je t'aime, vraiment. Mais cette ville ? Si je reste ici, je vais devenir fou. C'est impossible autrement.

Il hocha la tête.

– Je comprends. J'ai juste pensé que je devais te le proposer.

Je le remerciai.

– Alors, comme ça, tu es tombé sur Alyssa ? Comment tu vois les choses si cela se reproduit ? demanda Kellan.

– Je ne ferai pas attention à elle et je la repousserai. On ne peut pas revenir en arrière, elle et moi. Je ne veux pas retourner sur ce terrain, et elle, elle est bien mieux sans moi. Mais, je dis pour changer de sujet, ça fait plaisir de voir que tu es clean, Jacob.

Il acquiesça.

– Ce n'était pas tellement longtemps après que tu es parti, en fait. Un jour, je me suis réveillé et je me suis dit que je ne pouvais pas continuer comme ça. Je n'ai pas fait de désintox, mais j'ai participé à des réunions à l'église pendant un moment, ce qui m'a aidé. Cela fait des années que je vais plus à l'église, maintenant, mais cela m'a suffisamment affecté pour que je me fasse ordonner ministre du culte.

Je rigolai.

– Non ?

Il sourit avec arrogance, en se désignant du pouce.

– Si jamais tu as l'intention de te marier, pense à ce beau mec.

Tout à coup, Jacob se pencha vers moi avec une expression nouvelle, la plus solennelle que je lui aie jamais vue.

– Logan, pour parler plus sérieusement, il faut vraiment que je te demande quelque chose de réellement important...

Je soupirai, sachant que je ne pourrais pas éviter les questions qu'un tas de gens avaient à me poser. Le même genre de questions que Sadie m'avait balancées à la figure au motel. *C'était comment la désintox? As-tu replongé? Tu penses toujours à la dope?*

– Comment tu fais pour que tes cheveux soient toujours aussi beaux, bordel? Ils brillent comme ce n'est pas possible. Et ce volume! Merde. Moi, je commence à les perdre et j'ai dû les raser de près pour ne pas être trop moche.

– Oh mon Dieu, gémit Kellan en levant les yeux au ciel. Ne le lance pas sur ce sujet.

– Je te l'ai dit, Kel, l'envie est un péché.

Je ricanai.

– Une fois par mois, un masque avec jaune d'œuf et avocat.

– En vrai?

– En vrai. Tu laisses poser pendant trois quarts d'heure, mais surtout tu ne rinces pas à l'eau chaude. Sinon tu vas te retrouver avec des œufs brouillés dans les cheveux et tu mettras une semaine à t'en débarrasser. De plus, l'eau froide, c'est très bon pour les follicules des cheveux, cela les rend plus sains et plus forts. Je peux te faire la liste de tous les produits que j'utilise, si tu veux.

– Sans blague? Tu ferais ça?

– Bien sûr, sans problème.

– Je n'arrive pas à croire que cette conversation a vraiment lieu, là devant moi, soupira Kellan en levant les yeux au ciel de façon si ostentatoire que je me dis qu'ils allaient rester collés au plafond.

Il avait peut-être eu une enfance plus heureuse que la mienne, mais maintenant c'était lui qui était à plaindre, parce que moi au moins j'avais des cheveux magnifiques alors que les siens commençaient à disparaître.

Nous restâmes encore un peu au restaurant sans parler du passé, sans parler de l'avenir, profitant seulement du moment présent.

– Je suis désolé de devoir interrompre ces retrouvailles, mais on ferait mieux de rentrer pour aider Erika à préparer le dîner, dit Kellan.

Je me levai et tendis la main à Jacob, qui la serra dans la sienne.

– Ça m'a fait plaisir de te voir, Jacob.

– Moi aussi, Logan. Tu as l'air en pleine forme, vraiment, mec.

– Toi aussi. Et, heu, je n'ai jamais eu l'occasion de te le dire, mais je suis désolé pour ce que j'ai dit il y a longtemps. Au sujet de ton addiction au porno et cette histoire de fourchette.

Il rigola.

– Je te pardonne, mon pote. Même si ce n'était pas une fourchette mais une cuillère glacée. Et au fait, n'oublie pas de me donner cette liste de produits capillaires.

Je ne sais pas si cela rendait les choses plus normales, ou moins gênantes, mais d'une façon ou d'une autre, cela faisait du bien de voir un visage familier.

20

LOGAN

– Vous êtes en retard ! dit Erika d'une voix geignarde en nous voyant entrer dans la maison qui avait subi une transformation radicale en notre absence.

Tout avait changé de place, la table de salle à manger, les canapés, la télévision. J'avais l'impression d'avoir mis le pied dans la quatrième dimension.

– Maman ne va pas tarder.

– Je vais aller prendre une douche avant le dîner.

– Très bien. J'ai mis des serviettes et différentes choses dont tu pourrais avoir besoin dans la chambre d'amis, dit Erika en faisant un signe de tête vers la pièce du fond. Maintenant, Kellan, viens goûter ma purée de pomme de terre.

– Attendez, temps mort. Ne me dites pas que c'est Erika qui fait la cuisine ?

La peur était perceptible dans ma voix. Kellan me donna un coup de coude, mais cela ne m'empêcha pas de poursuivre.

– La dernière fois que j'ai mangé sa cuisine, le poulet gloussait encore, Kellan.

– Mec. Juste... va te doucher.

En m'éloignant pour aller dans ma chambre, je ricanai en entendant Erika dire qu'elle ferait beaucoup d'efforts pour ne pas me tuer. Sur le lit, je trouvai une boîte qui contenait des serviettes propres, une brosse à dents, du fil dentaire, des cotons-tiges, des épingles à nourrice, du gel douche, du déodorant et tout ce dont une personne pourrait avoir besoin.

Je savais qu'elle n'était pas allée faire de courses, donc on pouvait penser qu'elle avait tout ça d'avance. Parfois, ça peut servir d'être un peu maniaque. La douche était agréable. Je me lavai les cheveux et mis de l'après-shampooing tout en rejouant dans ma tête tous les instants de ma rencontre avec Alyssa. Son parfum, son contact, ses sourires, ses froncements de sourcils.

L'idée de rester en ville juste pour la croiser par hasard me traversa l'esprit. Mais beaucoup de choses pouvaient changer en cinq ans, surtout après tous les messages que j'avais reçus d'elle et auxquels je n'avais pas répondu.

J'aurais dû la rappeler. J'aurais dû répondre au téléphone.

Au bout de quelques minutes, je fus brusquement tiré de mes pensées par des coups frappés à la porte d'entrée. J'arrêtai la douche, me séchai et enfilai un jean et un T-shirt blanc.

– Quelqu'un a fumé ici ?

La voix forte de Lauren, la mère d'Erika, résonna dans toute la maison.

– Quoi ? Mais non, Maman, voyons.

– Ça sent le tabac, dit Lauren, d'une voix où perçait la déception.

Dans la pièce d'à côté, Lauren chuchota, choquée d'entendre que j'étais revenu en ville. Je pris une profonde inspiration et fis claquer l'élastique sur mon poignet. *Ce que les gens pensent de moi n'a pas d'importance. Je ne suis plus la personne que j'étais quand je suis parti d'ici.* Leur opinion ne me définissait pas.

C'était tout le baratin que le docteur Khan m'avait servi quand j'étais en cure de désintoxication, mais à ce moment précis, ce baratin me donna la force de sortir de la salle de bains pour affronter d'autres individus venus de mon passé.

– Il se drogue toujours ? demanda Lauren à voix haute juste au moment où j'entrai dans la pièce.

– Pas aujourd'hui, répliquai-je en affichant un sourire aussi large que faux.

Fais semblant jusqu'au bout, Lo. Seulement le temps d'un repas, et ensuite tu reprends le train pour l'Iowa.

– Lauren, cela me fait plaisir de vous voir.

Elle refusa de prendre la main que je lui tendais et serra son sac plus fort contre elle.

– Je croyais que nous serions entre nous pour ce dîner, dit-elle d'une voix rendue aiguë par la contrariété. Et je croyais que nous allions au restaurant !

Lauren fronçait beaucoup plus les sourcils qu'elle ne souriait, et elle avait beau avoir les mêmes yeux qu'Alyssa, elle était loin d'être aussi gentille qu'elle.

– On a pensé que ce serait plus calme sans tout le bruit du restaurant. Allez, les bouteilles de vin sont déjà débouchées et Erika nous a cuisiné un super-repas, répondit Kellan avec un grand sourire.

Je me demandai si ce sourire était aussi faux que le mien.

Au moment où nous allions nous asseoir à table, on frappa de nouveau à la porte d'entrée. Quand Erika l'ouvrit, mon estomac se noua. Alyssa se tenait là avec deux bouteilles de vin à la main.

Comme chaque fois qu'elle entrait dans une pièce, mon esprit fondit un peu. *Ne baisse pas tes défenses, Logan.*

– Vous avez de la place pour une invitée de plus ? demanda-t-elle en souriant.

– Oui, bien sûr, nous pouvons faire de la place, dit Erika en se précipitant pour ajouter un couvert.

Lauren souffla.

– C'est extrêmement impoli de se pointer chez quelqu'un comme ça et de demander une place à table.

– Moi aussi je suis contente de te voir, Maman, dit Alyssa avec insolence.

Je ne pouvais détacher mon regard d'Alyssa et nos yeux se croisèrent. Elle me fit un petit sourire et je dus détourner les yeux avant de perdre la tête. Être de retour ici, être près d'elle, était le truc le plus difficile que j'avais jamais eu à faire.

Et j'avais fait une tonne de trucs difficiles.

Nous prîmes place à table, moi juste à côté de Lauren, qui semblait terriblement nerveuse. Kellan servit du vin dans tous les verres. Je levai rapidement le mien et j'en bus une bonne rasade.

– Tu peux boire ? demanda Lauren.

– Non, je suppose que non.

Je finis mon premier verre et je m'en servis un second dans la foulée. Et nous nous mîmes à manger la cuisine infecte d'Erika, que je dus mâcher au moins cinq fois plus que d'habitude rien que pour pouvoir l'avaler, mais je ne me plaignis pas.

– Ils te traitent bien dans ton cabinet d'avocats, Kellan ? demanda Lauren.

Elle était avocate et ce qu'elle préférait chez Kellan, c'était qu'il avait fait du droit et trouvé un bon emploi où il gagnait bien sa vie, mais à part ça, elle le détestait.

Kellan se racla la gorge en s'essuyant la bouche avec sa serviette.

– En fait, j'ai démissionné il y a un mois.

Je haussai un sourcil, ahuri.

– Sans déconner ?

– Quoi ? demanda Lauren, stupéfaite.

Elle se tourna vers Erika.

– Tu ne me l'avais pas dit. Pourquoi n'avoir rien dit ?

– Ce n'était pas vraiment à moi de le faire, Maman.

– Mais pourquoi donc ? Pourquoi as-tu démissionné ? demanda-t-elle.

– Ce n'était pas vraiment mon truc, je pense, dit Kellan en serrant la main d'Erika.

Ils se regardèrent en souriant et l'espace d'un instant je le vis, l'amour que Kellan disait avoir toujours ressenti. Ces deux-là s'aimaient vraiment.

– En quittant le cabinet, j'ai saisi l'opportunité de poursuivre mes vraies passions.

– Quelles passions ? demanda Lauren.

– Ma musique. Jouer de la guitare.

– C'est un passe-temps, pas un travail.

Lauren fronçait les sourcils. Quelle rabat-joie !

– Maman. Tu sais bien que je gagne ma vie dans un piano-bar, non ? intervint Alyssa.

– Oh, ma chérie ! (Lauren fronça les sourcils.) Tu travailles dans un restaurant, dans un magasin de meubles et tu joues du piano le soir dans des bars crasseux. Il n'y a pas de quoi se vanter, tu parles d'une réussite !

Elle n'a pas changé, cette garce, à ce que je vois.

– Je trouve que la musique, c'est vraiment important, renchérit Kellan. On s'amuse. Et puis les sessions auxquelles j'ai participé étaient bien payées. J'adore faire ça. Et la vie est trop courte pour ne pas faire ce qu'on aime.

– Tout à fait d'accord ! dis-je en me resservant du vin. C'est pour ça que je bois autant de vin, dis-je en souriant et en faisant un clin d'œil à Lauren, absolument ravi de la mettre mal à l'aise.

– Vous verrez le spectacle demain. Mon ami me fait jouer dans son restaurant.

– Quoi ? Tu m'avais dit que vous alliez au théâtre demain, dit Lauren en se tournant vers Erika.

– Non... j'ai dit que nous allions au spectacle, répliqua sa fille.

Elles se ressemblaient tellement toutes les deux qu'il était impossible de comprendre comment Alyssa entrait dans cette combinaison.

– Pas de raison de s'inquiéter, cela va être très sympa. De plus, après le spectacle, nous pourrons faire un saut par la salle de réception pour le mariage le mois prochain, expliqua Kellan.

– Quoi ? s'exclama Lauren.

Erika se mit à tousser en essayant de se racler la gorge.

– Quelqu'un veut encore du vin ?

– Qu'est-ce que tu veux dire ? Le mariage a lieu le mois prochain ?

– Tu ne lui as pas dit ? demanda Kellan à sa fiancée en fronçant les sourcils.

– Me dire quoi ?

– J'ai oublié, répondit Erika.

Waouh ! J'avais l'impression de regarder un mauvais sitcom.

– On a avancé la date du mariage. Mais ne t'inquiète pas ! On ne te demandera rien, sauf d'être là.

– Non. Ce mariage est dans un an. Je croyais que tu attendais d'avoir fini ton master, Erika. De plus, c'est moi qui paye. Tu ne t'es pas dit que j'avais le droit de savoir ? On a déjà versé des arrhes pour la location de la salle ! Et maintenant, tu me dis que tu en as trouvé une autre ?

– On te remboursera les arrhes. C'est un changement de dernière minute.

– Un changement de dernière minute ? Et je peux en connaître la raison ? Donne-moi une bonne raison de précipiter les choses. Il y a tellement de choses à organiser. Les fleurs, le gâteau, les menus. Les robes, les invitations, tout ça. On n'aura jamais assez de temps, pleurnichait déjà Lauren.

– On n'a pas besoin de tout ça, Maman. On veut quelque chose de simple.

De temps en temps, je croisais le regard d'Alyssa posé sur moi, et aussitôt elle détournait les yeux. De temps en temps, elle croisait mon regard posé sur elle, et je détournais les yeux aussitôt. Je n'avais pas vraiment envie de faire attention à la conversation qui se tenait autour de la table. Je trouvais beaucoup plus intéressant d'observer la façon dont Alyssa et moi faisions tout pour nous éviter mutuellement.

– Erika Rose, tu prépares le mariage de tes rêves depuis l'âge de cinq ans. Et, tout à coup, tu n'en as plus rien à faire de tous ces détails ? Non. On avait un plan. On se tient au plan. De plus, Kellan n'a même plus de travail, pour l'instant.

– Il a un concert ce soir.

J'interrompis la conversation avec un sourire. Cela fit rire Alyssa. Je crus mourir en l'entendant. Pourquoi fallait-il qu'elle soit si belle ? J'avais vraiment espéré, en revenant en ville, qu'elle serait devenue moche comme un pou.

C'était raté.

– Je ne comprends vraiment pas cette précipitation. Tu devais attendre l'année prochaine comme c'était prévu. On devrait s'en tenir à ce qui était prévu.

– Maman, on ne fait pas toujours ce qu'on avait prévu. Ce n'est pas un problème.

– Dis-moi pourquoi. Pourquoi maintenant ? C'est tellement soudain, ce changement. Tu ne crois pas que vous devriez plutôt vous préoccuper du fait que Kellan soit sans emploi ? Comment allez-vous faire pour joindre les deux bouts avec cette maison ? Hein ? Tu y as pensé ? Les impôts fonciers pour une maison de cette taille dans ce quartier doivent être élevés. Je vous avais dit de ne pas acheter une grande maison comme ça, mais vous n'avez rien voulu entendre. Mais qu'est-ce que vous avez dans la tête ?

Sa mère n'arrêtait plus. Je me sentais mal pour Erika. Elle était toute rouge et elle commençait à s'énerver.

– Je l'aime ! Je l'aime, Maman. Qu'est-ce que ça change qu'on se marie aujourd'hui ou dans des années ? Je veux être avec lui.

– Ce n'est pas rationnel. Tu me fais penser à ta sœur, Erika.

Alyssa poussa un petit soupir.

– Je suis là, Maman.

– Eh alors, c'est la vérité. Tu as toujours été ce feu follet que je ne pouvais pas éteindre. Tu étais ingérable et tu es toujours comme ça, Alyssa. Mais toi, Erika, tu es docile. Toi, tu as la tête sur les épaules. Mais là, tu te conduis comme si tu avais perdu la raison.

Je vis les yeux d'Alyssa se remplir de larmes, mais elle ne dit rien. J'allais répondre vertement à Lauren pour parler d'elle comme ça, mais je m'arrêtai net en voyant Alyssa me faire non de la tête. Après tout, qu'est-ce que j'en avais à faire ? Ce n'était pas à moi de mener ses batailles.

Erika ouvrit la bouche pour répondre, mais Kellan la devança, en faisant taire tout le monde.

– J'ai un cancer.

Attends.

Quoi ?

Non.

Mon cœur se serra et je sentis une remontée d'acide dans ma gorge, alors qu'il continuait de parler.

– Cela fait un moment que nous cherchons comment vous annoncer la nouvelle. J'ai déjà subi une opération pour l'ablation de la tumeur, et je vais bientôt commencer la chimio, mais...

– Excuse-moi, ralentis. Reprends depuis le début. Qu'est-ce que tu dis ?

Mon sang bouillait et j'eus l'impression que j'allais craquer. Je m'agrippai à mon siège et je me mis à trembler de tous mes membres. De quoi parlait-il, bon Dieu ? Kellan ne pouvait pas avoir un cancer. Kellan était en bonne santé. Il avait toujours été en bonne santé. De toute la famille, c'était le seul à ne pas s'être bousillé. Il ne pouvait pas être malade.

– Tu déconnes, putain !

Non.

Non.

Alyssa posa sur moi un regard attristé par la nouvelle et elle fit un geste pour me prendre la main, mais je fis non de la tête. Il s'apprêtait à parler, mais je me levai, je n'avais pas envie d'écouter ses explications. Je ne voulais plus qu'il parle, putain, parce que ses paroles étaient toxiques et qu'elles empoisonnaient mon âme. J'avais besoin d'air. De beaucoup d'air. Je me dirigeai vers la porte du patio et je sortis. L'air vint rafraîchir mon visage en sueur, et je poussai un soupir douloureux. Tout en m'agrippant des deux mains à la balustrade, les yeux plongés dans l'obscurité du ciel, je respirai profondément pour ne pas m'effondrer.

Je fermai les yeux et fis claquer l'élastique sur mon poignet une fois.

Ça ne peut pas être la réalité...

Je ne pouvais pas ouvrir les yeux.

Il allait bien. Il était en bonne santé.

Je fis claquer l'élastique deux fois.

Ce n'est pas la réalité. Ce n'est pas la réalité...

La porte coulissante s'ouvrit et j'écoutai le bruit des pas qui se rapprochaient. Kellan vint s'appuyer sur la balustrade à côté de moi.

– Tu m'as piégé.

– Je ne voulais pas te l'annoncer comme ça. En fait, je ne savais pas comment te le dire.

– C'est quoi ?

– Le côlon.

Merde.

– Je...

La voix me manqua. Je me disais qu'il faudrait que je dise quelque chose, mais je ne trouvais pas les mots. Et d'ailleurs, y avait-il des mots appropriés à ce genre de situation ?

Mes doigts se crispèrent sur la rambarde.

– Il faut aller voir JC. Je n'y croirai pas tant que lui ne me l'aura pas dit en face.

JC était le médecin qui nous avait suivis, Kellan et moi, pendant toute notre enfance. C'était un ami du père de Kellan, alors même si je n'avais pas l'argent ou l'assurance maladie pour pouvoir aller chez le médecin, JC me prenait en consultation gratuitement. Il était bizarre, mais c'était un mec bien, et il était le seul en qui je pouvais avoir confiance pour me dire la vérité au sujet de l'état de santé de mon frère.

– Logan, dit Kellan d'une voix douce, j'ai déjà parlé avec JC. Et puis il n'est pas oncologue.

– Lui, je lui fais confiance, dis-je les dents serrées. Je lui fais confiance, Kellan. Lui seul.

Il se frotta la nuque.

– Ok. On ira voir JC si ça peut te rassurer.

– Oui.

Je me raclai la gorge.

– En attendant, dis-moi tout ce que tu sais. À quel stade en es-tu ? Ce n'est pas incurable, si ? Comment peut-on s'en débarrasser ? Qu'est-ce que je peux faire ? Comment puis-je t'aider ? Comment régler ce problème ?

Comment puis-je régler ton problème ?

– Il en est au stade 3.

Non, ça, ce n'est pas bon.

– Mais, pour l'instant, on attend. Comme je l'ai dit, je me suis fait opérer, ils ont retiré la tumeur et deux ganglions. Je vais commencer la chimio la semaine prochaine et puis après, on laisse passer un peu de temps pour voir si ça marche. La chimio devrait arrêter les cellules potentielles qui pourraient se répandre dans mon organisme.

– Qu'est-ce qui se passe si elles se répandent ailleurs ?

Il ne dit rien.

Non.

Non.

Non.

Je me mordis la langue.

– Tu aurais dû m'en parler.

– Je sais.

Nous pivotâmes pour faire face à la maison. Erika criait sur sa mère qui lui répondait en hurlant. Alyssa faisait de son mieux pour calmer le jeu, sans succès.

– Tu ne peux pas épouser un homme qui a un cancer, Erika. Cela n'a pas de sens ! Tu penses avec ton cœur au lieu de penser avec ta tête.

C'était épouvantable de dire ça, putain !

– Seigneur ! Leur mère est folle. J'avais oublié à quel point. À côté d'elle, Erika paraît presque... normale ?

– Il faut se la faire, ça c'est sûr !

Kellan baissa un peu la tête et fixa ses chaussures.

– Mais elle n'a pas complètement tort, cependant.

– Quoi ?

– Erika est en mode panique. Elle précipite les choses, juste pour le cas où il m'arriverait quelque chose. Au cas où ça tournerait mal. Ne te méprends pas, je veux devenir son mari, mais...

Il s'interrompit en tournant les yeux vers sa maison qui semblait au bord de l'explosion. J'aurais voulu qu'il aille plus loin au sujet de ce qu'il ressentait à l'idée d'épouser Erika, mais je voyais bien que ce n'était pas le bon moment.

À l'intérieur de la maison, la conversation avait dû atteindre son point culminant. Lauren partit en claquant la porte. Erika se mit aussitôt à débarrasser la table, en cassant des assiettes dans l'évier et en modifiant la disposition des chaises pendant qu'Alyssa l'observait en se tenant à l'écart.

– Heu, tu ne crois pas qu'on devrait aller l'aider ?

Il secoua la tête.

– Ça fait partie de son fonctionnement. Il n'y a qu'à attendre que ça passe.

Je fis claquer mon élastique une fois. Ou deux. Ou peut-être même quinze fois.

– C'est dingue quand même. C'est moi qui fume et c'est toi qui as un cancer.

– Tout ce qui est à toi est à moi...

– Et ce qui est à moi est à toi, répliquai-je.

– Si cela peut te rassurer, fumer ne donne pas le cancer du côlon. N'empêche, tu ferais mieux d'arrêter.

Je soufflai en entendant son ton paternaliste. Mais il n'avait pas tort.

– Grand-père a eu un cancer du côlon, dis-je d'une voix qui se brisa. C'est de ça qu'il est mort.

Kellan hocha la tête.

– Ouais, je sais.

La seule autre personne qui m'aimait autant que mon frère, c'était mon grand-père. Voir sa vie lui échapper avait été la chose la plus dure que j'avais eue à vivre. Et le pire avait été la rapidité avec laquelle cela s'était passé. Un jour il était là, et à peine quelques mois plus tard, il n'y était plus. Je n'avais même pas eu la possibilité de lui dire adieu parce qu'il vivait tellement loin de nous.

– Écoute. Je devrais peut-être revenir vivre ici pendant quelque temps. En réalité, il n'y a rien qui m'attend là-bas, dans l'Iowa.

– Ah oui ?

Il renifla en croisant les doigts sur sa nuque.

– Ouais. Ce n'est pas un problème. Je pourrais même peut-être aller voir maman, un de ces jours. Pour voir comment elle va.

– Pas terrible. J'avais l'intention de passer prendre sa carte d'aide alimentaire pour aller lui faire des courses vers la fin de la semaine.

– Je peux m'en occuper demain.

Il se contracta.

– Je ne suis pas sûr que ce soit une bonne idée, Logan. Tu sais... maintenant que tu es clean, et tout ça. Et puis, avec ce que tu viens d'apprendre, je n'ai pas envie que tu te retrouves confronté à cet environnement.

– Tout va bien. Je peux gérer.

– Tu es sûr ?

Je me mis à rire en le bousculant.

– Eh mec, c'est toi qui as un cancer, et tu es là à t'inquiéter pour moi. Arrête. Tu t'es occupé de maman et de moi toute notre vie. C'est mon tour, d'accord ?

En prononçant le mot cancer, j'eus l'impression de mourir.

– Ok , soupira-t-il en croisant les bras. J'ai deux trois trucs à faire demain après que nous serons allés voir JC, mais Erika pourra t'accompagner.

– Elle ferait ça ?

– Oui, si je le lui demande. Mais tu ne t'étonneras pas si tu dois faire quelques arrêts avant.

Je haussai l'épaule gauche.

Il haussa l'épaule droite.

Nous observâmes Erika détruire la maison avant de tout remettre en place et, pendant tout le temps, je me demandai si j'étais vraiment assez fort pour affronter mon passé. Je ne savais pas ce que j'allais ressentir en me retrouvant face à ma mère.

Je ne savais pas si j'étais assez fort.

21

ALYSSA

– Logan ? je murmurai en frappant à la porte de sa chambre.

Il y était depuis une demi-heure et je ne pouvais qu'imaginer ce qui se passait dans sa tête après avoir appris pour le cancer de Kellan. Je l'entendis aller et venir dans sa chambre avant que la porte ne s'ouvre. Il renifla, se passa la main sur le visage et me regarda en plissant les yeux.

– Ouais ?

Il avait les yeux rouges et gonflés. J'eus envie de le prendre dans mes bras et de le serrer contre moi pour lui dire que je comprenais qu'il était malheureux.

Tu as pleuré.

– Je voulais savoir si tu allais bien, dis-je doucement.

– Ça va.

Je fis un pas dans l'embrasure de la porte pour me rapprocher de lui. Je voyais bien que c'était loin d'être vrai. Kellan était tout pour Logan. Quand il était parti dans l'Iowa, son frère était le seul avec qui il était resté en contact. Alors qu'il ignorait tous mes appels, il avait répondu à tous ceux de Kellan.

– Je ne crois pas, non.

– Mais si.

Il hocha la tête et me lança un regard plein de froideur.

– Je vais bien. Je ne vais pas partir en vrille ou je ne sais quoi, Alyssa. Tous les jours, il y a des gens qui déclenchent des cancers. Et tous les jours, il y a des gens qui parviennent à vaincre le cancer. Il va bien. Je vais bien. Tout va bien.

Toute autre personne que moi aurait manqué le petit tremblement de sa lèvre inférieure. Mais pas moi. Moi, je voyais à quel point son cœur souffrait en ce moment.

– Arrête, Lo. C'est moi. Tu sais que tu peux me parler.

– Toi ? Mais qui es-tu pour moi, exactement ? persifla-t-il d'un ton amer. Depuis quand étais-tu au courant ? Depuis quand savais-tu qu'il était malade ?

J'entrouvris les lèvres, mais il continua à parler.

– Donc, tu savais. Mille quatre-vingt-dix messages, Alyssa. Tu m'as laissé mille quatre-vingt-dix messages. Tu as appelé sur mon téléphone mille quatre-vingt-dix fois, mais tu n'as pas pu prendre le temps une seule fois d'appeler pour me laisser un message me disant que mon frère avait un cancer, le même cancer qui a tué notre grand-père ?

Il saisit le bouton de la porte et me la ferma au nez, ce qui ne me surprit pas. Ses paroles étaient sévères, mais ce n'était pas faux. Cela faisait un petit moment que j'étais au courant pour le cancer de Kellan, mais ce n'était pas à moi de le lui annoncer. Kellan m'avait fait jurer de n'en rien faire.

Je posai le bout des doigts sur la porte et fermai les yeux.

– J'habite la dernière maison au coin de Cherry Street et de Wicker Avenue. Tu peux passer quand tu veux, Logan. Si tu as besoin de parler à quelqu'un. N'importe quand.

La porte s'ouvrit brusquement, et je poussai un petit cri étouffé quand il s'avança vers moi, me dominant de toute sa hauteur. Son visage était dur, et les yeux rougis par l'émotion de tout à l'heure étaient maintenant chargés de colère.

– Mais, qu'est-ce que tu ne comprends pas, putain ? siffla-t-il.

Je fis un pas en arrière quand il continua à avancer vers moi. Et ainsi de suite jusqu'à ce que je me retrouve adossée au mur du couloir et qu'il ne soit plus qu'à quelques centimètres de moi. Nos bouches étaient si près l'une de l'autre que si je m'étais penchée un peu, j'aurais pu sentir sur les miennes ces lèvres que je désirais tant autrefois. Ses paroles tombèrent comme un couperet qui me transperçait le cœur à chaque syllabe.

– Je n'ai pas besoin de toi, Alyssa. JE. N'AI. PAS. BESOIN. DE. TOI. Alors, si tu voulais bien cesser de faire comme si nous étions amis, cela m'arrangerait. Parce que nous ne le sommes pas. Nous ne le serons plus jamais. Je n'ai pas besoin de toi. Et je n'ai pas besoin du soutien de ton épaule, putain !

Il rentra dans sa chambre et claqua la porte. Je pris quelques inspirations profondes, pour essayer de retrouver mon calme. Mais quand je pénétrai dans le salon pour récupérer mon blouson et enfiler mes tennis, mon cœur continuait à battre comme un fou dans ma poitrine.

Qui était ce garçon ?

Il n'avait rien à voir avec celui que j'avais connu des années auparavant. Ce n'était pas mon meilleur ami.

Il me faisait l'effet d'être un complet étranger.

– Ça va ?

Erika me regarda en fronçant les sourcils. Je haussai les épaules.

– Essaie d'y aller mollo avec lui, Erika.

– Sérieux ? Il vient juste de te gueuler dessus, au sens propre du terme. Et toi, tu me demandes d'y aller mollo avec lui ? Je ne sais pas ce qui me retient de le foutre à la porte de chez moi.

– Non, dis-je vivement en secouant la tête. Non, ne fais pas ça. C'est difficile pour lui. Je veux dire, je ne peux même pas imaginer... si c'était toi...

Je m'interrompis. Je ne savais pas comment je réagirais si j'apprenais que ma sœur avait un cancer.

– Laisse-le tranquille.

Elle se détendit un peu.

– D'accord.

Elle me prit dans ses bras et murmura :

– C'est mieux pour toi de garder tes distances, Aly. Tu le sais, hein ? Je me doute que cela doit être douloureux pour toi de le revoir.

Je dansai d'un pied sur l'autre et haussai les épaules.

– Ça va. Cela ne me pose pas de problème.

– Ouais, mais n'empêche, cela ne serait pas plus mal de rester à l'écart. Pour vos cœurs à tous les deux.

J'étais d'accord avec ça. De toute façon, je ne pensais pas qu'il chercherait à me revoir de sitôt.

22

LOGAN

Je restai appuyé contre la porte de ma chambre jusqu'à ce que j'entende Alyssa s'en aller. Cela allait être difficile de la repousser si je restais dans cette ville, parce qu'une grande partie de mon être voulait toujours l'attirer contre moi.

Je restai dans ma chambre, connecté à internet avec mon téléphone pour faire des recherches sur le cancer du côlon. Je feuilletai des pages et des pages de renseignements qui me communiquaient une panique que je n'étais pas sûr de pouvoir contrôler. Tout d'abord, je lus des tonnes de témoignages de survivants, mais tout à coup je me retrouvai sans trop savoir comment sur le monde plus obscur du net, où se trouvaient les histoires de ceux qui avaient succombé rapidement au cancer du côlon.

Je lus les pages parlant des remèdes naturels. Je lus les mensonges les plus répandus. Je ne fermai pas l'œil jusqu'à ce que le soleil se lève, inondant ma chambre de lumière.

Lorsque mes paupières devinrent aussi lourdes que mon cœur, j'éteignis mon téléphone. La seule chose que j'avais apprise pendant cette nuit, c'était que Web MD[5] était en fait le diable et que Kellan ne passerait probablement pas la nuit.

Je sortis une cigarette et l'allumai avec mon briquet. J'ouvris la fenêtre, posai la cigarette sur le bord et m'accordai ces quelques courts instants pour souffrir.

5. Site d'une société américaine qui fournit des services d'information sur la santé.

23

LOGAN

Il faisait froid dans le cabinet du docteur James Petterson. Plus froid qu'il n'était nécessaire. Bien sûr à l'extérieur il devait faire plus de trente degrés – ce qui était très chaud pour cette région du Wisconsin –, mais ce n'était pas une raison pour que son cabinet soit une vraie glacière. James – ou Jimmy Cure-dent (JC) comme tout le monde en ville le surnommait à cause de sa haute taille combinée à son extrême maigreur – était le seul médecin que j'avais jamais connu, et je lui faisais confiance. Il ne ressemblait pas à un médecin ordinaire, d'ailleurs, et il m'arrivait souvent de me demander s'il était vraiment médecin ou si, un samedi soir où il s'ennuyait, il ne s'était pas acheté un stéthoscope avant d'endosser une blouse blanche qu'il n'avait plus jamais retirée ensuite. Pour couronner le tout, il habitait l'appartement juste au-dessus de son cabinet.

Son cabinet lui-même avait l'air d'appartenir à un faux médecin. Sur la cheminée derrière son bureau trônait une énorme tête de daim qu'il jurait avoir abattu les yeux fermés, des années plus tôt. À côté de la tête de daim, on voyait ce qui était soi-disant la peau d'un ours brun, mais qui en fait n'était qu'une descente de lit probablement trouvée en solde chez Wal-Mart[6]. Il poussait le bouchon jusqu'à dire qu'il avait tué l'ours avec une cannette de bière dans la main droite et un fusil dans la main gauche.

Sur le coin de son bureau, il y avait un pot de bonbons et de réglisses.

Cela me sidérait qu'un médecin pousse ses patients à manger des sucreries comme ça, mais pour JC, il y avait une certaine logique si on pensait que sa femme, Effie, n'était pas la seule dentiste de la ville et qu'elle cherchait toujours de nouveaux patients.

JC et sa femme auraient dû faire preuve de plus de bon sens dans leur choix de sucreries, parce qu'aucune personne saine d'esprit ne se risquait à manger des réglisses.

Je croisai les bras et les serrai contre moi pour me réchauffer. *Merde.* J'étais gelé. Je jetai un coup d'œil vers le siège à côté de moi où Kellan était assis.

En levant les yeux vers JC, je vis que ses lèvres continuaient à bouger très vite. Il continuait à expliquer la situation encore et encore. En tout cas, c'est ce que je me disais. Je ne pouvais pas en être sûr, parce que, déjà, je n'écoutais plus.

Je ne savais pas à quel moment exact j'avais cessé d'entendre le flot de paroles qui se déversait de sa bouche,

---

6. Chaîne américaine de super et hypermarchés.

mais depuis cinq ou dix minutes, je me contentais de regarder bouger ses lèvres. Des sons qui ne voulaient rien dire en sortaient de façon ininterrompue.

Je m'agrippais avec force aux accoudoirs de mon fauteuil.

Le choc m'avait sonné. Je ne savais pas si je devais rire ou pleurer en entendant le diagnostic. Si je devais être furieux et donner un coup de poing dans le mur. Combien de temps il me restait à passer avec mon frère. Le sentiment d'isolement qui me submergeait me coupait le souffle. Les battements paniqués de mon cœur qui résonnaient dans tout mon organisme étaient terrifiants, mais pas inconnus. La peur et la colère rendaient chaque moment insupportable.

– Logan, dit JC en me faisant rentrer dans la conversation. Ce n'est pas la fin pour ton frère. Il est pris en charge par les meilleurs médecins de l'État. Il bénéficie des meilleurs traitements là-bas.

Kellan se passa la main dans le cou et hocha la tête.

– Je ne suis pas fini, Logan. C'est juste un incident de parcours.

Son hochement de tête, associé à ce choix de mots, me laissait perplexe. S'il n'était pas fini, est-ce qu'il ne secouerait pas la tête au lieu de la hocher ?

Je me passai la main sur la joue en me raclant la gorge.

– On va demander un deuxième avis.

Je me mis à arpenter la petite terrasse en me passant frénétiquement les mains dans les cheveux.

– Et puis un troisième. Et un quatrième.

C'était bien ça qu'on faisait, non ? On cherchait la réponse qui nous convenait le mieux ? La plus optimiste ?

Nous avions besoin d'une réponse plus satisfaisante.

– Logan...

JC fit la grimace.

– Demander de nouveaux avis ne servira qu'à nous retarder. Nous attaquons la maladie de front, et nous avons bon espoir de...

Ça recommença. J'arrêtai d'écouter.

La réunion se poursuivit, mais je ne dis plus un mot. Il n'y avait plus rien à dire.

Nous fîmes, Kellan et moi, tout le trajet de retour sans desserrer les dents, mais mon cerveau ne voulait pas se taire, et le mot cancer tournait en boucle dans ma tête.

Mon frère, mon héros, mon meilleur ami avait un cancer.

Et je n'arrivais plus à respirer.

* * *

Quand Kellan m'avait dit qu'Erika voudrait s'arrêter quelque part avant de me déposer chez ma mère, je n'imaginais pas qu'on se retrouverait plantés pendant plus de vingt minutes entre les rayons d'un supermarché. Cela faisait vingt-quatre heures que Logan m'avait annoncé la nouvelle au sujet de sa santé, et je ne pensais à prendre de la drogue pour le supporter que toutes les minutes, ce qui était mieux que d'y penser toutes les secondes. Erika, elle, avait une autre sorte d'addiction pour gérer son stress, et c'était Pottery Barn[7].

– On va rester longtemps ici ? je demandai à Erika devant des piles d'assiettes hors de prix.

On était là depuis au moins vingt minutes et elle n'arrivait pas à décider lesquelles prendre, sachant qu'elle cassait régulièrement toute la vaisselle chez eux.

---

7. Chaîne américaine de magasins de meubles et de décoration.

– Tu vas te taire, ordonna-t-elle, les bras croisés, les yeux plissés et visiblement toujours aussi déjantée. Cela demande de prendre son temps.

– Pas vraiment. Regarde. Des assiettes. Oh regarde, encore des assiettes. Waouh, et qu'est-ce qu'on a là, Erika ? Eh, bien, je crois que ce sont des assiettes.

– Pourquoi faut-il que tu sois toujours aussi casse-pieds ? J'espérais vraiment qu'au bout de cinq ans tu aurais grandi un peu.

– Désolé de te décevoir. Mais, sérieusement, on ne pourrait pas y aller, là ?

Elle me lança un regard agacé.

– Mais tu es vraiment si pressé d'aller voir ta mère ? Tu étais absent pendant cinq ans, tu as laissé Kellan s'occuper de tout. Il a dû être là quand elle allait vraiment mal et, toi, tu ne t'es même pas donné la peine de prendre de ses nouvelles. Tu ne l'as jamais appelée ni rien, alors pourquoi maintenant ?

– Parce que mon frère a un cancer, parce que ma mère est toxico, parce que je me sens nul comme frère et comme fils d'être parti et de n'être pas revenu. C'est ça que tu veux entendre, Erika ? D'accord, je suis un raté. Mais, franchement, si tu pouvais arrêter deux secondes de me le lancer à la figure, ce serait super-sympa, purée.

Elle poussa un soupir en se balançant d'un pied sur l'autre. Elle détourna les yeux pour recommencer à examiner les assiettes exposées devant nous, et nous reprîmes notre silence.

Cinq minutes. Dix minutes. Quinze putains de minutes.

– Celle-ci, dit-elle en montrant une assiette du doigt. Je vais prendre celle-ci. Prends deux lots, Logan.

Elle pivota sur ses talons et se dirigea vers la caisse, me laissant sur place, stupéfait.

– Pourquoi deux lots ?

Elle s'éloigna rapidement sans prendre la peine de me répondre.

En tenant précautionneusement les deux lots d'assiettes dans les bras, j'allai vers la sortie du magasin et posai les cartons devant la caissière. Erika et moi ne dîmes pas un mot jusqu'à ce qu'elle nous annonce le prix total des assiettes.

– Cent huit dollars et vingt-trois cents.

– Non, mais j'hallucine, tu vas payer plus de cent balles pour des assiettes ?

– Ce que je fais de mon argent ne te regarde pas.

– C'est vrai, mais quand même, Erika. Tu pourrais aussi bien acheter des assiettes ordinaires dans un bazar ou un truc du genre puisque tu vas probablement les casser demain de toute façon.

– Je ne remets pas en question la façon dont Kellan dépense son argent, ou plutôt pour *qui* il le dépense. Alors, j'aimerais que tu ne remettes pas en question la façon dont moi, je dépense le mien.

– Tu savais que Kellan me donnait de l'argent ?

– Bien sûr que je le savais, Logan. S'il y a une chose que Kellan ne sait pas faire, c'est mentir. Je me fiche qu'il te donne de l'argent, mais...

Elle poussa un soupir, et ses yeux s'adoucirent quand elle les tourna vers moi. Pour la première fois depuis que j'étais revenu, elle avait l'air vaincue.

– Ne le laisse pas tomber, Logan. Il est fatigué. Il ne veut pas le montrer, mais je le sais, il est épuisé. Il est heureux que tu sois revenu. Tu lui fais du bien pour le moment. Alors, ne déconne pas, je t'en prie, ne le déçois pas.

– Je te jure que je ne consomme plus, Erika. Ce n'est pas du baratin. Je suis vraiment clean.

Nous retournâmes vers sa voiture avec chacun un carton dans les bras que nous déposâmes dans le coffre avant de monter et de démarrer, direction l'appartement de ma mère.

Elle hocha la tête.

– Je te crois. Mais, là on va voir ta mère et je sais qu'elle était vraiment une incitatrice pour toi.

– Je ne suis plus le gamin que j'étais.

– Ouais. J'entends bien. Mais tu peux me croire. Ta mère, elle, est toujours la même. Parfois je me dis que les gens ne changent jamais vraiment.

– Si. Si on leur en donne la possibilité, les gens peuvent changer.

Elle déglutit avec difficulté.

– J'espère que tu as raison.

Lorsque nous arrivâmes chez ma mère, je demandai à Erika si elle voulait monter avec moi, mais elle déclina, en regardant autour d'elle.

– Je vais t'attendre ici.

– Tu serais plus en sécurité à l'intérieur.

– Non. Ça ira. Ça ne me plaît pas trop de voir... ce genre de mode de vie.

Je pouvais comprendre ça.

– Je n'en ai pas pour longtemps.

En jetant un coup d'œil dans les rues sombres, j'aperçus quelques individus qui traînaient dans les coins, exactement comme quand j'étais enfant. Erika n'avait peut-être pas complètement tort. Peut-être que certaines personnes, certaines choses et certains endroits ne changeaient jamais.

Mais je devais garder l'espoir que d'autres, si.

Sinon, qu'allais-je faire de moi ?

– Ne reste pas là-haut pendant des heures, ok? Le concert de Kellan commence dans trois quarts d'heure.

– On n'aurait peut-être pas dû passer, genre, deux heures à regarder des assiettes, non?

Elle me fit un doigt d'honneur. Un signe d'affection, je présume.

– Je ne serai pas long. Tu es sûre que ça va aller, là dehors?

– Ça va. Magne-toi, c'est tout.

– Au fait Erika? dis-je en sortant de la voiture.

– Ouais?

Je jetai un nouveau coup d'œil vers les gens debout au coin de la rue, qui regardaient dans notre direction.

– Verrouille les portières.

***

Je ne savais pas ce qui m'attendait. Je savais que ça ne serait pas plaisant, mais j'imagine que je n'avais pas anticipé que j'allais trouver maman en si mauvais état. Kellan ne s'étendait jamais sur la question et me disait que je devais d'abord m'occuper d'aller mieux avant de m'inquiéter de savoir si maman allait bien.

Maintenant, c'était à son tour de suivre ce conseil.

Mais ça voulait dire que quelqu'un allait devoir s'occuper d'elle, et que ce quelqu'un ce serait moi. Et je ne pouvais pas laisser tomber Kellan au moment où il avait le plus besoin de moi.

La porte d'entrée n'était pas fermée à clé, ce qui me parut inquiétant. Mon estomac se noua. L'appartement était jonché de cannettes de bière, de bouteilles de vodka, de flacons de médicaments vides et de vêtements sales.

– Bon Dieu, M'man... je murmurai, choqué.

Je retrouvai le même canapé défoncé devant la même table basse dégoûtante. Je mentirais si je disais que je ne remarquai pas immédiatement le sachet de coke sur la table.

Je fis claquer mon bracelet.

Respire.

– Dégage !

Le cri venait de la cuisine. La voix de ma mère terrorisée. Mon cœur tomba dans mon estomac, j'étais de retour en enfer. Je me précipitai, prêt à séparer mon père et ma mère, sachant que chaque fois qu'elle criait comme ça, c'était qu'il avait trouvé de ses poings son chemin vers son âme.

Mais quand je pénétrai dans la cuisine, je la trouvai seule, en pleine crise de panique. Elle se grattait frénétiquement, faisant remonter le sang à fleur de peau.

– Dégagez ! Dégagez !

Elle hurlait de plus en plus fort.

Je me dirigeai vers elle en levant les mains.

– Maman, qu'est-ce que tu fais ?

– Ils sont partout sur moi ! hurla-t-elle.

– Quoi ?

– Les cafards ! Il y en a partout ! J'en ai partout sur moi. Aide-moi, Kellan ! Débarrasse-moi de ces saloperies !

– C'est moi, M'man. C'est Logan.

Ses yeux vitreux se levèrent sur moi et, pendant une fraction de seconde, elle me rappela la mère sobre qu'elle avait été.

Puis elle recommença à se gratter.

– D'accord. D'accord. Viens. Tu vas prendre une douche. D'accord ?

Après quelques efforts de persuasion, je parvins à la faire asseoir dans la baignoire sous le jet de la douche.

Elle continua à se récurer la peau pendant que je m'asseyais sur le couvercle des toilettes.

– Kellan m'avait dit que tu allais réduire ta consommation, M'man.

– Ouais.

Elle fit un signe de tête rapide.

– Tout à fait. Tout à fait. Kellan a proposé de m'envoyer en désintox, mais je ne sais pas. Et puis ce genre de truc, ça coûte les yeux de la tête.

Elle plongea son regard dans le mien et sourit en me tendant une main.

– Tu es revenu. Je savais que tu reviendrais. Ton père disait que non, mais moi j'en étais sûre. Il m'en vend encore de temps en temps.

Elle baissa les yeux et se mit à se laver les pieds. Les bleus sur son dos et ses jambes me retournèrent l'estomac. Je savais qu'ils avaient été faits par mon bon à rien de père. Et le fait que je n'aie pas été là pour m'interposer entre eux me donnait l'impression que j'étais un sale mec moi aussi, au même titre que mon père.

– Tu me trouves jolie ? murmura-t-elle.

De grosses larmes roulaient sur ses joues, et je me dis qu'elle n'en était probablement même pas consciente.

– Tu es belle, M'man.

– Ton père m'a traitée de grosse truie.

Je serrai les poings et respirai profondément à plusieurs reprises.

– Il peut aller se faire foutre celui-là. Tu es bien mieux sans lui.

– Oui. Tout à fait. Tout à fait.

Elle hocha la tête rapidement encore une fois.

– Je voudrais seulement qu'il m'aime. C'est tout.

Pourquoi fallait-il que nous, être humains, désirions toujours obtenir l'amour de gens qui étaient incapables d'en donner.

– Tu veux bien me laver les cheveux ?

J'acquiesçai. Je passai le bout des doigts légèrement sur ses hématomes et elle ne sembla pas réagir du tout. Nous restâmes assis un moment à écouter le bruit de l'eau. Je ne savais pas trop comment communiquer avec elle. Je n'étais même pas sûr de le vouloir, mais le silence devint trop pesant au bout d'un moment.

– J'avais l'intention d'aller faire tes courses demain, M'man. Tu pourras me donner ta carte d'aide alimentaire ?

Elle ferma les yeux et tapa soudain dans ses mains.

– Mince ! Oh, merde. Je crois que je l'ai oubliée chez ma copine l'autre soir. Elle habite juste au bout de la rue. Je peux aller la chercher.

Elle essaya de se lever, mais je la retins.

– Tu as encore du shampooing dans les cheveux. Rince-les, sèche-les avec une serviette et rejoins-moi dans le salon. On s'occupera de tes courses une autre fois.

Je me levai et sortis de la pièce. En arrivant dans le séjour, mon regard tomba sur le sachet de cocaïne posé sur la table.

– Putain...

Je fis claquer mon élastique.

Concentre-toi. C'est pas ta vie. C'est pas ton histoire.

Le docteur Khan m'avait dit qu'après la cure, il y aurait des moments où je me trouverais au bord de remonter dans la roue du hamster de mon passé, mais, disait-il, ce n'était plus mon histoire.

J'avais les mains moites et je me laissai tomber sur le canapé. Sans que je sache quand ni comment, tout à coup le sachet de cocaïne se retrouva dans mes mains. Je fermai les yeux et pris plusieurs respirations profondes. J'avais la poitrine en feu, mon cerveau battait la campagne. Être revenu en ville, c'était trop pour moi, mais abandonner Kellan, c'était hors de question.

Comment allais-je me sortir de là ?

– Écoute, on va être en retard...

Erika entra en trombe dans l'appartement et s'arrêta net en me voyant avec la cocaïne dans la main. Mon regard alla rapidement de la cocaïne à Erika puis retour. Elle soupira.

– J'en étais sûre.

Elle tourna les talons et sortit en vitesse. *Merde.* Je me précipitai derrière elle en l'appelant, mais elle continua jusqu'à la voiture sans répondre. Une fois que nous fûmes montés, elle démarra et s'éloigna du trottoir. Nous n'échangeâmes pas un mot pendant les quelques minutes qui suivirent.

– Écoute, ce que tu as vu là-haut...

Elle secoua la tête.

– Ne dis rien.

– Erika, ce n'est pas ce que tu crois.

– Je ne peux pas faire ça, Logan. Je ne peux pas et je ne veux pas. Je ne peux pas t'accompagner en voiture faire tes petites balades. Je ne peux pas te regarder décevoir ton frère.

– Je ne consomme pas.

– Tu mens.

Je levai les mains en signe de défaite et poussai un profond soupir.

– Je ne sais pas du tout comment te parler.

– Eh bien, ne dis rien.

– Très bien. Je ne te dirai rien.

Les doigts d'Erika étaient crispés sur le volant et je regardai le désodorisant qui pendait en se balançant du rétroviseur.

– Il est malade et il essaie de ne pas montrer à quel point il s'inquiète pour ta mère ou pour toi, mais il est terrorisé. Je crois qu'il faut que nous regardions la réalité en face, et la réalité, c'est que je viens de te voir avec de la drogue dans la main. La dernière chose dont Kellan a besoin, c'est que tu ajoutes à son stress.

– Qu'est-ce qui se passe dans ta tête ? Tu inventes toutes ces histoires démentes et tu juges les gens sur des faits qui ne se sont jamais produits. Tu es exactement comme ta dingue de mère, tu sais ça ?

Elle arrêta la voiture devant le restaurant et serra le frein à main. Elle se tourna vers moi et, sur un ton dur, elle répondit :

– Et toi, tu es la réplique exacte de la tienne.

24

LOGAN

– Je ne suis pas du tout comme ma mère !

Je poursuivis Erika dans le restaurant en protestant à voix basse.

– Je t'ai vu ! répondit-elle sur le même ton en me plantant son index dans la poitrine. Je t'ai vu, Logan !

– Tu penses avoir vu quelque chose, mais ce n'était pas ça. Je n'allais pas le faire.

– Arrête de mentir, espèce de connard ! Comment as-tu pu ? Tu avais promis ! Tu avais promis !

Avant que je puisse répondre, Kellan vint vers nous.

– Pourquoi vous avez mis si longtemps, vous deux ?

Erika avait le visage fermé, mais elle s'efforça de se dérider en voyant l'inquiétude dans les yeux de son fiancé.

– J'avais un truc à faire, dit-elle en l'embrassant sur la joue. Mais nous voilà ! Et je meurs d'impatience de te voir jouer.

Kellan tourna vers moi un regard inquiet. J'eus un petit haussement d'épaules, incapable de vraiment mentir à mon frère.

En baissant les sourcils pour me montrer qu'il comprenait, il fit un signe de tête vers la porte d'entrée.

– Tu ne veux pas venir prendre l'air avec moi, Lo ? Je ne commence à jouer que dans un quart d'heure.

– Ouais, bien sûr.

J'avais les mains enfoncées dans les poches de mon jean, les poings toujours serrés, après la façon dont Erika m'avait parlé dans la voiture. Mais je ne pouvais pas vraiment lui en vouloir. Elle ne m'avait jamais connu que sous les traits de la personne que j'étais quand j'étais parti des années plus tôt. À ses yeux, j'étais ce connard toxico qui avait fichu la pagaille dans leur vie et brisé le cœur de sa sœur en ne répondant jamais à ses appels. À ses yeux, j'étais le taré qui avait failli tuer Kellan et Alyssa le soir où, alors que j'étais complètement shooté, j'avais pris le volant. C'était à cause de moi si Alyssa avait perdu notre enfant. Aux yeux d'Erika, j'étais un bagage encombrant dont Alyssa et Kellan avaient bien mérité de se débarrasser.

À ses yeux, j'étais le moi que j'avais essayé de toutes mes forces de ne jamais redevenir.

Lorsque nous sortîmes, Kellan et moi, la fraîcheur de ce soir d'automne nous saisit tout de suite le visage. Il s'appuya contre le mur de briques du bar, le pied gauche posé sur les pierres et les yeux fermés, la tête levée vers le ciel. Je mis la main dans ma poche pour prendre une cigarettes et m'arrêtai.

Merde.

Interdit de fumer.

Je m'appuyai contre le mur à côté de lui.

– Comment tu tiens le coup ? je demandai en sortant mon briquet que j'allumai et éteignis mécaniquement.

– Franchement ?

– Oui.

Il ouvrit les yeux, et je vis qu'il luttait pour retenir ses larmes.

– Je répétais à la guitare tout à l'heure, et ma main s'est mise à trembler. C'est déjà arrivé l'autre jour, mes mains n'arrêtaient pas de trembler. Je pense que c'est dans ma tête, parce que j'ai peur de la chimio. J'ai lu un tas de trucs sur internet au sujet des effets de la chimio sur le cerveau. Il arrive que la personne perde des fonctions cognitives. Ce qui veut dire que je pourrais ne plus être capable de jouer de la guitare. Ni d'écrire des paroles de chanson. Je veux dire...

Il se mordit la lèvre inférieure et inspira profondément. Mon frère, si dur, si fort, était en train de craquer. Et je ne pouvais rien y faire.

– Je veux dire... la musique... c'est moi. C'est ma vie. Mais j'ai perdu tellement de temps à la fuir, et maintenant, si je ne peux plus jouer de guitare...

– Je jouerai à ta place, dis-je.

J'étais sincère. Il ricana.

– Tu n'y connais rien en musique, Logan.

– Je peux apprendre. Putain, tu te souviens quand tu as appris à faire la cuisine après que mon père m'avait cassé la main ?

– Tu veux dire la fois où c'est moi qui ai fait cuire la dinde pour Thanksgiving ?

Je rigolai.

– Et tu gueulais : « Qui aurait pu savoir qu'il fallait faire cuire cette foutue dinde à feu doux pendant plus de quatre heures ? » quand tu as essayé de la découper.

– Mais c'est vrai, sérieux, qui pouvait savoir ça ?

– Heu, n'importe quel individu doté d'un cerveau ? Je dois dire à ta décharge que je n'avais jamais vu une dinde totalement carbonisée à l'extérieur et totalement crue à l'intérieur ! Cela demande du talent. Tu te souviens de ce que maman a dit ?

C'était un des rares bons souvenirs que nous avions partagés. Nous répondîmes tous les deux en chœur.

– « Qu'est-ce que c'est que ce merdier ?! Si vous aviez l'intention de me tuer, vous auriez pu utiliser un couteau de boucher. Ça aurait été moins douloureux que cette foutue dinde. »

Nous éclatâmes de rire. Ce n'était pas si drôle que ça, en fait, mais c'était nerveux, et nous riions si fort que nos côtes nous faisaient mal. Des larmes de souvenirs coulaient sur mon visage.

Quand notre rire se calma, un silence froid emplit l'espace, mais au moins ce silence n'était pas solitaire puisque mon frère était avec moi.

– Elle était comment aujourd'hui ? demanda Kellan à propos de maman.

– Ne t'inquiète pas, Kel. Sérieusement. Maintenant que je suis rentré, je m'en charge. Tu as bien assez de soucis comme ça. À mon tour d'aider.

Il inclina la tête vers moi.

– Ah ouais, mais et toi ? Comment tu tiens le coup ?

Je soupirai.

Je ne pouvais pas lui dire à quel point j'avais été tenté de consommer.

Je ne pouvais pas lui dire que cela m'avait fendu le cœur de voir maman dans cet état.

Je ne pouvais pas m'effondrer quand il avait le plus besoin de moi.

Il fallait que je sois fort pour lui, parce que toute sa vie, il avait été la personne qui venait à mon secours. Je n'étais pas un héros, je n'étais pas non plus un sauveur, mais j'étais son frère, et j'espérais sincèrement que cela suffirait.

– Je vais bien, Kellan.

Il ne me croyait pas.

– Je te jure que c'est vrai.

Il savait que c'était un mensonge, mais il fit semblant de le croire.

– Je suis très inquiet pour maman. Je ne sais pas quoi faire pour l'aider… et si je disparais…

Il s'arrêtait entre les mots alors que, je le sentais bien, ses démons intérieurs et ses peurs échappaient à son contrôle.

Je m'écartai du mur et me plantai devant lui.

– Non, non. Ne commence pas à dire ce genre de connerie, ok ? Écoute, tu es là. Tu vas faire ta chimio. Et ça va marcher. D'accord ?

Ses doutes se lisaient clairement dans son regard. Je le secouai gentiment par l'épaule.

– Tu ne vas pas mourir, Kellan, d'accord ?

Sa mâchoire trembla, et il fit un petit oui de la tête.

– D'accord.

– Non, dis-le avec plus de conviction. Tu ne vas pas mourir ! dis-je en haussant la voix.

– Je ne vais pas mourir.

– Encore !

– Je ne vais pas mourir !

– Encore !

– Je ne vais pas mourir, putain !

Cette fois, il avait crié en levant les bras d'un air victorieux, un sourire sur les lèvres.

Je le pris dans mes bras et le serrai fort contre moi. Je dissimulai les larmes qui commençaient à rouler sur mon visage et je hochai légèrement la tête en murmurant :

– Tu ne vas pas mourir.

Nous rentrâmes dans le restaurant et je le regardai jouer, ses mains tremblaient plus que je ne voulais l'admettre, mais sa musique était bien meilleure que ce que j'avais jamais entendu. Erika le regardait fixement comme si elle regardait l'éternité dans l'âme d'un seul mec. Elle l'aimait. Ce qui était une raison suffisante pour que je l'aime, elle. Même si elle me détestait, une grande partie de moi l'aimait parce qu'elle aimait mon frère de tout son être.

– Il faut que je rentre, j'ai encore des copies à corriger, dit Erika à la fin du set.

Nous étions tous debout au bar, un verre à la main. Nous riions avec Jacob en oubliant un petit moment la réalité des jours à venir.

– Je vais rentrer avec toi, dit Kellan.

Il sortit ses clés de voiture de sa poche et me les lança.

– Tu pourras ramener ma voiture, Logan.

Ces mots pouvaient sembler insignifiants pour beaucoup mais, pour moi, cela voulait dire qu'il me faisait confiance.

Il m'avait toujours fait confiance, même quand je ne le méritais pas.

– Je te retrouve à ta voiture, Erika. Je vais chercher ma guitare.

Elle acquiesça et sortit. Au moment où elle s'éloignait, Kellan se pencha vers Jacob avec le regard le plus grave du monde.

– Hé, mec, je voulais juste te dire. Si quelque chose m'arrivait – il fit une pause et se tourna vers moi en souriant – ce qui ne va pas se produire puisque je ne vais pas mourir. Mais si quelque chose m'arrivait quand même, je serais d'accord pour que ce soit toi qui prennes soin d'Erika, tu vois ? Moi, cela me va très bien.

Jacob se pencha en avant, les deux coudes posés sur le comptoir.

– Et c'est le moment où je te dis d'aller te faire voir pour avoir ne serait-ce que pensé un truc pareil.

Kellan se mit rigoler.

– Non, mais je suis sérieux. Tu veilleras sur elle ?

– Je refuse de parler de ça, répliqua Jacob.

– C'est vrai Kel, arrête ton mélo.

– Mec, j'ai un cancer.

– N'essaie pas de m'apitoyer, ricana Jacob en lui lançant son torchon à la figure. J'en ai rien à foutre de ton cancer, dit-il pour plaisanter.

– Ouais, mais promets-moi que tu t'occuperas d'elle, demanda-t-il encore une fois.

Jacob soupira en se pinçant l'arête du nez.

– Bon. Même s'il ne va RIEN t'arriver, si ça peut te permettre de mieux dormir, on s'occupera d'Erika. Je te le promets.

Kellan eut l'air visiblement soulagé, ses épaules se détendirent et il hocha la tête avant d'aller retrouver sa fiancée.

Tout en enfilant mon blouson pour partir, je fis signe à Jacob d'approcher. Je me penchai vers lui, l'empoignai par son T-shirt blanc et le regardai droit dans les yeux.

– Si jamais je te vois reluquer Erika, d'une façon ou d'une autre, je jure devant Dieu que je t'arrache les couilles et te les fais bouffer.

Il ricana d'un air arrogant jusqu'à ce qu'il voie que je ne plaisantais pas.

– Mec. Erika est comme une sœur pour moi. C'est dégoûtant. Maintenant, cette petite Alyssa, en revanche...

Il sourit et remua les sourcils.

– Tu es un individu méprisable, dis-je sèchement.

Il se mit à rire.

– Je rigole ! Arrête. C'est trop drôle. Tu peux me faire confiance, les sœurs Waters, c'est chasse gardée.

– Parfait. Je voulais juste m'assurer que nous étions branchés sur la même longueur d'onde.

– Sans problème. Et puis Kellan ne va pas mourir.

J'acquiesçai d'un signe de tête.

Parce que Kellan n'allait pas mourir.

25

LOGAN

Les mains bien enfoncées dans mes poches, je dansais d'un pied sur l'autre sous le porche d'Alyssa. Je ne savais pas comment je m'étais retrouvé là. Je n'étais même pas sûr qu'elle n'allait pas me refermer la porte au nez en voyant que c'était moi.

Mais je ne savais pas où aller. Ni vers qui me tourner.

Lorsqu'elle ouvrit la porte, je la parcourus des yeux en la voyant là, vêtue d'un débardeur blanc et d'un jean serré. Nos regards se croisèrent et je faillis éclater en sanglots tellement le fait d'être près d'elle me rappelait ce que cela faisait de ne pas être seul.

Elle croisa les bras et haussa les sourcils.

– Que veux-tu, Logan ? As-tu encore l'intention de me hurler dessus ? De me donner l'impression d'être une merde ? Parce qu'il est près d'une heure du matin et que je n'ai pas la moindre envie d'écouter ça.

La posture décidée qu'elle adoptait me fit presque rire, mais quand j'ouvris la bouche, mon rire s'étouffa dans ma gorge.

Son regard s'adoucit. Elle sortit sur le porche.

– Qu'est-ce qu'il y a ? demanda-t-elle, alarmée.

L'inquiétude était perceptible dans sa voix.

Je secouai la tête, l'estomac noué.

– Il est...

Je m'éclaircis la voix et enfonçai encore plus mes mains dans mes poches. Je baissai les yeux sur les planches usées de son porche.

– Il est...

– Lo. Parle-moi.

Elle posa une main rassurante sur mon torse, sur mon cœur. Et à ce contact, celui-ci se mit aussitôt à battre plus vite.

– Qu'est-ce qui ne va pas ?

J'ouvris la bouche, mais aucun son n'en sortit. Je commençai à trembler de tous mes membres et je parlai avec difficulté.

– Un jour, quand j'avais onze ans, mon père m'a obligé à rester dehors sous la pluie parce que je l'avais soi-disant mal regardé. Cela faisait plus de quatre heures que j'étais là, assis sur une caisse de lait, et il me regardait par la fenêtre pour s'assurer que je ne bougeais pas. Et euh... Kellan est passé pour déposer des trucs. Il n'avait que quinze ans, mais il savait que maman était dans un de ses moments de creux, alors il passait tous les jours pour voir comment j'allais. Il m'apportait de la nourriture. Des vêtements devenus trop petits pour lui. Quand il arriva au coin de la rue et me trouva assis là, trempé jusqu'aux os, je le vis devenir rouge de colère et serrer les poings. Je lui dis que ça allait, mais il ne m'écouta pas. Il m'entraîna par la main jusque dans l'appartement et se mit à engueuler mon père, le traitant de bon à rien. Ce qui est dingue, non, quand on connaît mon père. Personne ne lui parle sur ce ton, personne n'ose même le regarder dans les yeux. Mais Kellan l'a fait. Il a bombé le torse, a regardé ce salaud droit dans les yeux et lui a dit que si jamais il levait la main sur moi, ou m'obligeait encore à faire des trucs à la con comme de rester dehors sous la pluie, il le tuerait. Il ne le pensait pas, bien sûr. Kellan ne ferait pas de mal à une mouche. Mais il a affronté ma plus grande peur. Il s'est battu pour moi quand je ne pouvais pas le faire moi-même. Et mon père l'a frappé.

Je poussai un long soupir en me remémorant la scène.

– Il l'a salement cogné. Mais Kellan lui a tenu tête. Encore et encore, il a encaissé les coups. Pour moi. Il a encaissé pour moi. Il a toujours veillé sur moi, tu sais ? C'est mon grand frère. C'est mon...

Je secouai la tête, l'estomac serré, douloureux.

– Il...

Je me raclai la gorge et serrai les poings dans mes poches. Je baissai les yeux sur mes lacets défaits.

– Il... il va mourir.

Je hochai la tête en me rendant compte qu'une fois prononcés, ces mots prenaient toute leur réalité. Mon frère, mon héros, qui représentait tout pour moi, allait mourir.

– Kellan est malade. Il va mourir, High. Il va mourir.

Je tremblais de façon incontrôlable, en essayant de retenir les larmes qui me brûlaient les yeux. Je voulais me taire, je voulais cesser de parler, mais je n'arrivais pas à retenir les mots qui me terrifiaient le plus au monde.

– Il va mourir. Il va mourir. Kellan va mourir.

– Oh, Logan...

– Ça fait combien de temps que tu le savais ? Depuis quand sais-tu qu'il est malade ? Pourquoi ne m'as-tu pas appelé ? Pourquoi n'as-tu pas... Il va mourir...

Je sanglotais. Seigneur, j'étais dans un sale état. Limite de perdre pied. Mais elle me tendit la main. Elle me prit dans ses bras et me serra sans dire un mot. Elle me tint seulement serré contre elle alors que je m'écroulais sous son porche, ce soir d'été.

Pendant un moment, nous fûmes nous de nouveau. Pendant un moment, elle fut le feu qui réchauffait mon cœur glacé le soir. Pendant un moment, elle fut mon sauveur. Mon havre de paix. Ma belle et brillante High.

Mais les hauts sont toujours suivis de bas.

– Que se passe-t-il ? demanda une voix grave provenant de l'intérieur de la maison.

Je levai les yeux.

– Qui est-ce ? demanda la voix.

Elle appartenait à un homme vêtu d'une chemise aux manches roulées jusqu'aux coudes, d'un pantalon de toile et de chaussures apparemment très chères. Il sortit sur le porche, et je m'écartai d'Alyssa, surpris.

– Dan, je te présente Logan, mon...

Elle hésita, ne sachant plus ce que nous étions l'un pour l'autre, et pour cause. En vérité, nous n'étions plus rien. Nous n'étions que le vague souvenir de quelque chose qui avait existé par le passé. Rien de plus, rien de moins.

– C'est un vieil ami.

Un vieil ami ?

Je t'aimais.

Un vieil ami ?

Tu as fait de moi quelqu'un d'autre.

Un vieil ami ?

Tu m'as tellement manqué, putain.

– Est-ce que tout va bien ? demanda-t-il.

Dan vint plus près d'Alyssa, les yeux plissés. Il posa une main protectrice sur son épaule et, une fraction de seconde, je fus tenté de le frapper pour lui apprendre à la toucher, à poser la main sur ma copine. Mais aussitôt je me rappelai.

Elle n'était pas à moi.

Elle ne l'était plus depuis des années.

Elle se dégagea d'un mouvement d'épaule.

Je détournai les yeux.

– Je vais y aller.

Je rigolai, mais il n'y avait rien de drôle. Je fis claquer l'élastique sur mon poignet, redescendis les marches et entendis la voix d'Alyssa qui m'appelait.

Je ne répondis pas.

Je ne tins pas compte non plus de la douleur qui dévorait mon âme.

Rien n'est sûr dans ce monde, mais pourtant j'étais sûr d'une chose, je me ferais toujours avoir.

* * *

Assis en haut du panneau publicitaire, je regardais les étoiles briller dans le ciel. J'avais les paupières lourdes, mais je ne pouvais pas rentrer chez Kellan. Je ne pourrais pas supporter de le voir. Il fallait que je dorme et, pendant un moment, j'avais envisagé de dormir là en plein ciel jusqu'à ce que le soleil me réveille. Mais chaque fois que je fermais les yeux, je revivais le moment, quelques heures plus tôt, où JC avait confirmé la plus mauvaise nouvelle de toute ma vie.

Mon cœur me faisait plus souffrir que cela ne devrait être permis.

C'est mon frère...

Je ne pouvais pas imaginer qu'il puisse disparaître. Et je me détestais en ce moment. Je me détestais parce que, quelque part, j'avais terriblement envie de sortir mon téléphone et de composer le numéro de gens qu'il faudrait que je ne revoie jamais, pour me procurer de la dope. Une part importante de moi avait envie de retomber dans le trou, parce qu'au fond de ce trou, les sentiments n'existent pas. Rien n'était réel pour une personne qui était au fond du trou, alors la douleur du réel ne refaisait jamais surface.

Je pliai les jambes et passai les bras autour de mes genoux. Je ne priai pas. Je ne croyais pas en Dieu. Mais une fraction de seconde, j'envisageai de devenir assez hypocrite pour m'y mettre dès ce soir.

Je fermai les yeux et levai la tête vers le ciel.

J'entendis des pas étouffés au début. Puis l'échelle métallique se mit à se balancer d'avant en arrière tandis qu'elle grimpait jusqu'au sommet.

Elle tenait un sac en plastique à la main, elle portait toujours le même jean serré et le même débardeur, et ses yeux n'avaient pas perdu leur expression inquiète.

Elle eut un petit haussement d'épaules, les mots étaient superflus, mais je savais qu'elle me demandait la permission de venir s'asseoir près de moi. Je répondis par le même haussement d'épaules, et elle sut que cela voulait dire oui. À mesure qu'elle s'approchait de moi, mes yeux se mirent à piquer et mon cœur à battre la chamade. Elle s'assit à ma gauche, remonta les genoux sous son menton et les entoura de ses bras, exactement comme moi. Nous tournâmes la tête l'un vers l'autre et nos regards se croisèrent.

Elle ouvrit le sac en plastique et en sortit un paquet d'Oreos, une barquette de framboises, une brique de lait écrémé et deux gobelets rouges.

J'écoutai le froissement de l'emballage quand elle déchira le paquet de gâteaux, faisant jaillir une petite partie de notre passé.

Je débouchai la brique de lait et remplis deux gobelets.

Elle ouvrit un cookie, y déposa une framboise, le referma et me le tendit.

Je ne me souvenais plus de la dernière fois que j'avais mangé un Oreo à la framboise.

Elle fit un demi-sourire et hocha la tête. Je hochai la tête en retour.

– Ça va aller, Logan Francis Silverstone, dit-elle.

– Ça va aller, Alyssa Marie Walters.

Nous nous détournâmes l'un de l'autre, mangeâmes chacun la moitié du paquet de cookies avec les framboises, et regardâmes le ciel éclairé.

Quand elle eut froid, je lui donnai mon sweat à capuche.

Quand mon cœur se brisa, elle me tint la main.

26

ALYSSA

— Hé, réveille-toi.

Je sentis un léger coup de coude dans les côtes et me frottai les yeux. En les ouvrant lentement, je fus éblouie par le soleil qui inondait mon visage. Logan se tenait debout devant moi.

– Hé, lève-toi.

– Oh… quelle heure est-il ? je demandai en bâillant.

Je n'avais pas prévu de m'endormir là. Je voulais rentrer chez moi pour me recoucher au chaud et faire comme si Logan ne faisait plus partie de mon monde, mais il avait l'air si abattu hier soir.

– Il est temps que tu t'en ailles, siffla-t-il.

Je me redressai, surprise par son attitude. Il remettait tous les trucs que j'avais apportés la veille dans le sac plastique qu'il me tendit d'un geste brusque.

– Ne reviens pas ici, d'accord ?

– Pourquoi es-tu si grossier ?

– Parce que je ne veux pas de toi ici. Et rends-moi mon sweat.

– Très bien.

Je me levai et lui lançai son sweat. Mon cœur battait à se rompre quand je me dirigeai vers l'échelle pour m'en aller. Mais au moment de descendre, je me retournai vivement.

– Je n'ai rien fait de mal. C'est toi qui es venu chez moi hier soir. Pas le contraire.

– Je ne t'ai pas demandé de venir me rejoindre ici. Je ne t'ai pas dit d'apporter des cookies et tout le reste, comme dans le bon vieux temps. Au cas où tu ne le saurais pas, nous ne sommes plus les mêmes qu'à cette époque-là. Seigneur. Et ton petit ami, il le sait au moins où tu étais cette nuit ?

Je ricanai, choquée.

– Alors, c'est ça ? Tu crois que j'ai un petit ami ? Logan ! Dan n'est pas...

Il leva les yeux au ciel.

– Je me fous complètement que tu aies un petit ami. Mais je pense que ça en dit long sur toi de voir que ça ne te dérange pas de passer la nuit avec un autre homme. Il sait où tu es en ce moment ? Je veux dire, Alyssa. Tu te conduis comme une vraie p...

Je m'avançai devant lui en levant la main devant sa bouche pour l'empêcher de continuer.

– Je sais que tu es malheureux. Tu as peur et tu te venges sur moi parce que je suis une cible facile. Ce n'est pas grave. Je veux bien être ta cible. Déverse toute ta colère sur moi. Dis-moi de ne jamais revenir ici, le seul endroit qui me fait penser à toi. Dis-moi de ficher le camp. Mais ne me parle pas comme ça, Logan Francis

Silverstone. Je ne suis pas le genre de fille que tu peux rabaisser comme ça parce que j'ai essayé d'être là pour toi. Je ne suis pas le genre de fille qu'on traite de putain.

Un instant, il baissa la tête, un éclair de culpabilité traversant son regard, avant de souffler d'un air agacé.

– Je suis dans cette ville pour un petit moment, ok ? Alors, si on pouvait s'arranger pour ne pas se rencontrer, ce serait mieux. J'ai eu tort de venir chez toi hier, mais c'est terminé. Nous n'avons aucune raison de communiquer. Il est clair que nous n'avons plus rien à nous dire.

– Je suis désolée si je t'ai rendu les choses plus difficiles. Je garderai mes distances. Mais si tu as besoin de moi, tu sais que je suis là, d'accord ? Tu sais où me joindre. Et, pour que les choses soient claires, Dan n'est pas mon petit ami. Il ne l'a jamais été et ne le sera jamais. C'est juste un ami qui m'aide à chercher une propriété. Il avait un peu trop bu et il est resté dormir sur mon canapé. Je n'ai pas de relation amoureuse. Et ça fait un bail que je n'en ai pas eu. Aucune de mes aventures passées ne s'est concrétisée. Et maintenant, je sais pourquoi ça n'a pas marché.

Je pris une profonde inspiration et je fermai les yeux.

– C'est parce que pendant tout ce temps, j'attendais un garçon dont je croyais qu'il m'avait aimée un jour.

– Pour l'amour du ciel, Alyssa, je m'en fous ! Je me fous de ce qui se passe dans ta vie. Et il faut que tu comprennes quelque chose : toi et moi, on ne se remettra jamais ensemble. On n'aura pas de « happy end ».

Il me tourna le dos alors que ses paroles me transperçaient le cœur.

– Ça t'arrive de penser à nous ? De penser à moi ? murmurai-je en me passant les doigts sur le cou. Ça t'arrive de penser au bébé ?

Il ne se retourna pas, mais ses épaules s'affaissèrent. Il ne fit pas un mouvement.

Dis quelque chose ! N'importe quoi ! Mais dis quelque chose !

– Va-t'en Alyssa. Et ne reviens pas.

La gorge sèche, je déglutis avec difficulté.

Dis n'importe quoi, sauf ça.

27

LOGAN

Plusieurs semaines avaient passé depuis que j'étais revenu pour être avec Kellan. Il avait subi deux séances de chimiothérapie et ne semblait pas en être trop affecté. D'une humeur un peu plus changeante peut-être. Il avait tendance à s'agacer quand Erika se préoccupait de ses traitements et lui demandait à tout bout de champ s'il allait bien. Elle était toute la journée sur son dos, et pour être honnête, je lui en étais reconnaissant. Je savais que cela l'énervait, qu'il la trouvait envahissante, mais cela me laissait un peu de répit de savoir qu'il était si bien entouré.

Le mariage aurait dû avoir lieu le week-end précédent, mais ils l'avaient repoussé au mois prochain. Je me demandais combien de fois il allait être reprogrammé comme ça. Je savais que c'était Kellan qui reportait la date, à cause de ses doutes à propos de sa maladie. Le jeudi, il me donna de l'argent pour aller faire des courses pour maman. En allant chez elle, j'emportai des produits de nettoyage. Son appartement était dans un état épouvantable. Je trouvai ma mère dans les vapes, sur le canapé, et je n'essayai même pas de la réveiller. Tant qu'elle dormait, elle ne consommait pas.

Je trouvais ça dingue de voir à quel point elle avait l'air d'un ange quand elle dormait. C'était comme si ses démons étaient en veille et que sa vraie nature reprenait le dessus. Je remplis le frigo et les placards de nourriture qui ne s'abîmerait pas trop vite. Je ne savais pas trop ce qu'elle mangeait, mais comme ça, elle pourrait se servir les quantités qu'elle voudrait, sans que ça se périme tout de suite. Je lui avais aussi fait des lasagnes. Un de mes meilleurs souvenirs avec elle, c'était la fois où elle avait décidé de se faire désintoxiquer et qu'elle m'avait demandé de préparer un repas pour fêter ça avant de partir en cure. On avait ri, on avait mangé et on avait eu un aperçu de ce que notre vie aurait pu être si on avait été clean tous les deux.

En sortant de la maison, elle était tombée sur mon père, et la désintoxication n'était déjà plus qu'un vague souvenir pour elle.

Je nettoyai l'appartement de fond en comble, en me mettant même à genoux pour frotter la moquette. J'emportai tous ses vêtements à la laverie automatique et, pendant que les machines tournaient, je retournai à son appartement et continuai le ménage.

Elle ne se réveilla qu'après mon retour de la laverie, alors que je pliais ses vêtements, assis par terre. Elle se redressa en bâillant.

– J'ai cru que j'avais rêvé que tu étais venu l'autre jour.

Je lui fis un petit sourire, qu'elle me renvoya en frottant ses bras maigres.

– Tu as fait le ménage ?

– Ouais. J'ai fait des courses et la lessive, aussi.

Ses yeux s'emplirent de larmes, mais elle continua à sourire.

– Tu as l'air en forme, mon garçon.

Elle n'arrêtait pas de hocher la tête tandis que les larmes coulaient sur ses joues. Elle ne les essuyait pas, mais les laissait couler sur son menton.

– Tu as vraiment l'air en forme.

La culpabilité prit le dessus, et elle se mit à se gratter.

– Je savais que tu en étais capable, Logan. Je savais que tu pouvais arrêter. Parfois j'aimerais...

Elle ne finit pas sa phrase.

– Ce n'est pas trop tard, tu sais, M'man. On peut t'inscrire pour une cure. On peut te désintoxiquer, toi aussi.

Je n'aurais pas cru que j'avais encore ça en moi, cette étincelle d'espoir que j'avais toujours eue pour elle. Je voulais qu'elle échappe à ce milieu. Au fond de mon âme subsistait ce désir d'avoir notre maison à nous, loin de ce lieu qui représentait tellement d'horreurs pour elle comme pour moi.

L'espace d'un instant, on aurait dit qu'elle y pensait, elle aussi. Mais elle cligna des yeux et recommença à se gratter.

– Je suis trop vieille, Logan. Je suis trop vieille. Viens près de moi.

J'allai m'asseoir à côté d'elle sur le canapé. Elle prit mes mains dans les siennes en souriant.

– Je suis si fière de toi.

– Merci, M'man. Tu as faim ?

– Oui, dit-elle, ce qui me surprit.

Je mis les lasagnes dans le four et quand elles furent prêtes, nous nous assîmes à table pour les manger directement dans le plat. J'aurais voulu enfermer ce moment dans mon cœur et le garder là pour toujours.

Pendant qu'elle mangeait, les larmes continuaient à couler sur son visage.

– Tu pleures.

– C'est vrai ?

Elle s'essuya le visage et me sourit de nouveau. Mais son sourire était triste.

– Comment va Kellan ?

– Tu savais...

Elle hocha la tête.

– Ça va. Il m'a demandé de l'accompagner à une séance de thérapie la semaine prochaine. Il va se battre, tu sais. C'est un dur.

– Oui, murmura-t-elle en mangeant.

Il y avait longtemps que je ne l'avais pas vue manger autant.

– Oui, il est fort. Il est fort.

Ses larmes se mirent à couler encore plus vite, et je les essuyai.

– C'est de ma faute, tu sais. C'est moi qui lui ai fait ça... J'ai été une mauvaise mère. Je n'ai pas été là pour vous, mes garçons.

– Arrête, M'man.

Je ne savais pas trop quoi dire ni comment sécher ses larmes.

– Non, c'est vrai. Tu le sais. J'ai déconné. Je me sens responsable.

– Ce n'est pas toi qui lui as donné le cancer.

– Mais je ne vous ai pas fait une vie facile. Toi, tu as fait une cure de désintoxication, Logan. Tu l'as fait. Moi, j'étais avec toi pour fêter tes seize ans et on a sniffé de la coke. Je t'ai refilé mon addiction...

Elle remuait la tête de gauche à droite.

– Je suis tellement désolée, tellement désolée.

Elle était totalement abattue. Totalement paumée. Pour dire la vérité, je ne l'avais jamais connue autrement. Pendant des années, je lui en avais voulu. Je lui reprochais les choix qu'elle avait faits, mais ce n'était pas de sa faute. Elle ne faisait que tourner et tourner dans sa propre roue de hamster, incapable d'arrêter de reproduire toujours les mêmes erreurs.

– On va tous aller bien, M'man. Ne t'en fais pas.

Je pris sa main dans la mienne et la serrai. À ce moment-là, la porte d'entrée s'ouvrit brutalement et Ricky entra en trombe. À l'instant où je le vis, je fus stupéfait de me rendre compte à quel point ma haine pour lui était toujours vivace.

– Julie, c'est quoi ce bordel ?

Il avait beaucoup changé depuis la dernière fois que je l'avais vu, cinq ans plus tôt. Il avait l'air... brisé ? Vieux. Fatigué. Un pantalon de survêtement et un T-shirt avaient remplacé les costumes de marque qu'il portait toujours à cette époque-là.

Des baskets avaient remplacé les chaussures de luxe. Ses bras autrefois si musclés n'étaient plus du tout aussi costauds.

Je me demandai s'il ne consommait pas la merde qu'il dealait.

– Tu me dois cinquante dollars, hurla-t-il.

Il s'arrêta en me voyant et inclina la tête, stupéfait.

– Est-ce que j'ai croisé un fantôme ?

Ma poitrine se serra comme chaque fois que je me trouvais en face de lui. Très vite, sa surprise se transforma en un sourire sinistre. Il semblait content de me revoir, presque comme s'il avait su que je reviendrais.

Il s'avança vers moi en gonflant le torse.

– Tu sais, il y avait un bruit qui courait comme quoi tu serais revenu, mais j'ai cru que c'était des conneries. Mais maintenant que tu es là, tu peux venir travailler avec moi, dans l'affaire familiale.

– Je ne ferai jamais ça. Je ne vais jamais reprendre ce chemin-là.

Il plissa les yeux et je le regardai inspirer et expirer d'un air grave. Puis il se mit à rire.

– J'adore. Ça me fait marrer que tu penses sérieusement être assez fort pour rester clean.

Il vint coller son nez contre le mien mais, au lieu de reculer, je lui tins tête. Je n'avais plus peur de lui. Je ne pouvais pas avoir peur. Il me repoussa de son torse contre le mien en essayant de me faire céder.

– Mais je te connais, Logan. Je vois dans tes yeux le même être faible qu'il y a chez ta mère. Il est impossible que tu réussisses à ne pas replonger.

Je vis alors des larmes se former dans les yeux de ma mère. Cela devait lui faire comme un coup de poignard dans le cœur, parce que toute sa vie elle n'avait rien fait d'autre que l'aimer. Elle avait gâché toutes ces années à aimer un homme qui n'aimait que la dominer et la rabaisser.

– Laisse ma mère tranquille, dis-je pour la défendre, parce qu'elle était incapable de se défendre elle-même.

Il ricana.

– J'aime ta mère. Julie, c'est pas vrai que je t'aime ? Elle est la seule et unique pour moi. Il n'y a que toi pour moi, Bébé.

Ma mère fit un petit sourire, comme si elle le croyait.

Une chose que je n'avais jamais pu comprendre.

Il me rendait malade.

– Tu ne l'aimes pas. Tu aimes la dominer, parce que

ça masque le fait que toi, tu n'es rien d'autre qu'un putain de rat.

J'eus un mouvement de recul quand son poing entra en contact avec mon œil.

– Ce putain de rat peut toujours te botter le cul, gamin. Mais j'ai perdu assez de temps comme ça avec toi. Julie, file-moi mon fric.

– Ricky, dit-elle, la voix tremblante de peur, Je ne l'ai pas là, tout de suite. Mais je vais l'avoir. Je dois juste...

Il allait la frapper, mais je me mis devant lui et cette fois j'arrêtai son bras.

– Et alors ? Tu es parti faire une cure dans une clinique chic et tu es revenu en pensant que tu pouvais retrouver ta place ici, Logan ? dit-il, agacé. Crois-moi, tu n'as pas intérêt à m'avoir comme ennemi.

Je sortis mon portefeuille de ma poche et comptai cinquante dollars.

– Tiens, prends ça et tire-toi.

Il haussa un sourcil.

– J'ai dit cinquante ? En fait, c'était soixante-dix.

Connard. Je sortis encore vingt dollars et les lui fourrai dans la main. Il accepta les billets sans rechigner et les enfonça dans sa poche. Puis il se pencha sur le plat de lasagnes.

– C'est toi qui as fait ça, fiston ?

Il savait qu'en m'appelant fiston, il allait me mettre hors de moi. Il prit une cuillerée de lasagne et la recracha dans le plat, pour gâcher tout le reste.

– C'est dégueulasse.

– Ricky, dit ma mère pour prendre ma défense, mais il la fit taire d'un regard.

Il y avait si longtemps qu'il l'avait réduite au silence qu'elle ne savait plus comment retrouver sa voix.

– Tu fais comme si je ne prenais pas soin de toi, Julie. C'est vraiment vexant. N'oublie pas qui a été là pour toi quand ce garçon est parti en t'abandonnant. Et tu te demandes pourquoi c'est si dur pour moi de t'aimer ? Tu me trahis à la première occasion.

Elle baissa la tête.

– Et ça ? Il fait tes courses et remplit ton frigo ? Mais ça ne veut pas dire qu'il t'aime, ça, Julie.

Il ouvrit les placards et le réfrigérateur et sortit toute la nourriture que j'avais apportée, ouvrit tous les emballages et jeta le contenu en tas sur le sol. Je voulus l'arrêter, mais ma mère me fit signe de rester tranquille. Il ouvrit un paquet de céréales en me regardant droit dans les yeux et le vida lentement sur le tas avant d'ouvrir une bouteille de lait et de faire la même chose.

Puis il piétina le tout avec ses baskets et se dirigea vers la porte.

– J'ai une affaire à régler, dit-il avec un sourire satisfait. Julie ?

– Oui ? murmura-t-elle, toute tremblante.

– T'as intérêt à nettoyer tout ce bordel avant que je rentre.

Quand il claqua la porte, mon cœur se remit à battre à un rythme normal.

– Ça va, M'man ?

Elle était tendue et ne me regardait pas.

– C'est de ta faute.

– Quoi ?

– Il a raison. Tu m'as laissée tomber, alors que lui, il était là pour moi. C'est à cause de toi qu'il a fait tout ce merdier. Toi, tu n'étais pas là pour moi. Lui, il s'est occupé de moi.

– M'man…

– Fous le camp ! cria-t-elle, les larmes aux yeux.

Elle se précipita sur moi pour me frapper, exactement comme elle le faisait quand j'étais plus jeune. S'en prenant à moi parce que ce démon ne l'aimait pas.

– Fous le camp ! Fous le camp ! Tout ça, c'est de ta faute ! C'est de ta faute s'il ne m'aime pas. C'est de ta faute, tout ce bordel ! C'est de ta faute si Kellan va mourir. Tu nous as laissés tomber ! Tu nous as quittés ! Tu nous as quittés. Alors maintenant, va-t'en, Logan. Va-t'en. Va-t'en. Va-t'en ! cria-t-elle en me martelant la poitrine.

Ses paroles me décontenançaient, me blessaient, me brûlaient. Elle était hystérique et me rappelait trop la mère que j'avais connue et détestée. Ses paroles résonnaient dans mon esprit.

C'est de ta faute. C'est de ta faute, tout ce bordel. C'est de ta faute si Kellan va mourir. Tu nous as quittés. Tu nous as quittés. Tu nous as quittés… Kellan va mourir…

La poitrine en feu, je clignai des paupières encore et encore en essayant de ne pas m'effondrer. Comment en étais-je revenu là ? Comment avais-je fait pour me retrouver exactement dans la même situation que cinq ans auparavant ? Comment avais-je fait pour me retrouver dans cette roue de hamster que j'avais mis tant de temps à fuir ?

Elle n'avait pas arrêté de me frapper, pas arrêté de m'accuser. Alors, j'avais fait mes bagages et j'étais parti.

* * *

Logan, onze ans

– Alors, on se la coule douce ?

Quand mon père fit irruption dans le salon, je regar-

dais Cartoon Network[8], assis par terre. En faisant de mon mieux pour ne pas lui accorder d'attention, je continuai à manger mes céréales Captain Crunch dans un bol. Il fumait et sourit d'un air suffisant devant ma tentative de faire comme s'il n'était pas là.

Il n'était que quatre heures de l'après-midi et il titubait déjà. Il était totalement ivre.

– T'es sourd, gamin ?

Il s'approcha de moi et me passa le dos de la main sur la tête avant de me donner une bonne gifle. Son contact me fit frissonner. Mais je continuai à ne pas répondre. Kellan savait à quel point mon père pouvait devenir violent et il disait que le mieux, c'était de ne pas réagir. Kellan avait beaucoup de chance d'avoir un autre père. J'aurais voulu avoir un autre père, moi aussi.

J'étais impatient que maman rentre à la maison. Cela faisait plusieurs jours qu'elle était partie, mais quand elle m'avait appelé le week-end précédent, elle avait dit que je la reverrais bientôt. J'aurais voulu que mon père s'en aille et ne revienne jamais. Quand sa main passa sur mon omoplate, je me recroquevillai en renversant mon bol de céréales. Il rit vicieusement, content de voir que j'étais mal à l'aise. Il leva la main et me gifla sur l'oreille.

– Ramasse ce merdier. Et d'abord, qu'est-ce que tu fous à manger des céréales à quatre heures de l'après-midi ?

J'avais faim, et il n'y avait rien d'autre à manger. Mais je ne pouvais pas lui dire ça. Je ne pouvais rien lui dire du tout. Je me levai en tremblant et j'entrepris de ramasser les céréales dans le bol. Mon père se mit à siffler un air tiré du dessin animé que je regardais, et mon cœur se mit à battre comme un fou.

---

8. Chaîne de TV américaine destinée à la jeunesse, spécialisée dans la diffusion de séries d'animation.

– Magne-toi le cul, gamin. Ramasse cette merde. Foutre le bordel chez moi, non mais qu'est-ce que t'as dans le crâne ?

Les larmes me montèrent aux yeux, et je m'en voulais de me laisser impressionner. À onze ans, on est censé être plus dur que ça. Je me sentais faible.

– Ramasse ÇA tout de suite !

Je ne supportais plus ses sautes d'humeur de poivrot et son éternel mécontentement vis-à-vis de moi. Je ramassai le bol de céréales et le lui jetai à la figure. Manquant sa tête de peu, il alla s'écraser sur le mur, se brisant en mille morceaux.

– Je te déteste !

Des larmes brûlantes roulaient sur mes joues.

– Je veux que maman revienne ! Je te déteste.

Ses yeux s'élargirent et je me mis à paniquer, regrettant déjà mon éclat. Kellan aurait été très déçu. Je n'aurais pas dû répondre. Je n'aurais pas dû réagir. J'aurais dû aller m'enfermer dans ma chambre comme d'habitude.

Mais il n'y avait pas la télé et les dessins animés dans ma chambre.

Je voulais seulement être un gamin comme les autres, ne serait-ce qu'une journée.

Mon père se retourna et m'attrapa par le bras.

– Tu veux faire le malin, hein ?

Il me tira par le bras à travers la pièce en me faisant trébucher.

– Ah, tu me cherches !

Il me traîna dans la cuisine où il ouvrit le placard sous l'évier.

– Non. Je suis désolé, Papa ! Je m'excuse !

Je criais en essayant de me libérer de sa poigne. En ricanant, il me poussa à l'intérieur du placard.

– Tiens, tes foutues céréales, dit-il en saisissant le paquet et en me le vidant sur la tête.

Quand il referma la porte du placard, je fis mon possible pour la rouvrir, mais elle ne bougea pas. Il avait mis quelque chose devant pour la maintenir fermée.

– S'il te plaît, papa ! Excuse-moi ! Ne me laisse pas. Je suis désolé.

Mais il ne m'écoutait pas et, au bout d'un moment, je n'entendis même plus le bruit de ses pas.

Je ne sais pas combien de temps s'était écoulé depuis qu'il m'avait enfermé dans ce placard, mais je m'étais endormi deux fois et je m'étais pissé dessus. Quand ma mère me trouva, elle avait l'air au bout du rouleau et elle secoua la tête, l'air exaspéré contre moi.

– Oh, Logan.

Elle soupira en se passant la main dans les cheveux, puis elle alluma une cigarette.

– Mais qu'est-ce que tu as encore fait ?

28

ALYSSA

— Logan, est-ce que tu te rends compte à quel point c'est perturbant ? je demandai, les bras croisés, quand je le trouvai là, sous mon porche en T-shirt et jean noirs.

La fraîcheur de la brise me fit frissonner, ce qui n'avait rien d'étonnant étant donné que je ne portais qu'un T-shirt trop grand et des chaussettes qui montaient jusqu'aux genoux. En me tournant le dos, il avança jusqu'au bord du porche et saisit la rampe. Il plongea les yeux dans l'obscurité. Les muscles de ses bras saillirent quand il s'accrocha à la rampe de bois. Quand nous étions plus jeunes, il était beau, mais pas aussi bien bâti. Maintenant il ressemblait à une sorte de dieu grec, et mes jambes flageolaient simplement en le regardant.

– Je sais. C'est juste que... je ne sais pas où aller.

Il se retourna et je poussai un cri étouffé en voyant son œil au beurre noir. Je me précipitai vers lui, et lorsque je l'effleurai du bout des doigts, il eut un geste de recul.

– C'est ton père ?

Il fit oui de la tête.

– Si je rentre chez Kellan comme ça, il va flipper.

Oh, Lo...

– Tu vas bien ? Et ta mère ?

Je m'interrompis. C'était comme si nous retournions dans le passé, que nous revivions les mêmes scènes que nous avions vécues. J'aurais aimé que ce ne soit pas un des souvenirs les plus récurrents.

– Elle ne *va pas bien. Mais ça va.*

Déjà vu[9].

– Entre, dis-je en le prenant par la main.

Il secoua la tête et retira sa main.

– La dernière fois que nous nous sommes vus, tu m'as demandé quelque chose et je n'ai pas répondu.

– Quoi ?

– Tu m'as demandé s'il m'arrivait de penser au bébé.

Il se passa la main sur la nuque.

– Je pense qu'à la fin de l'été il, ou elle, aurait commencé à aller à la maternelle. Je me dis qu'il aurait peut-être eu ton rire et tes yeux. Je me dis qu'elle aurait probablement mâchonné son col et aurait eu le hoquet quand elle aurait été stressée. Je pense à la façon dont son cœur battrait. À la façon dont elle t'aimerait. À la façon dont il marcherait, parlerait, sourirait, froncerait les sourcils. J'y pense. Plus que je ne le voudrais. Et puis...

Il se racla la gorge.

---

9. En français dans le texte.

– Et puis je pense à toi. Je pense à ton sourire. À la façon dont tu mâchonnes le col de tes T-shirts quand tu es stressée, et aussi quand tu es intimidée. Je pense à la façon dont tu as le hoquet, trois fois, quand tu es en colère et que, chaque fois que ta mère te rabaisse, cela te fait du mal. Je me demande à quoi tu penses les soirs d'orage, et s'il t'arrive quelquefois, l'espace d'un instant, de penser à moi.

Je soupirai.

– Lo. Entre.

– Ne m'invite pas à entrer, murmura-t-il entre ses dents.

– Quoi ?

– J'ai dit, ne m'invite pas à entrer.

– Tu ne veux pas qu'on parle ?

– Non.

Il me regarda droit dans les yeux.

– Non. Je ne veux pas *parler*. Je veux oublier. Je veux obliger mon esprit à arrêter de se rappeler toutes ces conneries. Je veux... High...

Le souffle coupé, il ne trouvait plus ses mots. Une personne ne connaissant pas Logan n'aurait pas perçu le tremblement dans sa voix. Mais moi je l'entendis, je le connaissais bien, et son esprit était en train de s'égarer de nouveau dans ces contrées obscures. Il fit un pas vers moi, et je m'immobilisai. J'avais envie de le sentir plus près. Cette sensation me manquait. Sa main se posa sur ma joue et je fermai les yeux à la douceur de ce contact.

– Je voudrais te parler, mais je ne peux pas. Parce que sinon, nous allons nous retrouver au même point que toutes ces années en arrière, et je ne peux pas recommencer, Alyssa. Je ne peux pas retomber amoureux de toi. Je ne veux pas te faire souffrir une fois de plus.

Mon cœur cessa de battre un instant.

– C'est pour ça que tu t'es montré si odieux avec moi ?

Il hocha la tête lentement.

– Logan. Nous pouvons être amis. Nous ne sommes pas obligés d'avoir une relation. Allez, entre, on va en discuter.

– Je ne peux pas être ton ami. Je ne veux pas discuter avec toi, parce que quand je parle, je blesse. Et je ne veux plus faire de mal. Mais... je suis incapable de rester loin de toi. J'essaie, mais je ne peux pas. J'ai envie de toi, High.

À ces mots, des frissons coururent tout le long de ma colonne vertébrale, et mon esprit se brouilla.

– J'ai envie de passer les mains dans tes cheveux, murmura-t-il en passant du bout des doigts une de mes boucles derrière mon oreille. J'ai envie de passer ma langue sur ton cou. J'ai envie de te toucher.

Il passa la main sur ma joue.

– J'ai envie de te sentir sous mes lèvres.

Sa bouche effleura lentement la courbe de mon cou.

– J'ai envie de te lécher.

Il prit le lobe de mon oreille entre ses lèvres et le suça délicatement.

– J'ai envie de... putain...

Il soupira en m'attirant contre lui.

– J'ai envie de toi, Alyssa. J'ai terriblement envie de toi. Tellement fort que je n'arrive plus à penser à autre chose. Alors, je t'en prie, pour éviter de créer plus de confusion entre nous... siffla-t-il contre mon oreille avant d'en sucer doucement le lobe, ne m'invite pas à entrer.

Mon cœur s'emballa, et je reculai de quelques pas jusqu'à me retrouver coincée contre le mur de ma maison. Il se rapprocha, m'emprisonnant dans ses bras. Il plongea son regard dans le mien, pupilles dilatées, débordant de désir, d'envie, d'espoir... ? Peut-être n'était-ce que mon propre espoir que je voulais voir encore exister dans son regard. Mes cuisses frémissaient, mon esprit était en pleine confusion. Quelque part, je me demandais si je ne rêvais pas, mais surtout, cela m'était égal. Je voulais vivre ce rêve. Il m'avait tant manqué. J'y avais pensé pendant ces cinq dernières années. Je voulais sentir son corps serré contre le mien. Je voulais ressentir à quel point je lui avais manqué. Je voulais me coller contre lui et l'embrasser.

Je voulais le toucher...

Le lécher...

Le sucer...

Lo...

– Logan, murmurai-je, incapable de détourner les yeux de ses lèvres, si près des miennes.

Logan avança son corps magnifique contre moi, releva mon menton pour que nous puissions nous regarder droit dans les yeux. Ses lèvres me rappelaient l'été où nous n'avions fait que nous embrasser. Me rappelaient le premier garçon que j'avais jamais aimé, le premier et le seul qui avait fini par me briser le cœur.

– Tu es triste ce soir.

J'inclinai la tête et je l'examinai en détail. Ses cheveux, sa bouche, la ligne de sa mâchoire, son âme. Les ombres inquiétantes qui subsistaient dans la profondeur de ses yeux. Son souffle était lourd et saccadé, comme le mien.

– Je suis triste ce soir, reconnut-il. Je suis triste tous les soirs. Alyssa, je n'ai jamais voulu te faire du mal en ne répondant pas à tes appels.

– Ce n'est pas grave. C'était il y a longtemps. Nous n'étions que des gamins.

– Je ne suis plus le même, Alyssa. Je te le jure.

J'acquiesçai d'un signe de tête.

– Je sais. Et je ne suis plus la même, moi non plus.

Mais une partie de mon âme se rappelait nos moments d'autrefois. Une partie de mon âme sentait encore le feu que Logan et moi avions commencé à allumer toutes ces années auparavant. Et parfois, dans les instants paisibles qui séparaient le jour de la nuit, je sentais encore sa chaleur.

– C'est pour ça que je veux que tu entres ce soir. Parce que je suis triste moi aussi. Pas d'engagement. Pas de promesses. Juste quelques instants passés ensemble, pour oublier.

Du bout des doigts, il commença à relever mon T-shirt, et ce simple geste me procura tant de plaisir que je fermai les yeux. Un imperceptible gémissement s'échappa de mes lèvres quand son pouce s'attarda sur le tissu de ma culotte. Soudain, il augmenta la pression en imprimant un mouvement de va-et-vient. Il promena sa langue sur mon lobe avant de le sucer vigoureusement. De la main droite, il empoigna mes fesses et, de la gauche, il écarta le bord de ma culotte pour pouvoir glisser un doigt profondément en moi.

Un doigt.

Deux doigts.

Trois doigts...

Je haletai lourdement, mon désir devenait encore plus violent. J'arc-boutai mes hanches vers lui ; de plus en plus, je voulais le sentir me pénétrer. Je me tortillai sous ses doigts, réclamant les caresses qui m'avaient tellement manqué.

– Rentrons, dis-je en gémissant, le serrant contre moi, encore plus près.

– Ne m'invite pas à entrer.

Ses doigts s'enfoncèrent en moi plus profondément. Les battements de mon cœur s'accélérèrent. Je ressentais tout avec acuité. Chaque peur, chaque désir, chaque besoin...

Toucher.

Lécher.

Sucer.

Oh, mon Dieu, Logan...

– Viens à l'intérieur, ordonnai-je, en passant une jambe autour de sa taille.

– Non, High.

– Si, Lo.

– Si j'entre, je ne serai pas délicat. Si j'entre, ce ne sera pas pour discuter. Nous ne mentionnerons pas le passé, nous ne discuterons pas du présent, nous ne parlerons pas de l'avenir. Si j'entre chez toi, je te baise. Je te baise violemment. Je te baise comme un fou. Je te baise pour bloquer mon cerveau, et tu me baises pour faire taire le tien. Et ensuite, je m'en vais.

– Logan.

– Alyssa.

– Lo...

– High...

Je fermai les yeux et quand je les rouvris, je me promis de ne plus détourner mon regard de lui.

– Viens, rentrons.

* * *

Nous ne sommes pas allés plus loin que le piano dans le séjour. Quand sa bouche trouva mes lèvres, il m'embrassa comme je n'avais jamais été embrassée. C'était violent, dur, moche et triste. Tellement triste, putain.

Le feu dévorait ma poitrine et je lui rendis son baiser avec encore plus de fureur, le désirant encore plus qu'il ne pourrait jamais me désirer. Nous arrachâmes les vêtements l'un de l'autre, sachant que c'était une suspension de temps vitale. C'était l'occasion de réduire nos esprits au silence et d'extirper la douleur de nos âmes. Il me prit dans ses bras et me souleva de terre pour m'adosser au piano.

Prenant ma main, il la fit glisser sur son membre dressé. Je le caressai en même temps qu'il me touchait, sans jamais nous quitter des yeux.

Toucher.

Lécher.

Sucer.

Oui...

Il sortit un préservatif de sa poche et l'enfila avant d'écarter mes genoux. Lorsqu'il me pénétra, je criai de plaisir, de félicité, de la plus profonde des douleurs. Ses doigts se plantaient dans ma peau tandis que les miens s'agrippaient dans son dos. Je m'accrochais à lui alors qu'il me pénétrait plus profondément, faisant trembler mon corps sous son poids. Nos mouvements rythmés faisaient sonner les touches du piano, et les sons s'harmonisaient avec notre désir, notre besoin, notre confusion et nos peurs. Il allait et venait en moi, et je le suppliai de continuer. Nous étions si fracassés. Nous étions si usés par la vie que nous menions. Mais, ce soir, nous faisions l'amour avec les morceaux épars.

Ce fut intense, ce fut sacré, ce fut bouleversant.

Il y eut des hauts, il y eut des bas.

Oh, mon Dieu. Cela semblait si mal, et en même temps toujours juste.

Il m'avait manqué.

Nous nous étions manqué.

Tellement.

Quand il s'en alla, il ne dit pas un mot.

Quand il s'en alla, j'espérai qu'il reviendrait le lendemain.

29

LOGAN

Je faisais la cuisine depuis l'âge de cinq ans. Ma mère me laissait tout seul à la maison avec une boîte de soupe, alors il a bien fallu que j'apprenne à utiliser un ouvre-boîte et la cuisinière pour la réchauffer moi-même. Quand j'ai eu neuf ans, je me faisais des pizzas individuelles avec de la pâte faite maison, en mettant du ketchup et des tranches de fromage en guise de garniture. Avant d'atteindre l'âge de treize ans, je savais farcir et rôtir un poulet entier.

Alors, en voyant Jacob assis en face de moi les sourcils froncés, j'étais un peu perturbé. Nous nous étions assis dans un box au Bro's Bar and Grill et j'avais posé mon plat de risotto aux champignons et à la saucisse devant lui. Le restaurant n'était pas encore ouvert, et c'était la deuxième fois qu'il me faisait asseoir en face de lui avec une entrée.

– Hum... murmura-t-il en prenant sa cuiller pour piocher une grosse bouchée de risotto.

Je l'observai mâcher avec lenteur, le visage impassible tandis qu'il cherchait à se faire une opinion, comme pour savoir si mon plat était assez bon pour me permettre de travailler dans sa cuisine.

– Non, dit-il d'une voix sans émotion. Ça ne va pas.

– Tu rigoles ?

J'étais ahuri et vexé.

– C'est avec ce plat que j'ai réussi à l'école de cuisine. C'était mon plat pour le diplôme final.

– Eh bien, tes professeurs n'étaient pas à la hauteur, alors. Je ne sais pas comment ils font les choses dans l'Iowa, mais ici dans le Wisconsin, nous aimons la cuisine qui a réellement bon goût.

– Va te faire foutre, Jacob.

Il sourit.

– Reviens la semaine prochaine avec un autre plat. On verra ce que ça donne.

– Je ne vais pas continuer à t'apporter des plats pour que tu les dégommes les uns après les autres. C'est ridicule. Je peux cuisiner les plats qui sont sur ta carte. Donne-moi ce boulot, c'est tout.

– Logan. Je t'aime. Vraiment. Mais non. J'ai besoin que tu cuisines avec ton cœur !

– Je cuisine avec mes mains !

– Mais tu n'y mets pas de cœur. Reviens quand tu auras trouvé.

Je lui fis un doigt d'honneur. Il rit de plus belle.

– Et n'oublie pas. Tu me dois toujours cette recette de masque capillaire !

* * *

– Alors, comment ça se passe pour toi, ce retour au bercail ? me demanda Kellan alors que nous étions assis à la clinique où il subissait sa troisième séance de chimio.

Je détestais cet endroit, parce qu'ici son cancer paraissait trop réel pour moi. Mais je faisais de mon mieux pour ne pas laisser paraître mes craintes. Il avait besoin que je sois le frère qui le soutenait et pas le mec faible que je me sentais devenir.

J'avais du mal à regarder les infirmières lui brancher toutes sortes d'intraveineuses dans les bras. Le voir grimacer de douleur par moments m'était pratiquement insupportable. Mais dans l'ensemble, j'essayais de me comporter normalement.

– Ça va. À part que Jacob est un vrai connard. Il a dit que je devais perfectionner trois plats pour qu'il accepte de m'engager pour travailler dans sa cuisine.

– Cela me semble normal, dit Kellan.

Je levai les yeux au ciel.

– Je suis un super-cuisinier ! Tu le sais bien.

– Ouais, mais pas Jacob. Tu n'as qu'à essayer plusieurs plats différents à la maison. Ce n'est pas un problème.

Il avait raison, ce n'était pas un problème, mais quand même c'était énervant de voir que Jacob m'avait proposé ce boulot dès mon arrivée ici, mais que maintenant il y mettait des conditions.

– Qu'est-ce que ça t'a fait de revoir Alyssa ? demanda Kellan en fermant les yeux. Ça a dû te faire bizarre.

– Tu veux dire avec ou sans ses vêtements ?

Il ouvrit brusquement les yeux, stupéfait.

– Non ! *Ne me dis pas que tu couches avec Alyssa* ? dit-il à voix basse.

Je haussai les épaules, les mâchoires serrées.

– Peux-tu définir « coucher » ?

– Logan !

– Quoi ?!

– Pourquoi ? Pourquoi couches-tu avec Alyssa ? C'est une très mauvaise idée. C'est une idée épouvantable, complètement folle. Je croyais que tu avais l'intention de l'éviter à tout prix pour ne pas replonger. Bon Dieu ! Tu as vraiment couché avec elle ? Mais comment c'est possible ?

– Eh bien, tu vois, c'est quand deux personnes enlèvent leurs vêtements...

Je me mis à sourire.

– Ta gueule ! Je faisais déjà l'amour quand tu portais encore des sous-vêtements avec des super-héros dessus. Non mais, comment est-ce arrivé entre vous ?

Je ne pouvais pas lui dire que j'étais allé la voir quand je craquais, parce qu'il se sentirait très mal de savoir que j'avais eu un moment de faiblesse. Mais je ne voulais pas lui mentir. Alors, je lui dis la vérité.

– Elle représente la maison pour moi.

Il me lança un sourire niais.

– Après tout ce temps, après tout ce que vous avez traversé tous les deux, c'est toujours là, hein ?

– C'est seulement pour le cul, Kellan. Et nous ne l'avons fait qu'une fois. Pas d'engagement. Pas de liens. Rien qu'un moyen de s'aérer la tête.

– Non. Ça n'a jamais été qu'une question de cul entre vous. Je dois dire que ça me plaisait de vous voir ensemble tous les deux. Erika détestait, mais moi j'adorais.

– À propos d'Erika, pas un mot. Ça la ferait flipper.

– Qu'est-ce qui me ferait flipper ?

Erika entra dans la chambre portant un café dans une main et un bouquin de cours dans l'autre. Elle prenait des cours du soir pour son master, et quand elle ne s'occupait pas de Kellan, elle avait la tête dans un bouquin. Et même parfois, tout en s'occupant de Kellan, elle avait la tête dans un livre.

– Sans le faire exprès, j'ai cassé une de tes soucoupes, je mentis.

Elle leva les yeux de son livre.

– Quoi ?!

– Désolé.

Elle me posa un tas de questions pour connaître tous les détails de l'incident avec l'assiette que je n'avais pas réellement cassée, et Kellan me fit un sourire satisfait avant de fermer les yeux pour la fin de sa chimio.

* * *

Trente-six heures après sa chimio, Kellan était déterminé à jouer dans un bar. Erika et moi essayâmes de l'en dissuader, mais il ne voulut rien savoir, arguant qu'il ne pouvait pas laisser tomber son rêve. Il portait en permanence une casquette de base-ball noire destinée à dissimuler la preuve qu'il perdait ses cheveux, mais je n'étais pas dupe.

Mais on n'en parlait jamais.

Kellan respirait avec difficulté lorsque nous allâmes de la maison à la voiture, comme si ces quelques pas étaient mortels pour lui. Cela m'inquiéta beaucoup.

– Vous voyez ?

Il prit une profonde inspiration suivie d'une expiration encore plus profonde. Erika l'aida à monter dans la voiture.

– Je vais bien.

Erika grimaça avant de lui adresser un sourire sans joie.

– Tu t'en sors vraiment très bien. Je suis impatiente d'être plus vieille de quelques semaines pour voir les effets de la chimio, parce que je sais qu'elle marche. J'en suis sûre. Et je suis très contente que nous continuions à vivre normalement. Que tu continues à jouer de la guitare dans les bars. Les médecins disent que la routine, c'est important. C'est bon. Tout ça, c'est bon.

Erika répétait ça en boucle, et je posai une main réconfortante sur le dossier du siège passager où Kellan était assis.

Il m'adressa un pâle sourire dans le rétroviseur.

Nous n'avions fait que quelques pâtés de maison quand nous dûmes arrêter la voiture au bord du trottoir. Kellan bondit de son siège et commença à vomir dans le caniveau. Erika et moi nous précipitâmes à ses côtés en le soutenant pour qu'il ne s'écroule pas.

Ce cancer devenait de plus en plus réel chaque jour.

Je le haïssais.

Je détestais tout de cette maladie dégoûtante. La façon qu'elle avait de prendre les personnes les plus fortes du monde pour en faire des êtres faibles. La façon dont elle ne se contentait pas de toucher les êtres qui vous étaient chers, mais les suçait jusqu'à la moelle.

S'il avait existé une pilule magique capable de lui ôter toute cette douleur pour la transférer sur moi, je l'aurais prise tous les jours de ma vie.

Mon frère ne méritait pas d'être confronté à cette lutte qu'il menait actuellement. Aucun être humain ne méritait ça. Je ne le souhaiterais pas à mon pire ennemi.

Nous l'avons aidé à remonter dans la voiture et sommes rentrés directement à la maison. En arrivant, Erika et moi avons dû le soutenir pour qu'il marche jusque dans sa chambre.

– Je vais bien, disait-il d'une voix épuisée. J'ai juste besoin de sommeil. J'aurais dû fixer une date plus éloignée de la chimio pour ce concert. C'était stupide.

– Je vais travailler dans le salon, appelle-moi si tu as besoin de quoi que ce soit, d'accord ? dit Erika en l'aidant à s'allonger et en le recouvrant d'une couverture.

Elle l'embrassa sur le nez et il ferma les yeux.

– Ok.

Elle sortit de la pièce et je m'attardai un peu auprès de lui en regardant sa poitrine se soulever et s'abaisser. Il avait l'air si frêle, ça me rendait malade. *Qu'est-ce que je peux faire pour t'aider ? Qu'est-ce que je peux faire pour que ça aille mieux ?*

– Je vais bien, Logan, dit-il comme s'il pouvait lire dans mes pensées.

– Je sais, c'est juste que... je m'inquiète, c'est tout.

– Ne t'en fais pas. Je vais bien.

Je haussai mon épaule gauche. *Je t'aime, frangin.*

Il haussa son épaule droite, comme s'il m'avait vu faire, même avec les yeux fermés.

– Je vais sortir un moment. Dis à Erika de m'appeler si tu as besoin de quelque chose.

– Tu sors t'acheter des cookies ? Un petit milk-shake ? Ou pour des activités plus adultes avec une fille prénommée Alyssa ?

– Ferme-la, Kellan, je dis en riant.

Mais, oui. C'était exactement là que j'allais.

30

ALYSSA

La première fois, je l'avais trouvé devant ma porte. En se passant les mains dans les cheveux, il m'avait dit de ne pas l'inviter à entrer. Puis il était revenu le lendemain, et le jour suivant. J'aurais aimé connaître les pensées qui l'agitaient tous les jours. À quoi ressemblaient ses rêves éveillés et ce que contenaient ses cauchemars. Mais puisque nous ne parlions pas, il me faudrait interpréter le langage de son corps pour m'en faire une idée moi-même. Lorsque ses parents l'avaient mis en colère, il était brutal. Quand il était affligé à cause de Kellan, son corps s'attardait un peu plus longtemps contre le mien.

Je fis un pas de côté pour le laisser passer. Il entra. Cette fois, nous ne dépassâmes pas l'entrée. Il arracha mes vêtements et je déchirai les siens. Il me souleva contre la porte du placard de l'entrée et m'empoigna par les cheveux en même temps que j'emmêlais mes doigts avec les siens. Je croisai les jambes fermement autour de sa taille et il me pénétra sans préambule. Le choc se répandit par vagues dans mon corps, m'arrachant son nom dans un gémissement quand il commença ses coups de boutoir, de plus en plus violents. J'étais à la limite de défaillir contre lui. D'une main, il agrippa mon dos et, de l'autre, écrasa mes seins tout en me pénétrant de plus en plus profondément à chaque balancement de ses hanches.

Ressentir.

Goûter.

Sucer.

Baiser...

Petit à petit, cette routine était devenue une addiction pour nous. Il arrivait, je le faisais entrer. La passion était notre drogue, et nous étions accros à ses apogées.

Je dis son nom dans un cri et il prononça le mien en grognant, nous fûmes entraînés dans un tourbillon de poussées, de halètements, d'étreintes et de soupirs.

Nous reprîmes notre souffle lorsqu'il me reposa sur le sol. Mais, cette fois, au lieu de s'en aller, il se dirigea vers le salon.

– Qu'est-ce que tu fais ?

Je le regardai parcourir le couloir en direction de ma chambre.

– Remets tes vêtements.

– Quoi ? Pourquoi ?

– Pour que je puisse te les enlever de nouveau.

31
LOGAN

High, mon plus beau trip, putain...

32

ALYSSA

Mon Lo, si douloureux...

33

LOGAN

– Elle est sortie, dit une voix d'un ton aimable.

Cela faisait quelques minutes que je frappais à sa porte, attendant qu'elle me fasse entrer, sans obtenir de réponse.

– Elle travaille au piano-bar Chez Red, ce soir. Elle doit y jouer tous les soirs cette semaine.

– Ah, je vois. Merci.

La voix était celle d'une femme dans la soixantaine, aux cheveux argentés qui pendaient dans son dos. Assise dans un rocking-chair sous le porche de la maison voisine, elle lisait en chantonnant. Au moment où je commençai à descendre les marches, la femme s'adressa à moi de nouveau.

– Alors, quelles sont vos motivations en ce qui concerne Aly ?

– Je vous demande pardon ?

– Approchez, m'ordonna-t-elle en refermant son livre et en me faisant un signe de la main.

Je la rejoignis sous son porche et m'assis à côté d'elle.

– Je m'appelle Lori. Cette fille qui habite à côté, je la connais depuis des années. J'ai servi plus de pancakes avec elle qu'avec n'importe qui d'autre. Un tas de types se jettent à ses pieds tous les jours et elle ne leur accorde même pas un regard. Mais voilà que ce mystérieux garçon arrive en ville, et elle perd la tête. C'est quoi le truc avec vous ?

– Elle et moi étions vraiment très proches autrefois. Il y a cinq ans environ.

– Ah, murmura-t-elle en hochant la tête. Vous êtes Logan. Le garçon du carton.

– Pardon ?

– Sous son lit, il y a un carton. Et il n'y a que vous dedans. Des souvenirs, des talismans. Le seul garçon qu'elle n'arrive pas à jeter, apparemment.

Elle prit dans ses doigts le médaillon qui pendait à son cou.

– Je connais ça.

– Je suis sûre qu'elle a tourné la page sur ce qu'il y avait entre nous à cette époque-là. Elle me l'a dit.

Lori haussa un sourcil et inclina la tête.

– Les hommes sont idiots.

Je me mis à rire.

– C'est comme ce type, Dan. Un beau garçon. Cela fait des années qu'il vient au restaurant toutes les semaines pour tenter sa chance auprès Alyssa, eh bien aujourd'hui je l'ai vue décliner officiellement sa proposition. Je sais qu'elle l'a fait parce qu'elle a des sentiments pour vous.

Je ne savais pas trop quoi répondre à ça, alors je gardai le silence tandis que Lori continuait.

– Mais que les choses soient claires, jeune homme. Alyssa n'est pas une drogue. Elle n'est pas *votre* drogue.

Je haussai les sourcils, et un petit sourire narquois flotta sur ses lèvres.

– Vous pensiez pouvoir disparaître pendant cinq ans et qu'Alyssa ne parlerait pas de vous de temps en temps ? Elle m'a parlé de votre histoire avec la drogue et de la façon dont vous en êtes sorti. Et je vous en félicite. Mais, mon cher, vous ne pouvez pas revenir ici et vous servir d'elle comme vous le faites. Elle n'est pas un produit que vous pouvez consommer pour oublier votre existence perturbée. C'est une jeune femme, douce et attentionnée, qui est toujours folle d'un garçon. Et ce que vous faites est égoïste. Ce qu'elle fait est égoïste aussi. Vous voyez, vous n'allez jamais arrêter de consommer, et elle ne va jamais arrêter de donner. Vous êtes accro tous les deux. Vous vous embrasez mutuellement, et c'est comme si vous étiez insensible à la brûlure. Si elle compte un tant soit peu pour vous, vous devez arrêter ça tout de suite. Si son cœur compte un tant soit peu à vos yeux, vous devez arrêter de le faire voler en éclats. Quoi que vous fassiez tous les deux, ce n'est peut-être qu'un petit jeu pour vous, mais pour elle, c'est beaucoup plus. C'est tout ce à quoi elle n'a cessé de penser ces dernières années. Si, au final, vous brisez le cœur de mon amie, moi je vous briserai tous les doigts et tous les orteils, un par un, vous pouvez me croire.

Je ris encore, mais cette fois le regard sévère qu'elle me décocha m'arrêta net. Je déglutis avec difficulté.

– Ok.

– En tout cas, vous feriez bien de vous dépêcher de rentrer chez vous, dit-elle en rouvrant son livre.

Il paraît qu'il va y avoir un gros orage dans les heures qui viennent.

Je levai les yeux, de gros nuages noirs bloquaient la lumière de la lune. Je me levai, remis les mains dans mes poches et remerciai Lori pour la conversation.

***

Le lendemain, Kellan me demanda de les accompagner, lui et Erika, à sa séance de thérapie, et je ne vois pas comment j'aurais pu dire non. J'étais prêt à faire tout ce qu'il me demandait. La seule occasion que j'avais eue de parler à un thérapeute, c'était pendant mon séjour au Centre de repos et de désintoxication Saint Michael. Nous avions des sessions individuelles et des sessions de groupe. Au début je détestais ça, mais au bout d'un moment, cela m'aidait. Et puis, parfois, je recommençais à détester ça.

J'étais assis à côté de mon frère et de sa fiancée dans le bureau du docteur Yang, et je sentais monter la tension. Avant de quitter la maison, Kellan et Erika s'étaient chamaillés pour des détails idiots – un tube de dentifrice laissé ouvert sur l'étagère de la salle de bains, un café à moitié bu, les livres d'Erika étalés sur la table de salle à manger. Je ne les avais jamais vus se disputer auparavant, alors cela faisait un peu bizarre.

– Merci d'être venu aujourd'hui, Logan. Je sais que c'est important pour votre frère que vous soyez présent.

– Ouais, c'est normal.

Je tapotai la jambe de Kellan. Il me fit un sourire forcé.

– Je ferais n'importe quoi pour ce mec.

Le docteur Yang acquiesça d'un air satisfait.

– Je pense qu'il est important de faire le point de temps en temps. Je sais qu'Erika a dit que vous vous étiez installé chez eux, et je crois que c'est une bonne chose pour Kellan. C'est toujours bénéfique d'avoir de la famille autour de soi. Alors, si nous commencions par voir comment ça va pour chacun d'entre vous. Kellan, vous commencez ?

– Je vais bien.

– Il a perdu un peu d'appétit. Et, dernièrement, il m'a semblé un peu maussade, intervint Erika.

– Je vous rassure, c'est tout à fait normal, vu les circonstances, dit le docteur Yang.

– Je ne suis pas grognon, aboya Kellan.

Erika fronça les sourcils.

– Tu m'as crié dessus, hier, Kellan.

– Tu prenais ma température à trois heures du matin, pendant que je dormais.

– Tu avais l'air d'avoir froid, murmura-t-elle.

– Et vous, Erika, comment allez-vous ? Je sais que nous avons parlé de la façon dont vous gérez votre stress en brisant des objets, parfois...

– Oui. Mais je vais mieux.

Kellan se mit à rire.

– Je te demande pardon ?

Erika haussa un sourcil en regardant mon frère.

– J'ai dit quelque chose de drôle ?

– Il y a sept lampes neuves dans notre armoire pour une qui a été cassée. Tu deviens dingue.

Waouh. C'était sévère.

Les joues d'Erika rougirent de honte et elle baissa les yeux pour examiner ses chaussures.

Le docteur Yang écrivit quelque chose dans son carnet avant de se tourner vers moi.

– Et vous Logan ? Pensez-vous qu'Erika gère la maladie de Kellan de la meilleure façon possible ?

Erika souffla d'un air vexé.

– D'accord. Parce que c'est à un drogué qu'on demande de me juger !

Ça aussi, *c'était sévère.*

Je me redressai sur mon siège et jetai un coup d'œil à Kellan et Erika avant de répondre. Ils avaient l'air épuisés tous les deux. Ils me faisaient penser à ma mère. Kellan s'accrochait aux bras de son fauteuil et Erika luttait pour retenir ses larmes.

Je m'éclaircis la voix.

– Est-ce que je trouve étranges les crises de nerfs d'Erika au cours desquelles elle casse des objets pour les racheter ensuite ? Oui. Est-ce que je trouve qu'elle porte des jugements sur les personnes qui ne sont pas ou ne pensent pas exactement comme elle ? Absolument.

Je sentis bien qu'Erika me fusillait du regard, mais je poursuivis.

– Mais elle l'aime. Elle range derrière moi. En râlant, mais elle le fait quand même. Parce qu'elle fait tout ce qu'elle peut pour qu'il se sente bien. Peut-être qu'elle ne gère pas au sens ou vous, Kellan ou moi l'entendons. Peut-être même pas de la meilleure façon possible. Mais elle fait tout ce qu'elle peut. Elle se réveille le matin et s'efforce de faire du mieux qu'elle peut. Je ne suis pas sûr, moi, d'avoir déjà fait tout ce que je pouvais...

Je baissai les yeux vers l'élastique autour de mon poignet.

– Mais j'essaie. Pour ces deux-là, j'essaie de faire de mon mieux. Et c'est tout ce qu'on peut faire, en fait. Quand j'étais au centre de cure dans l'Iowa, il y avait ces citations de Ram Dass[10] dans toutes les pièces. Dans le hall principal, il y avait une citation sur le mur qui disait « *Tous, nous ne faisons rien d'autre que nous raccompagner les uns les autres à la maison*[11]. » Je n'en avais jamais vraiment compris le sens jusqu'à maintenant. Parce qu'en fin de compte, nous sommes tous paumés. Nous avons tous des failles. Nous avons tous des cicatrices. Nous sommes tous brisés. Nous essayons tous de trouver un sens à cette chose qu'on appelle la vie, vous voyez ? Parfois, on se sent terriblement seul, mais c'est là qu'on pense à sa tribu de cœur. Ces personnes qui vous détestent parfois, mais qui vous aiment toujours, quoi qu'il arrive. Ces personnes qui sont là, en dépit de toutes les fois où on a déconné et où on les a repoussés. C'est ça, votre tribu. Ces personnes, ces batailles, constituent ma tribu. Alors oui, on va s'effondrer, mais on s'effondrera ensemble. Nous nous relèverons, ensemble. Et à la fin de toutes ces conneries, de toutes ces larmes, de toute cette douleur, nous ferons quelques pas ensemble. Puis, après quelques inspirations profondes, nous nous raccompagnerons mutuellement à la maison.

* * *

Après le rendez-vous, Kellan et Erika rentrèrent chez eux pour se reposer, et je me baladai en ville toute la journée, jusqu'au soir où je me retrouvai devant l'entrée du piano-bar Chez Red. Un tableau noir devant la porte annonçait qu'Alyssa s'y produisait ce soir-là, et je fus

10. Professeur de psychologie à Harvard, fondateur de plusieurs centres consacrés à la spiritualité.
11. « *We're all just walking each other home.* »

soulevé par une vague de fierté. *Elle le fait. Elle fait ce qu'elle aime.*

Je décidai de rester au fond de la salle, à l'abri du regard d'Alyssa. Elle était assise au piano, ses doigts couraient d'un bout à l'autre du clavier, emplissant le bar d'une mélodie magnifique que trop peu de gens dans le monde auraient la chance d'entendre. J'écoutai attentivement toutes les chansons, l'une après l'autre, qui me remirent en mémoire le talent exceptionnel d'Alyssa.

Au moment d'entamer la dernière chanson, elle se tourna vers le micro posé à côté d'elle et s'adressa au public d'une voix douce.

– Je termine chaque récital par une chanson qui est chère à mon cœur. Il y a beaucoup de mon âme dans les paroles, et elle me ramène toujours à une époque où j'aimais un garçon, autrefois... Et l'espace de quelques respirations, de quelques chuchotements, de quelques instants, je crois qu'il m'a aimée, lui aussi. Voici « Life Support », de Sam Smith.

Ma poitrine se serra, et je me redressai sur mon siège.

Ses doigts dansaient sur le clavier et je la regardai bouger comme si elle faisait corps avec le piano. C'était comme si elle n'était plus que le vecteur consentant de l'art. Je ne pouvais pas imaginer qu'elle puisse devenir plus étonnante à mes yeux. Ni ce qu'elle aurait pu faire de plus pour me surprendre.

Mais c'est alors qu'elle ouvrit les lèvres.

Les paroles s'échappaient de ses lèvres avec une facilité déconcertante. Elle ferma les yeux, s'abîmant dans les paroles, dans les sons, en elle-même, dans nos souvenirs.

J'étais honoré d'assister à un tel moment. Les larmes filtraient entre ses paupières closes et ses épaules se balançaient au rythme des sons qu'elle modulait elle-même. Il y a quelque chose de différent chez tous les artistes, de par le monde. On pourrait dire qu'ils ressentent les choses différemment, plus profondément, peut-être. Ils voient le monde en couleur, alors que la plupart d'entre nous ne le voient qu'en noir et blanc.

Ma vie était en noir et blanc avant qu'Alyssa n'y fasse irruption.

Mes pieds me menèrent plus près de la scène, et je me tins en face d'elle pour écouter les mots que je lui murmurais à l'oreille quand nous étions plus jeunes. Elle était si belle, si libre quand elle jouait. Quand elle se laissait aller, elle offrait à toutes les personnes autour d'elle la chance de se sentir aussi libres qu'elle. Durant ces quelques instants où elle chanta, j'eus la sensation que les chaînes de la vie avaient disparu. J'étais libre avec elle.

Je veux bien admettre que c'était super de la part de Lori de la protéger comme elle le faisait, mais elle ignorait qu'Alyssa était tout pour moi. C'était la fille de mon cœur. Même si, en grande partie, je m'efforçais de nier les sentiments que je lui portais, quelque part j'étais toujours torturé par le désir, le besoin, l'amour qu'elle seule était capable de susciter dans mon âme.

Alyssa acheva sa chanson, remercia puis se tourna vers le public. Je n'avais pas changé de place. Ses beaux yeux se posèrent sur les miens, écarquillés. Elle inspira profondément, puis expira en frissonnant légèrement. Elle vint vers moi d'un pas mal assuré. En nous tenant l'un en face de l'autre, nous échangeâmes un sourire combiné à un froncement de sourcils.

– Salut, dit-elle.

– Hey.

Un autre sourire mélangé à un autre froncement de sourcils.

– Tu veux bien que je te raccompagne chez toi ?

– D'accord, dit-elle.

En sortant du bar, nous vîmes qu'il pleuvait toujours. Alyssa partagea avec moi son parapluie à pois pendant tout le trajet jusque chez elle.

– Tu as été fantastique, Alyssa. Meilleure que je t'ai jamais entendue jusqu'ici. Meilleure que tous ceux que j'ai entendus jusqu'ici, en fait.

Elle ne dit rien, mais les coins de ses lèvres se soulevèrent dans un sourire.

Une fois arrivés devant chez elle, elle ouvrit la bouche pour m'inviter à entrer, mais je secouai la tête.

– Je ne peux plus faire ça.

La déception se lut dans ses yeux bleus. Puis la gêne lui fit monter le rouge aux joues.

– Ah bon, ok. Ça ne fait rien.

Je voyais bien que mes mots simples l'avaient blessée.

J'étais si fatigué.

La journée avait été si longue.

Une longue vie.

Une vie longue et fatigante.

– J'ai replongé, Alyssa.

Je me passai les doigts sur le front. Dans ses yeux, l'inquiétude succéda instantanément à la gêne.

– Quoi ? Que s'est-il passé ? Comment ? Avec quoi ?

Je haussai les épaules et baissai la voix :

– Avec toi.

– Quoi ?

– Je suis revenu, et ma vie a été bouleversée. J'étais de retour dans mon passé, sauf que cette fois c'était pire encore parce que mon frère était malade, et je me suis tourné directement vers mon plus beau trip pour m'aider à trouver dans l'oubli un moment de répit. Je me suis tourné vers toi. Tu as toujours été mon havre de paix, High. Tu as été pour moi un moyen d'échapper à toute la merde qui m'entourait. Mais ce n'est pas juste, ni pour toi ni pour moi. Je veux m'en sortir, être clean. Je veux être capable de me relever et ne plus éprouver ce besoin d'oublier, ce qui veut dire que je ne peux pas replonger et que nous ne pouvons pas continuer comme ça. Nous ne pouvons pas continuer à coucher ensemble. Mais j'ai besoin de *toi.*

– Lo...

– Attends. Laisse-moi aller jusqu'au bout, parce que cela tourne dans ma tête depuis trop longtemps. Je sais que je ne suis plus le garçon que j'étais autrefois, mais certains côtés de ce gars subsistent encore en moi. Et je sais que nous avons dit que le sexe serait sans conséquences, mais je crois que nous savons, l'un comme l'autre, qu'il n'en est rien, qu'au contraire il a beaucoup d'importance pour nous, et c'est pour cela que nous ne pouvons pas continuer. Mais j'ai besoin de toi. J'ai besoin que tu sois mon amie. La vie a toujours été dure pour moi. Tout dans la vie a contribué à m'endurcir. Tout, à part toi et Kellan.

Et je sais que c'est égoïste de ma part de te demander ça maintenant. Je sais que c'est égoïste parce que j'ai besoin de quelqu'un pour me soutenir au moment où j'essaie de soutenir mon frère, mais j'ai besoin de toi. J'ai besoin que tu sois mon amie à nouveau, mais rien de plus, parce que je ne veux pas te faire souffrir encore. Je ne peux pas être avec toi, mais j'ai besoin de toi. *J'ai besoin de toi.* Nous ne parlerons pas du passé. Nous ne nous inquiéterons pas pour l'avenir. Mais nous serons nous, amis tout simplement. Ici et maintenant. Si tu es d'accord ? Parce que je ne ris plus, et ça me manque. Je riais toujours avec toi. Je ne parle plus, et ça me manque. Je pouvais toujours te parler. Tu me manques. Alors, je me demandais, pourrions-nous redevenir amis ?

Elle s'appuya contre le montant de la porte, apparemment perdue dans ses pensées, puis un sourire apparut sur ses lèvres.

– Nous n'avons jamais cessé d'être amis, Logan. Nous étions seulement dans une espèce de temps suspendu assez étrange.

34

ALYSSA

Alors que les tensions finissaient par s'apaiser entre Logan et moi tandis que nous trouvions notre voie vers une amitié renouvelée, les turbulences commencèrent à s'accumuler entre Kellan et Erika. Une fois, en fin de journée, après une visite mouvementée chez le médecin, ils sont arrivés à la maison en pleine dispute, alors que j'étais assise sur leur canapé en train de disposer les médicaments de Kellan qu'Erika m'avait demandé d'aller chercher à la pharmacie. J'étais chez eux depuis quelques jours, juste pour les aider à gérer le quotidien. Et puis, j'étais plus inquiète pour Kellan que je ne voulais l'admettre.

– Tu ne m'écoutes pas ! cria Kellan en forçant sa voix.

– Si, je t'écoute. Ce que tu dis, c'est que tu ne veux plus m'épouser.

– Bien sûr que si, je veux t'épouser, Erika. Mais pour le moment, ce n'est pas raisonnable. Si je mourais, tu te retrouverais avec tous les problèmes sur les bras. Toutes les factures, tout le...

– Je m'en fiche !

– Eh bien, pas moi !

– Pourquoi te comportes-tu comme ça avec moi ?

Erika se tourna vers moi.

– Alyssa, peux-tu dire à Kellan à quel point il est irrationnel ?

J'entrouvris les lèvres mais, sans me laisser le temps de parler, Kellan poursuivit,

– Ne mêle pas ta sœur à ça !

Je refermai la bouche. Je serais bien rentrée chez moi, mais ils étaient au milieu de l'entrée et bloquaient la porte. Alors, je me fis toute petite dans le canapé en essayant de me rendre invisible.

Elle poussa un profond soupir.

– On en reparlera plus tard. On va se calmer d'abord. Demain, tu as ta chimio, alors nous ferions mieux de prendre un peu de repos avant.

– Tu ne viens pas, dit-il.

– Quoi ?

– J'ai dit que tu ne venais pas. Tu as raté ton dernier examen. Tu ne travailles plus autant que tu le faisais, et tu ne peux pas te permettre de prendre du retard. Je demanderai à Logan de venir avec moi.

– Pourquoi est-ce que tu m'exclus ?

Erika se tourna vers moi avec vivacité.

– Pourquoi m'exclut-il ?

J'ouvris la bouche pour répondre, mais une fois de plus, Kellan ne m'en laissa pas le temps.

– Arrête de la mêler à ça ! Tu ne viens pas à ma séance de chimio, c'est compris ?

– Et pourquoi ?

– Parce que tu m'étouffes ! cria-t-il plus fort que je l'avais jamais entendu. Tu m'étouffes avec tes questions, tes pilules, tes fichus projets de mariage et tes fichues lampes ! Je manque d'air, Erika !

Exaspéré, il agita les bras et renversa la lampe posée sur la petite table. Elle alla s'écraser sur le sol et le silence se fit dans la pièce. La culpabilité envahit les yeux de Kellan quand les larmes se mirent à couler sur les joues d'Erika. Tout déconfit, il s'approcha de ma sœur.

– Je suis désolé, c'est juste que...

Elle haussa les épaules.

– Je sais.

Soudain, Logan fit irruption dans la pièce, sortant de la salle de bains, une serviette de toilette autour de la taille, tout ruisselant d'eau. Ses cheveux dégoulinaient d'une espèce de décoction bizarre, verte et gluante, et ses yeux étaient élargis par la panique.

– Qu'est-ce qui se passe ? s'écria-t-il, affolé, en manquant glisser dans la mare d'eau qui se formait sous lui.

Il avait l'air si grave et en même temps si ridicule, que nous ne pûmes nous empêcher d'éclater d'un rire hystérique.

– C'est quoi, ce truc sur ta tête ?

Il plissa les yeux, décontenancé par notre hilarité.

– On est le troisième lundi du mois. C'est un masque à base d'œuf et d'avocat, pour une revitalisation en profondeur.

Nous rîmes de plus belle, et l'atmosphère de colère et de confusion qui planait dans la pièce quelques instants auparavant se transforma et devint tout à coup familiale et joyeuse.

– Vous savez ce qu'il nous faut ? dit Kellan en posant un petit baiser sur la joue d'Erika.

– Quoi ?

– Un petit break musical.

– C'est quoi, un break musical ?

Logan et moi avions parlé en chœur. Ils ne firent attention à nous ni l'un ni l'autre.

– Oh non, Kellan. La journée a été longue, protesta Erika. Et puis, tu l'as dit toi-même, je dois réviser...

– Si. On fait ça. Un break musical.

– Mais... grogna-t-elle.

– J'ai un cancer.

Elle resta bouche bée et lui frappa le bras.

– Tu me fais le coup du cancer ?

Son sourire s'élargit.

– Oui.

Je m'attendais à voir Erika lui hurler dessus, lui dire à quel point ses mots lui faisaient mal, mais au lieu de ça, elle lui sourit. Ils échangèrent des regards entendus qu'eux seuls pouvaient comprendre, et elle hocha la tête.

– D'accord. Une chanson. Mais une seule, Kellan.

Je n'avais jamais vu Kellan sourire de cette façon.

– Une seule chanson !

– Notre chanson, ordonna-t-elle.

Il sortit précipitamment, nous plantant là, moi en pleine confusion et Logan tout gluant. Puis il revint avec une paire de congas et deux bâtons de pluie. Il m'en tendit un et donna l'autre à Logan.

– Qu'est-ce que vous faites ? demanda Logan. Qu'est-ce que je suis censé faire avec ce truc ?

Erika regarda Logan comme si c'était un parfait demeuré. Elle lui prit le bâton de pluie des mains et le retourna de haut en bas, pour faire le bruit de la pluie. Elle le lui rendit.

– Voyons, Lo, dis-je d'un ton moqueur.

Il me fit un doigt d'honneur.

Les papillons voletèrent dans mon estomac.

Rien de nouveau sous le soleil.

Kellan s'installa devant les congas et commença à jouer. Il me fallut une seconde pour entrer dans le rythme de la chanson, mais une fois dans le coup, mon cœur fondit devant le genre d'amour qui unissait ma sœur et Kellan. Il jouait la chanson d'Ingrid Michaelson, « The way I Am ».

Leur chanson.

Kellan chanta le premier couplet à Erika qui sourit en se balançant de gauche à droite. Logan et moi les accompagnions avec les bâtons de pluie, et nous nous mîmes à danser avec Erika, tandis que Kellan tapait sur les congas.

Erika chanta le second couplet, et l'amour qu'elle partageait avec Kellan illumina la maison au fur et à mesure que les mots sortaient de ses lèvres. Des mots qui parlaient d'amour plus fort que la douleur, de soutien mutuel même quand on traverse les flammes de l'existence.

C'était très beau.

Quand on arriva au long passage instrumental, sans paroles, Logan prit ma main et celle d'Erika, et nous fit tourner, toujours vêtu de sa serviette, les cheveux toujours dégoulinants de liquide vert visqueux. Puis le silence se fit dans la pièce quand Erika entonna le dernier couplet – le couplet qui faisait monter les larmes aux yeux de tout le monde. Elle chanta les mots qui disaient qu'elle continuerait à l'aimer quand il aurait perdu tous ses cheveux, tout en passant les doigts dans les boucles de Kellan et en penchant son front contre ses lèvres. Il l'embrassa délicatement, et ils terminèrent le couplet d'une seule voix.

Le dernier bruit qu'on entendit fut le murmure du bâton de pluie de Logan.

– Waouh, dit-il, la main sur la bouche, les yeux fixés sur son frère et Erika. Vous êtes parfaits tous les deux, putain.

Erika se mit alors à rire doucement avant de regarder Kellan.

– Je ne veux pas t'épouser.

Il soupira.

– Mais si, tu le veux.

– Non. Enfin si. Mais pas avant que tu ailles mieux. Pas avant que tu sois guéri. Nous attendrons. Nous botterons le cul du cancer. Puis tu m'épouseras.

Il l'attira vers lui et l'embrassa avec passion.

– Je vais t'épouser, tu ne perds rien pour attendre.

– Un peu que tu vas le faire !

– Oh, pitié. Il y a des chambres pour ça, gémit Logan en levant les yeux au ciel. Bon, je vais aller rincer cette merde que j'ai sur les cheveux.

– À ce propos...

Kellan s'éclaircit la voix et plissa les yeux.

– Vous croyez que vous pourriez faire quelque chose pour moi, les gars ?

***

Logan secouait la tête avec dégoût.

– C'est une très mauvaise idée.

– Pour la première fois de ma vie je suis d'accord avec Logan, dit Erika en levant les bras, outrée.

– Moi je dis : vas-y, fonce.

Nous étions tous les quatre entassés dans la salle de bains. Je tenais une tondeuse dans la main.

– Merci Alyssa ! Enfin quelqu'un qui me soutient. Et d'abord, ma puce, dit-il en se tournant vers Erika avec un immense sourire, des tas de gens se rasent la tête de nos jours.

– Là, il n'a pas tort, dit Logan. C'est un peu ce que font tous les gens à Hollywood. Le crâne rasé, c'est très tendance.

– Eh bien, fais-le, toi, provoqua Erika en me prenant la tondeuse des mains pour la tendre à Logan.

Ses yeux s'arrondirent d'horreur, et il la menaça du doigt.

– Fais attention à ce que tu dis.

– N'empêche, Logan a raison. Des tas de vedettes se sont rasé la tête pour des rôles, dit Kellan pour calmer sa fiancée paniquée.

– Donne-moi des noms.

– Bryan Cranston ! je dis. Pour *Breaking Bad.*

– Joseph Gordon-Levitt l'a fait dans *50/50* ! lança Logan.

– Excusez-moi, mais est-ce qu'on pourrait éviter de nommer des acteurs qui jouaient des malades en phase terminale quand ils se sont rasé la tête ? demanda Erika.

Ça se défendait.

– Le Rock !

– Hugh Jackmann !

– Matt Damon !

– Jake Gyllenhaal, deux fois, s'exclama Logan.

– C'est vrai ? demanda Kellan. Deux fois ?

– Dans *Jarhead* et dans *End of Watch.*

– Ça, ça déchire !

Kellan hocha la tête et tendit le poing à Logan qui fit un check.

– Ça déchire grave !

Pauvres mecs.
– Hé, les gars.
Je me levai et démarrai la tondeuse.
– C'est l'heure.
Erika retint son souffle et se masqua les yeux.
– OK. Vas-y !
– Vas-y ! lança Kellan.
– Vas-y ! Vas-y ! psalmodia Logan.
Alors, j'y allai.

35

LOGAN

— Qu'est-ce que tu fais là ? demanda Alyssa quand elle ouvrit sa porte et qu'elle me trouva devant, avec une porte toute neuve et une caisse à outils dans les bras.

– Les quelques fois où je suis venu chez toi, je n'ai pas pu faire autrement que remarquer que ta maison avait besoin de quelques réparations.

– Qu'est-ce que tu racontes ? dit-elle en souriant. Cette maison est absolument parfaite.

Je haussai un sourcil, allai jusqu'à la rambarde de son porche que je soulevai, prouvant que rien ne la raccrochait à l'escalier. Elle rigola.

– Bon d'accord, elle n'est pas parfaite. Mais ce n'est pas non plus à toi de la réparer.

Elle se mordit la lèvre inférieure.

– Ne me dis pas que tu as une ceinture porte-outils ?

– Je porte effectivement une ceinture porte-outils, ce qui me donne le droit de faire des réparations. Alors, si tu pouvais t'écarter, s'il te plaît, et me laisser aller poser une porte à ta salle de bains, ce serait super.

Je passai les six heures qui suivirent à réparer des trucs chez elle, et elle m'aida à reclouer certaines choses à leur place. La dernière tâche que j'entrepris fut de monter sur le toit pour essayer de boucher quelques trous.

– Est-ce que tu sais ce que tu fais, au moins ? cria Alyssa d'en bas.

Elle refusait de monter sur le toit parce qu'ici, ce n'était pas comme au panneau publicitaire, il n'y avait pas de rail de protection.

– Évidemment que je sais ce que je fais.

– Où as-tu appris ?

Je me tournai vers elle et lui fis un sourire en coin.

– Une fois, j'ai regardé un documentaire sur le boulot de couvreur.

Elle écarquilla les yeux et agita les mains.

– Ça ne va pas, non ? Redescends, Logan Francis Silverstone. Immédiatement. Avoir regardé un documentaire ne suffit pas à faire de toi un professionnel.

– Non, mais la ceinture porte-outils, si !

– Logan.

– Alyssa.

– Lo.

– High.

– Descends tout de suite. Viens boire un verre d'eau. Je... j'engagerai quelqu'un pour vérifier l'état du toit, d'accord ? Comme ça, tu ne te sentiras plus obligé de le réparer.

Je rigolai et commençai à descendre les barreaux de l'échelle.

– Tant mieux. Parce que je n'avais pas la moindre idée de ce que je faisais.

Dès que mes pieds touchèrent le sol, elle me bouscula brusquement en plissant les yeux.

– Ne refais jamais ce genre d'idiotie, ok ?

– Ok.

– Juré craché ?

J'accrochai mon petit doigt avec le sien, en l'attirant vers moi. À ce simple contact, mon cœur se mit à battre la chamade et j'observai le tremblement de ses lèvres tandis qu'elle fixait ma bouche.

– Juré craché.

Nous étions tout près l'un de l'autre, de plus en plus près à mesure que le temps passait. Je sentis ses lèvres effleurer les miennes, mais nous ne nous embrassâmes pas. Simplement nous ne formions plus qu'un être, unique en quelque sorte, en absorbant le souffle l'un de l'autre.

– Lo ?

Je sentis son souffle sur ma peau.

– Oui ?

– Nous devrions nous écarter l'un de l'autre tout de suite.

– D'accord.

Elle hocha la tête et recula d'un pas.

– D'accord.

Elle se passa les doigts dans les cheveux et me fit un petit sourire pincé.

– Tu devrais aller te servir un verre d'eau ou un truc pour te rafraîchir. Tu as bossé comme un malade. Je vais faire un tour dans ma chambre pour souffler un peu.

J'acquiesçai et allai dans la cuisine pour prendre un verre d'eau. Je me demandais si elle éprouvait les mêmes sensations que moi chaque fois que nous nous trouvions si près l'un de l'autre. Je me demandais si, comme moi, elle aussi devait repousser cette sensation de manque.

Lorsque j'ouvris le réfrigérateur, je m'immobilisai en voyant tous les produits frais qu'il contenait.

– Tu es allée faire des courses ? je hurlai en direction de sa chambre.

– Ouais, hier.

Mon esprit se mit à carburer en voyant les légumes et les saucisses crues. Je fouillai dans ses placards.

– Ça t'embête si je prépare quelque chose vite fait ?

– Non, vas-y. Prends ce que tu veux, c'est là pour ça.

Génial.

Je me mis au travail, en attrapant les casseroles et les poêles. Quelques minutes plus tard, le bouillon de poule chauffait sur sa cuisinière et je hachais des champignons et de l'ail frais.

– Je dois reconnaître que quand tu as dit que tu voulais préparer quelque chose vite fait, j'ai cru que tu allais passer un truc genre cordon-bleu au micro-ondes, dit Alyssa en souriant.

– Excuse-moi.

Debout devant sa cuisinière, je faisais revenir la saucisse dans la poêle.

– Jacob m'a offert un boulot dans son restaurant. Mais il exige que je perfectionne trois plats avant de m'embaucher. Et il se montre particulièrement con avec ça, il refuse tout ce que je lui présente. Alors, j'aimerais tester une de mes préparations sur toi, si tu veux bien.

Ses yeux s'arrondirent de plaisir.

– Oh, la vache, cela fait une éternité que je n'ai pas mangé un plat cuisiné par Logan. Je serai ravie de te servir de cobaye. Qu'est-ce que tu nous prépares ?

– Un risotto.

– Ce n'est pas un peu long ?

– Si.

Elle ne savait pas que je l'observais du coin de l'œil, mais elle sourit. Je souris aussi de savoir qu'elle souriait

Nous parlâmes de tout et de rien et je ne quittai pas les fourneaux, remuant le riz avec le bouillon.

– Alors, tu songes à ouvrir un piano-bar ?

– Oui, j'y songe sérieusement. Tu te souviens quand on était gamins et qu'on en parlait ?

– LoAly ?

– *Alylo*, corrigea-t-elle en souriant. Ouais. Bien sûr, je ne l'appellerai pas comme ça vu que c'était, genre, notre truc à tous les deux, mais je ne sais pas. C'est juste un rêve, c'est tout.

– Un bon rêve que tu devrais réaliser.

Elle haussa les épaules, croisa les bras sur la table et posa la tête dessus.

– Peut-être. On verra. Mon pote Dan m'a montré différentes affaires qui pourraient convenir. Je sais que c'est prématuré de regarder les locaux disponibles, mais c'est amusant. Voir les endroits rend le rêve un peu plus réel.

Quand le risotto fut prêt, je le servis dans une assiette que je posai devant Alyssa. Le sourire fendu jusqu'aux oreilles, elle battait des mains comme une folle.

– Oh, la vache ! Je ne rêve pas ! C'est pour de vrai ! Logan, je disais que tu m'avais manqué, mais je crois que ta cuisine m'a encore plus manqué que toi.

– Très bien. Tiens, dis-je en lui tendant une cuiller. Mange pendant que c'est chaud.

Elle plongea la cuiller dans le plat et quand elle la porta à sa bouche et commença à mâcher, elle fronça les sourcils.

– Quoi ? Qu'est-ce qu'il y a ?

J'avais haussé le ton.

– Rien, mais ce n'est pas... fantastique ?

– Quoi ? On ne peut rien reprocher à ce plat.

Elle entrouvrit la bouche en hochant la tête.

– Si.

– Non. Il est parfait. Regarde, la saucisse est parfaitement cuite, les champignons sont sautés juste comme il faut, l'assaisonnement est remarquable. C'est un plat parfaitement réussi, putain !

Elle fronça les sourcils et haussa les épaules.

– Ouais, c'est pas mal. Pour un plat comme ça.

Je soufflai. *Pour un plat comme ça ?* Elle ne manquait pas de culot.

– Il n'y a rien à reprocher à ce plat.

– Si.

– Non.

– C'est...

Elle se mordit la lèvre inférieure, agita les mains et haussa les épaules une fois encore.

– ... insipide.

– *Insipide ?!*

– Fade.

– Tu dis...

Je pris une profonde inspiration.

– Tu viens de dire que ma cuisine est insipide ?

– Oui, parce que c'est vrai.

J'appuyai les mains sur le bord de la table et me penchai vers elle, terriblement agacé.

– Je cuisine depuis que j'étais gamin. J'ai fait ce plat pendant trois ans d'affilée à l'école de cuisine. Je pourrais même le faire en dormant et il serait encore assez goûteux pour être servi au Président. Ma cuisine n'est pas insipide. Ma cuisine est savoureuse et délicieuse. Et toi, tu es cinglée !

– Pourquoi est-ce que tu hurles comme ça ?

– Je n'en sais rien !

Elle se mit à rire, ce qui me donna immédiatement envie de l'embrasser.

– Logan... goûte toi-même.

Je lui pris la cuiller des mains. Je la plongeai dans le plat et enfournai une cuillerée de risotto. À l'instant où il toucha mes lèvres, je le recrachai dans l'assiette.

– Oh, purée, c'est dégueulasse !

Elle hocha la tête, l'air navrée.

– Quand j'ai dit que c'était sans intérêt, c'était pour être polie.

Mes épaules s'affaissèrent et je me laissai tomber par terre.

– Depuis quand je suis devenu nul en cuisine ? C'était la seule chose que je savais faire.

– Tu n'es pas nul. C'est probablement juste que tu as perdu ta passion. Ne t'en fais pas. Nous pouvons la retrouver. Si tu reviens demain, je t'aiderai à essayer de cuisiner autre chose. On essaiera tant que tu n'auras pas parfaitement réussi ces trois plats, de sorte que Jacob ne pourra pas les refuser.

– Tu ferais ça pour moi ?

– Naturellement.

Nous avons traîné ce soir-là, en mangeant le risotto dégoûtant et en nous rappelant ce que cela faisait d'être heureux ensemble. Pendant les deux semaines qui suivirent, je passai chez elle et nous avons cuisiné et cuisiné et cuisiné, jusqu'à ce que nous ayons trouvé trois plats qui soient divins. C'était agréable d'être avec elle, je me sentais libre. Nous parlions, nous riions et nous faisions des conneries. C'était comme si on se retrouvait toutes ces années en arrière, quand nous ne faisions que rire ensemble. Alyssa me conseilla pour perfectionner chacun de mes plats, et je lui en étais reconnaissant.

Je posai l'ultime gâteau au chocolat devant elle et elle gémit rien qu'en le voyant.

– Tu gémis de plaisir devant mon gâteau avant même de l'avoir goûté ?

– Absolument, je gémis de plaisir devant ton gâteau avant même de l'avoir goûté.

Elle ouvrit doucement les lèvres et j'attrapai une fourchette, piochai un morceau de gâteau et le lui glissai dans la bouche. Elle se mit à mâcher et ses gémissements s'amplifièrent.

– *Oh mon Dieu, Logan !*

Je rayonnai de fierté.

– Si j'avais gagné un dollar pour chaque fois que j'ai entendu ça !

– Tu aurais zéro dollar, zéro cent, dit-elle moqueuse. Non, sérieux, il faut que tu goûtes.

Mais au lieu de prendre une fourchette pour moi, elle plongea la main dans le gâteau et me l'écrasa sur le visage.

– Alors, il n'est pas bon ?

Elle gloussait comme une gamine de cinq ans alors que j'essuyais le chocolat de mes yeux, mon nez et ma bouche.

– Oh, ouais, il est super-bon. D'ailleurs, je parie que tu en veux encore.

Juste au moment où elle s'apprêtait à s'enfuir, je la saisis par la taille et l'attirai contre moi De ma main restée libre, je ramassai du gâteau et le lui fourrai dans la bouche. Elle poussa un cri aigu.

– Logan ! Je n'y crois pas, dit-elle en riant, frottant contre le mien son menton maculé de chocolat qu'elle étala sur ma barbe naissante.

– J'en ai jusque dans les cheveux !

– Moi, j'en ai jusque dans les narines ! répliquai-je en essayant du mieux que je pouvais de m'en débarrasser et en riant de l'entendre rire.

Nous continuâmes à rigoler un moment jusqu'à ce que cela s'arrête. Mon bras était toujours autour de sa taille, et quand nous nous tûmes, les battements de nos cœurs s'amplifièrent.

Je suis en train de tomber amoureux de toi.

Alyssa m'avait tellement manqué pendant toutes ces années que je faillis oublier pourquoi elle devait continuer à me manquer. *Parce c'est dangereux de m'aimer. Change de conversation.*

Je fis un pas en arrière en relâchant mon étreinte.

– Alyssa ?

– Oui ?

– Il y a une guitare dans ta chambre. Tu en joues ?

Elle agita la main.

– Plus ou moins. Cela m'aide quand je crée. Je me débrouille, mais cela n'a rien à voir avec ce que je fais au piano.

– Tu sais, Kellan n'arrive plus à jouer. Ses mains tremblent, et il oublie parfois ses paroles. Je vois bien que cela le mine.

Elle fronça les sourcils.

– Je ne peux qu'imaginer ce que ça doit lui faire. C'est horrible de ne pas pouvoir faire ce qu'on aime.

– Ouais. Je me demandais. Je sais que tu ne te trouves pas géniale, mais est-ce que tu pourrais m'apprendre ? Suffisamment, pour que je puisse jouer pour lui ?

– Enfin, je le retrouve !

Elle poussa un petit soupir.

– Tu retrouves quoi ?

– Je viens d'avoir une vision fugace du garçon que j'aimais autrefois.

36

LOGAN

La semaine suivante, je demandai à Alyssa de m'accompagner chez Jacob pour mon dernier examen de passage en cuisine. Étant donné qu'elle était l'inspiration qui m'avait guidé pour ce plat, je trouvais normal qu'elle soit à mes côtés quand Jacob m'enverrait bouler en me disant de revenir avec autre chose.

Rôti de canard croustillant accompagné d'une sauce à la framboise et au romarin, rattes rôties à l'huile d'olive et aux herbes, et choux de Bruxelles à l'ail.

Le cœur battant, j'observais Jacob qui mastiquait sans se défaire de son impassibilité coutumière. À côté, Alyssa tapait du pied nerveusement tout en mâchonnant le col de son T-shirt, ce qui me fit sourire. Je ne savais pas qui de nous deux était le plus angoissé à l'idée que le canard ne soit pas à la hauteur des attentes de Jacob.

– Il faut que tu trempes le canard dans la sauce ! intervint Alyssa avant de recommencer à mâchonner son T-shirt. Oh ! Et les choux de Bruxelles. Trempe les choux de Bruxelles dans la sauce à la framboise.

Il fit ce qu'elle lui disait, et je me recroquevillai. Il reposa sa fourchette, se renfonça dans le box, et un petit sourire apparut sur ses lèvres.

– Eh ben, putain de merde, c'est bon.

Je regagnai un peu d'assurance.

– Ouais ?

– Non. Ce n'est pas bon. Disons plutôt que c'est... extraordinaire. Genre, la meilleure chose que j'aie jamais mangée.

Il reprit une autre bouchée.

– Ah la vache ! Je ne sais pas ce que tu as mis dans ce plat, mais je veux que tu inscrives ça à mon menu tous les jours où tu viendras travailler.

– Donc... je suis engagé ?

– Continue à cuisiner comme ça et le restaurant est à toi, dit-il en rigolant.

Mais il redevint sérieux et pointa un doigt vers moi.

– C'était une blague. Ce restaurant n'est pas à vendre.

Je rigolai à mon tour.

– Eh bien, je me contenterai de la place de chef, pour l'instant.

J'étais tellement fier que j'avais l'impression que j'allais exploser. Alyssa, un sourire fendu jusqu'aux oreilles, tendit les bras et me saisit par les épaules.

– Je le savais, me murmura-t-elle à l'oreille. J'étais sûre que tu y arriverais.

J'inhalais l'odeur de son shampooing à la pêche.

– Très bien, les enfants, ça suffit. Sortez faire la fête ce soir. Logan, tu commences lundi.

Lorsque nous nous levâmes, Jacob tendit le bras pour me serrer la main, mais je le pris dans mes bras et le fis tourner en rond avant de l'embrasser sur le front.

– Merci, Jacob.

– De rien, mon pote.

Juste comme nous partions, Alyssa et moi, je marquai un temps d'arrêt.

– Au fait, Jacob, attends.

Je mis la main dans ma poche arrière et en sortis un morceau de papier sur lequel j'avais noté la recette de mon masque capillaire.

Il se mit à ricaner.

– Tu attendais que je t'embauche pour me donner cette recette, c'est ça ?

– Il n'est pas impossible que j'aie envisagé de la garder pour moi jusqu'à ce que tu m'embauches.

Il hocha la tête d'un air condescendant.

– J'aurais fait pareil.

* * *

Avec Alyssa, nous restâmes en ville toute la soirée pour fêter mon premier boulot officiel de chef. Nous atterrîmes dans un restau bas de gamme avec des hamburgers et des montagnes de frites posés devant nous, jouant à qui pourrait en manger le plus sans se rendre malade.

Pour la première fois, j'avais l'impression d'être de nouveau heureux.

Mais j'aurais dû me douter que cela ne durerait pas. Parce qu'après les hauts, viennent toujours, *toujours*, les bas.

– Tiens, tu manges ici toi aussi, fiston ?

La voix venait de derrière moi, et ma mâchoire se contracta. En me retournant, je vis mon père qui me souriait, ce connard. Il tenait une fille par les épaules, et quand je la regardai, je lus de la peur dans ses yeux. En un éclair me revint en mémoire le soir où j'avais vu ces yeux pour la première fois.

« *Tu sais que tu as de très beaux yeux? dis-je pour changer de sujet.*

Je commençai à l'embrasser dans le cou en écoutant ses gémissements.

– Bof, ils sont verts, c'est tout.

Elle avait tort. Ils étaient d'un vert céladon, assez unique, avec un peu de gris et de vert.

– Il y a quelques années, j'ai vu un documentaire sur la poterie chinoise et coréenne. Tes yeux ont la couleur de l'émail qu'ils utilisaient dans leurs poteries. »

– Salut.

Je déglutis péniblement et détachai mon regard de Sadie.

– Quoi de neuf ?

– Quoi de neuf ?? Tu demandes *quoi de neuf,* comme si tu n'avais pas essayé de déclencher une bagarre la dernière fois qu'on s'est vus.

Alyssa serra son sac contre elle, et je pus voir une lueur de panique passer dans ses yeux. Elle était terrorisée, tout comme Sadie. Mon père faisait cet effet à la plupart des femmes qui l'approchaient.

– Écoute, je ne veux pas d'ennuis, je dis d'une voix basse.

– Ah ? Comme ça, maintenant c'est moi qui crée les ennuis ? ricana-t-il.

Il parlait fort pour que tout le monde soit témoin de notre échange. Il était comme ça, tout pour la frime.

Au moment où je m'assis, il s'approcha de moi et me regarda de toute sa hauteur.

– N'oublie pas qui vous a recueillis, ta mère et toi, il y a des années, Logan, grommela-t-il d'un ton où planait une menace.

Il me fixa d'un regard haineux pendant quelques instants avant de me faire un large sourire et de me taper dans le dos.

– Je te fais marcher, mon pote. On peut s'asseoir à côté de vous ?

Sans attendre la réponse, il se glissa sur la banquette dans le box, à côté d'Alyssa. Elle se raidit et j'eus l'impression qu'elle allait fondre en larmes. Je pris sa main dans la mienne et exerçai une légère pression sur ses doigts avant de l'attirer plus près de moi.

J'avais envie de me barrer et de ramener Alyssa chez elle. Je détestais la capacité qu'avait mon père de provoquer des frissons de peur chez les femmes.

– Je vous présente ma copine, Sadie, dit-il en la prenant par la taille pour la serrer contre lui.

J'eus un mouvement de recul en sentant la colère monter en moi, mais je m'efforçai de ne pas y céder. Je tendis la main à Sadie.

– Enchanté.

Elle ne me serra pas la main et détourna les yeux. Ricky parla à sa place.

– Oh, non, non, non, jamais de contact.

Je reconnaissais dans sa voix l'inflexion menaçante qu'elle prenait toujours quand il s'adressait à ma mère. Cela avait de l'importance à ses yeux de passer pour un gros connard puissant, alors il rabaissait les femmes pour se sentir fort.

Pour moi, cela le faisait juste paraître faible.

– Sadie n'aime pas que d'autres hommes la touchent, pas vrai, Sadie ?

Elle ne répondit pas. De toute façon, il ne la laisserait pas faire. Si je ne lui avais pas parlé l'autre jour à la gare, j'aurais pu croire qu'elle était muette, vu qu'elle n'avait pas dit un mot depuis qu'ils étaient entrés dans le restaurant.

– Tu voulais quelque chose, Ricky ?

J'étais de plus en plus mal à l'aise. Il leva les mains en guise de protestation.

– Holà, étranger. Je voulais juste te dire bonjour.

Son téléphone se mit à sonner et il regarda Sadie.

– Je dois répondre. Ne bouge pas d'ici.

Il se leva et se dirigea vers la sortie pour prendre son appel.

Je tournai brusquement les yeux vers Sadie.

– Qu'est-ce que tu fous avec lui, putain ? C'est lui le petit ami dont tu m'as parlé ?

– Je... je ne savais pas... dit-elle d'une voix tremblante. Quand je t'ai vu à la gare, j'essayais de le quitter et je voulais te le dire. Mais je me suis dit que ça ne ferait que m'attirer des ennuis. Je veux le quitter mais chaque fois que j'essaie, il envoie des mecs pour me retrouver. Je ne peux pas...

– Est-ce qu'il te frappe ?

Elle baissa les yeux.

Je pris mon portefeuille de ma poche arrière et en sortis quelques billets.

– Tiens, prends ça. Monte dans le premier bus que tu trouves et fiche le camp loin d'ici.

Alyssa me regarda attentivement, mais elle ne posa pas de questions. Elle mit une main sur ma jambe pour me réconforter.

– Je ne peux pas partir. Je ne peux pas, dit Sadie, les larmes aux yeux.

– Pourquoi ?

– Je suis enceinte, chuchota-t-elle. Je suis enceinte et je n'ai nulle part ni personne chez qui aller. Il m'a coupée de ma famille. Il a détruit toutes mes relations. Et maintenant, je n'ai plus que lui.

– Sadie, écoute-moi. Pour ton gamin, la meilleure chose que tu puisses faire, c'est de monter dans un bus et de partir sans te retourner. Tu ne veux pas élever un enfant avec cet homme. J'ai été cet enfant. Tu peux me croire, ça ne se passera pas bien.

Elle baissa les yeux en tremblant légèrement.

– D'accord, murmura-t-elle.

Alyssa semblait larguée, mais elle griffonna son numéro de téléphone sur une serviette en papier.

– Si tu as besoin de quoi que ce soit, tu peux m'appeler, moi ou Logan. Je t'ai mis nos deux numéros de téléphone.

Sadie essuya ses larmes.

– Pourquoi êtes-vous si gentils avec moi ? Vous me connaissez à peine.

– Quoi ? Bien sûr que je te connais. Tu m'as appris l'espagnol, dis-je en rigolant pour essayer d'alléger l'atmosphère.

Elle me fit un petit sourire et empocha l'argent.

– Sors par la porte de derrière, dans la cuisine. Je peux t'accompagner si tu veux.

Je me levai, la pris par la main et l'emmenai vers le fond de la salle. Nous y étions presque quand, tout à coup, je sentis qu'on la tirait en arrière.

– Bordel ! Tu sais ce que ça veut dire, « ne bouge pas d'ici » ?

Mon père lui passa un bras autour de la taille et il la serra si fort que je vis passer la douleur dans ses yeux.

– On y va.

Sadie me lança un regard implorant, et je fis un pas en avant.

– Je ne crois pas qu'elle veuille aller avec toi.

– Pardon ?

Il lui passa la main dans les cheveux et la serra un peu plus fort contre lui.

– Tu ne veux pas venir avec moi ?

Elle ne dit rien. Mon père poursuivit.

– Avec tout ce que je fais pour toi, Sadie, c'est comme ça que tu me remercies ? Je t'aime. Tu ne le sais pas ?

Il se pencha et l'embrassa, de la même façon qu'il embrassait ma mère à l'époque où il l'abreuvait de mensonges pour la dominer. Elle lui rendit son baiser, elle aussi, exactement comme ma mère faisait. À cet instant, je sus que Sadie ne le quitterait pas. Elle était bien trop empêtrée dans sa toile.

– On reprendra cette conversation plus tard, Logan, me dit-il.

Cela ressemblait plus à une menace qu'à une invitation pour une joyeuse réunion de famille.

Je n'étais pas étonné, cependant. Mon père ne connaissait rien au bonheur, mais c'était un expert en catastrophes.

Quand ils partirent, je me sentis dégoûté. Je gardai le silence, faisant claquer l'élastique sur mon poignet. Alyssa vint vers moi.

– Tu vas bien ?

Je secouai la tête.

– Veux-tu que nous sortions prendre l'air ?

– D'accord.

Mais ce n'était pas seulement d'air dont j'avais besoin. J'avais besoin que mon père disparaisse, pour permettre à tous ceux qui croisaient son chemin d'être enfin libérés de leurs chaînes.

37

ALYSSA

Une fois dehors, Logan serrait les poings, rouge de colère contre son père. J'ignorais ce qui s'était passé entre Sadie et lui, mais je voyais qu'il avait peur pour elle. La proximité du père de Logan était terrifiante, et je n'aurais pas voulu être à la place de Sadie, incapable d'échapper à son emprise.

– Ça va ?

– J'ai juste besoin d'un peu de temps pour me calmer.

Les mains sur la nuque, il se mit à faire les cent pas dans le parking. Il y avait plein de voitures garées dans ce grand parking, les gens étaient sortis pour profiter de la douceur de l'air, pour se rencontrer et s'amuser, alors que Logan faisait tout le contraire. Il se débattait avec les démons qui le hantaient. *Il méritait de souffler un peu.*

Je m'adossai au mur du bâtiment en attendant qu'il se calme. Il donnait des coups de pied dans les grandes touffes d'herbe.

– Tu as envie de consommer ?

– Ouaip, marmonna-t-il en fermant les yeux et en marchant en cercle.

Le pauvre.

– Tu sais ce qui ce qu'il te faudrait pour que tu te sentes mieux ?

– Euh, non. Mais je suis sûr que tu as une idée ?

– Oh, ça, tu peux me faire confiance !

Je le regardai droit dans les yeux.

– Tu m'écoutes ?

– Oui.

– Non, je veux dire, est-ce que tu m'écoutes, *vraiment* ?

Il se mit à rire. *Bien.* J'étais trop contente de l'entendre rire. Je me mis à rire aussi. Je ris, parce qu'il était si beau. Je ris, parce qu'il était mon ami de nouveau. Je ris, parce que mon cœur savait que cela ne serait jamais suffisant pour moi.

– Oui, je t'écoute.

Je me redressai en bombant le torse et je dis :

– Un karaoké.

– Oh, Seigneur, non pas ça.

– Quoi ? Allez ! Tu ne te souviens pas qu'on allait au karaoké quand on était plus jeunes ?! Et que tu faisais « Billy Jean » de Michael Jackson, avec les mouvements de pelvis et tout ?

Je refis les mouvements de hanches comme il le faisait à l'époque.

Il rigola.

– Ouais. Je me souviens aussi que j'étais bourré de coke jusqu'aux yeux quand je faisais ça.

– Quoi ? Tu planais à ce moment-là ?

– Évidemment. Sinon je n'aurais jamais accepté de faire un karaoké, tu peux me croire.

– Oh. Je pensais seulement que tu étais impressionné par leurs compils de Michael Jackson et Justin Bieber. Bref. Aujourd'hui, nous allons aller faire un karaoké au O'Reilly.

– Certainement pas.

Je hochai la tête en prenant ses mains dans les miennes.

– Certainement si.

– Alyssa. J'apprécie tes efforts pour m'aider à aller mieux et tout ça, mais sérieux, tu n'es pas obligée. Je me sens mieux. Grâce à toi. Et puis, pour rien au monde je ne referai un karaoké.

38

LOGAN

Je me retrouvai au karaoké.

Je ne sais comment Alyssa avait réussi à me traîner sur la scène du bar O'Reilly et à me coller un micro dans la main. Elle m'avait promis que nous ferions un duo pour que je n'aie pas à chanter tout seul, mais quand même, c'était plus fort que moi, j'avais un nœud à l'estomac. Sans hésiter, elle choisit la chanson « Love The Way You Lie » par Rihanna et Eminem.

– Tu connais les paroles ? Moi, je la chante tout le temps en conduisant, alors je la connais par cœur.

– Je peux suivre sur l'écran.

Elle me fit un large sourire. Je lui en fis un encore plus large.

Mon plus beau trip.

Quand la musique démarra et que les paroles commencèrent à apparaître sur l'écran, aucun son ne sortit de la bouche d'Alyssa ni de la mienne. Les clients du bar se mirent à crier pour qu'on chante, mais ni elle ni moi ne le faisions.

Le DJ arrêta la bande et nous fit de grands signes.

– Hum, vous savez que vous devez ouvrir la bouche pour chanter, hein ?

Je regardai Alyssa sans comprendre.

– Pourquoi tu n'as pas chanté ? C'est écrit que c'est la partie de Rihanna.

– Oh, mais je ne chante pas sa partie. J'aime les passages rappés de Eminem.

– Quoi ? (Je me rapprochai d'elle.) Je ne vais pas chanter les passages de Rihanna.

– Et pourquoi pas ?

– Parce que je ne suis pas une nana.

– Mais tu as cette voix magnifique, haut perchée, Lo. Je pense que tu ferais une super-Rihanna, dit-elle d'un ton moqueur.

– Je lance le replay une seule fois, les gars. C'est maintenant ou jamais, dit le DJ.

– Pas question que je fasse ça, High.

Nous nous faisions face, le torse bombé.

– Oh mais si, tu vas le faire.

– Non.

– Si.

Je secouai la tête.

– Non.

Elle hocha la tête.

– Si.

– Alyssa.

– Logan.

– High.

– Lo.

L'intro commença à jouer et je continuai à secouer la tête de droite à gauche pour lui dire qu'il n'était pas question que je le fasse, mais quand la partie de Rihanna débuta, je me retrouvai avec le micro devant la bouche et je commençai à chanter la partie féminine de la chanson, d'une voix haut perchée, dans une tonalité merdique.

Alyssa se couvrit la bouche pour retenir ses gloussements incontrôlables. Je lui lançai un regard assassin avant de me tourner face au public et d'assumer pleinement ma part féminine. Je trouvai que je ne m'en sortais pas mal du tout. Je me dis que grâce à moi notre interprétation serait magique.

Mais, soudain, quelque chose se produisit.

Le couplet d'Eminem arrivait et Alyssa se transforma d'une façon que je n'avais encore jamais vue. Elle faucha la casquette de base-ball du DJ, se la vissa devant derrière sur la tête et se mit à arpenter la scène de long en large en impliquant le public et en leur demandant d'agiter les mains pendant qu'elle rappait.

Alyssa Marie Walters rappant comme Eminem. Et elle était incroyable, putain. Elle rentrait complètement dans le personnage, les gestes, les mimiques, elle y allait à fond. Elle était totalement déchaînée et si belle à ce moment-là. Libre.

Quand vint le moment du refrain, elle me regarda, et je recommençai à chanter d'une voix de fausset affreuse. Et puis elle rappa de nouveau, en insistant bien sur chaque mot.

Quand on arriva au dernier couplet, le plus difficile à rapper pour elle, elle inspira profondément. Elle me regarda droit dans les yeux et avant qu'elle commence, le col de son T-shirt se retrouva entre ses lèvres. Elle hocha la tête une fois. Je hochai la tête une fois. Elle lâcha son col et se mit à rapper le dernier couplet directement pour moi.

Et c'était vachement sexy.

Son corps se balançait d'avant en arrière, elle se fondait dans les mots et les mots la pénétraient. Lorsqu'arriva la fin et qu'elle lâcha le micro, la foule se déchaîna. Je chantai le dernier refrain de Rihanna en m'adressant à elle.

Après la fin de la chanson, nous ne pouvions plus nous arrêter de rire. Nous nous serrâmes dans les bras l'un de l'autre très fort, et les gens dans le public nous acclamèrent en réclamant un bis.

Nous chantâmes cinq autres chansons avant d'aller nous isoler dans un box, au fond du bar, pour arroser ça.

Nous restâmes une bonne partie de la nuit, à bavarder de tout et de rien. Nous rîmes plus que nous ne l'avions fait depuis fort longtemps. Pendant un moment, ce fut comme avant.

Je m'imprégnais de ses rires. Ses sourires faisaient battre mon cœur. Je regardais bouger ses lèvres alors qu'elle me racontait une longue histoire à propos de je ne sais quoi. Pour dire la vérité, j'avais arrêté d'écouter. Depuis un bon moment. Parce que mon esprit était ailleurs.

J'avais envie de lui dire ce que je ressentais pour elle, de nouveau. J'avais envie de lui dire que je retombais amoureux d'elle, encore une fois. J'avais envie de lui dire à quel point j'aimais toujours ses cheveux fous et que j'aimais toujours sa bouche qui bavardait toujours de tout et de rien.

J'avais envie de...

– Logan... murmura-t-elle en se figeant dans le box.

Sans que je m'en aperçoive, ma main s'était posée sur ses reins et je l'attirai contre moi. Mes lèvres étaient à quelques centimètres des siennes. Sa respiration haletante se mélangeait à la mienne, et nos corps se mirent à trembler l'un contre l'autre.

– Qu'est-ce que tu fais ?

Qu'est-ce que je faisais ? Pourquoi nos lèvres étaient-elles si proches ? Pourquoi nos corps étaient-ils serrés l'un contre l'autre ? Pourquoi est-ce que je n'arrivais pas à détacher mon regard du sien ? Pourquoi étais-je en train de retomber amoureux de ma meilleure amie, encore une fois ?

– Vérité ou mensonge ?

– Mensonge.

– Je ne suis pas accro à ton sourire. Tes yeux ne font pas battre mon cœur plus vite. Ton rire ne me donne pas de frissons. Ton shampooing parfumé à la pêche ne me rend pas fou, et quand tu mâchonnes le col de ton T-shirt, je ne tombe pas encore plus amoureux de toi. Parce que non, je ne suis pas amoureux de toi.

Sa respiration se fit encore plus lourde.

– Et la vérité ?

– La vérité, c'est que je te veux. Je veux que tu reviennes dans ma vie, et plus encore. Je n'arrête pas de penser à toi, High. Pas pour échapper à la réalité, mais pour la vivre, au contraire. Tu es mon cœur. Tu es mon âme. J'ai envie de toi. Je veux tout de toi. Et plus que tout, là tout de suite, j'ai envie de t'embrasser.

– Lo... dit-elle d'une voix mal assurée. Tu es toujours la première personne à laquelle je pense quand je me réveille. Tu es toujours le seul qui me manque dès que tu n'es pas à côté de moi. Tu es toujours la seule chose qui a toujours semblé bonne pour moi. Et si j'étais franche, je dirais que j'ai envie que tu m'embrasses. Toute ma vie, j'ai eu envie que tu m'embrasses.

J'entrelaçai mes doigts avec les siens.

– Nerveuse ?

– Nerveuse.

Je haussai les épaules.

Elle haussa les épaules.

Je ris.

Elle rit.

J'entrouvris les lèvres.

Elle entrouvrit les lèvres.

Je me penchai vers elle.

Elle se pencha vers moi.

Et tous les jours passés qui avaient enflammé ma vie me revinrent en mémoire. Nous nous embrassâmes longuement dans ce box, rattrapant toutes les erreurs de notre vie passée et nous pardonnant mutuellement toutes les erreurs de notre vie future.

Ce moment était beau. Il était juste. Il était à nous.

Mais bien sûr, avec les hauts viennent les bas, comme toujours.

Le téléphone d'Alyssa se mit à sonner, et nous nous écartâmes l'un de l'autre. Quand elle répondit, je vis tout de suite que quelque chose n'allait pas.

– Qu'est-ce qui se passe Erika ?

Silence.

– Comment il va ?

Mon estomac se serra et je me redressai.

– On arrive. Ok. À tout de suite.

– Qu'est-ce qu'il y a ?

– C'est Kellan. Il est à l'hôpital. Il faut qu'on y aille. *Tout de suite.*

39

LOGAN

– Que s'est-il passé ?

Je me précipitai dans la chambre d'hôpital de Kellan. Il était couché dans le lit, avec des perfusions dans les bras.

– Kel, ça va ?

– Je vais très bien. Je ne sais pas pourquoi elle vous a appelés. Tout va bien.

– Il allait dans la salle de bains et il s'est évanoui dans le couloir.

Erika, assise sur une chaise, se balançait légèrement d'avant en arrière, les mains coincées sous les cuisses.

– Je suis revenu à moi tout de suite. Je vais bien.

– Kellan ! Tu ne pouvais plus marcher et tu ne savais plus comment je m'appelais.

Kellan ouvrit la bouche pour parler, mais seul un soupir s'en échappa. Il ferma les yeux. Il était fatigué.

Il s'effondrait un peu plus chaque jour et je ne pouvais m'empêcher de me demander quand la chimio allait commencer à faire de l'effet. On aurait dit qu'elle ne faisait que l'affaiblir.

Erika se leva et nous entraîna, Alyssa et moi, vers le fond de la chambre pour nous parler pendant que Kellan s'endormait. Elle croisa les bras autour d'elle et s'adossa au mur le plus proche.

– Les médecins font une nouvelle série d'examens. Mais il est terriblement faible et fatigué. L'infirmière a dit qu'il pouvait rentrer chez nous avec un fauteuil roulant. Cela l'aiderait à aller et venir, mais il a refusé. Il est tellement orgueilleux. Mais il lui faut...

Elle se passa les mains sur les yeux avant de les poser sur le sommet de son crâne.

– Il a besoin de notre aide. Il n'est pas du genre à reconnaître qu'il a besoin d'aide. C'est toujours lui qui aide les autres. Mais il a besoin de nous. Même s'il essaie de nous repousser.

– Je suis là pour toi, je dis. Demande-moi ce que tu veux. Je suis là pour lui.

Erika me fit un petit sourire tendu. Ses yeux étaient lourds. Elle manquait de sommeil. J'étais pratiquement certain que quand Kellan fermait les yeux le soir, les siens demeuraient grands ouverts.

– Toi aussi tu as besoin d'aide, Erika. Tu n'es pas obligée de t'occuper de tout. Je suis là pour ça.

– C'est juste que...

Sa voix tremblait. Elle jeta un regard vers Kellan.

– C'est juste qu'il est temps de réaliser que les choses vont aller beaucoup plus mal avant d'aller mieux. Cela me fait peur. Je suis terrifiée. Logan, s'il arrivait quelque chose... s'il lui arrivait quelque chose...

Elle fondit alors en larmes et, l'entraînant hors de la chambre, dans le couloir, je la pris dans mes bras et la serrai fort contre moi.

– Je ne peux pas le perdre. Je ne peux pas.

Je n'avais jamais vu Erika s'effondrer. Elle était celle qui maîtrisait tout. La voir détruite comme ça montrait à quel point la situation était grave.

Quand elle se reprit, elle s'écarta de moi et essuya ses larmes.

– Ça va. Je vais bien. Ça va aller, dit-elle pour se rassurer elle-même autant que nous. Ils vont le garder cette nuit. Je vais rester avec lui.

– Je peux rester. Je sais que la date de tes examens approche.

– Non, ça va. Je vais bien. Ça va aller.

– Sœurette, murmura Alyssa en essuyant les larmes de sa sœur.

– Je vais bien. Vraiment. Rentrez à la maison, tous les deux. Je vous enverrai un SMS s'il y a du changement.

Je regardai la porte de la chambre.

– Est-ce que je peux aller le voir un instant ?

Elle acquiesça.

– Oui, bien sûr. Alyssa, tu viens avec moi voir si on trouve du café ?

Elles s'éloignèrent toutes les deux, je rentrai dans la chambre et approchai une chaise du lit de Kellan. Je regardai sa poitrine monter et descendre au milieu des bips et du ronronnement des machines qui l'entouraient. Le simple fait de respirer semblait lui demander un effort.

– Tu dors ?

– Non, je somnole simplement.

J'écrasai mes pouces sur mes yeux pour contenir mon émotion.

– Qu'est-ce que tu fous là, Kel ? C'était moi qui devais me retrouver dans ce genre d'endroit, tu te souviens ? Pas toi.

Il me sourit faiblement.

– Je sais bien.

– Ça va ?

Il inspira avec difficulté. Se mit à tousser.

– Ouais, ça va.

Il tourna la tête vers moi, et ses yeux toujours aussi gentils me sourirent.

– Je la tue, murmura-t-il en faisant allusion à Erika.

– Quoi ? Mais non.

Il se détourna pour dissimuler les larmes qui roulaient sur ses joues.

– Si. Ça la tue de me regarder mourir.

– Tu ne vas pas mourir, Kellan.

Il ne répondit pas.

– Hé ! Tu m'entends ? Je te dis que *non, tu ne vas pas mourir*. Dis-le.

Il regarda le plafond, puis ferma les yeux. Les larmes continuaient à couler sur ses joues.

– Je ne vais pas mourir.

– Encore.

– Je ne vais pas mourir.

– Encore une fois, frangin.

– Je ne vais pas mourir !

– Bien. Et ne t'avise pas de l'oublier. Tout le monde va bien. Nous allons tous surmonter cette épreuve ensemble.

Je pris sa main dans la mienne et la serrai légèrement, m'efforçant de le réconforter.

– Tout va bien. Tu as raison. Excuse-moi, je suis juste...

– Fatigué ?

– Fatigué.

Je demeurai auprès de lui plus longtemps que je n'avais pensé le faire. Lorsqu'Erika revint dans la chambre, je lui demandai si je pouvais rester avec lui cette nuit. Elle acquiesça et Alyssa décida de rentrer avec elle, pour ne pas la laisser seule.

Je ne dormis pas cette nuit-là. Je restai éveillé pour surveiller les machines et la respiration de mon frère.

Quand le jour se leva et qu'il ouvrit les yeux, il me fit un demi-sourire.

– Rentre à la maison.

– Non.

– Si. Va vivre ta vie, Logan. Tu n'as pas quelqu'un dont tu dois tomber amoureux ?

– Qu'est-ce que tu crois que je fais, en ce moment ?

Je posai la tête sur son lit. Il me sourit et haussa son épaule droite. Je lui souris et haussai mon épaule gauche.

* * *

J'aurais aimé pouvoir dire que les choses allaient mieux pour Kellan, mais il apparaissait qu'elles ne faisaient qu'empirer. Même s'il n'était pas à l'hôpital, il passait le plus clair de son temps couché. Mon frère qui souriait tout le temps était en train de devenir une personne qui ne montrait plus aucun sentiment. Lui, d'habitude si délicat, parlait durement à Erika, quoi qu'elle fasse, ce qui ne faisait que la rendre encore plus nerveuse.

C'était déchirant, parce qu'elle faisait vraiment tout ce qu'elle pouvait.

Moi, il ne me criait jamais dessus, et j'en venais presque à le regretter. Erika semblait au bord de la dépression. La rentrée universitaire allait bientôt arriver et elle semblait débordée par les horaires de ses cours, en plus du fait qu'elle avait échoué à ses cours d'été pour son master. Elle était extrêmement stressée.

– Invite-la à sortir, soupira Kellan pendant que je l'installais sur le canapé du salon.

Il en avait marre de regarder les murs de sa chambre, cela le rendait un peu claustrophobe.

– Inviter qui ?

Il me regarda d'un air de dire *tu sais bien de qui je parle.*

– Alyssa. Sur la table basse, il y a deux billets pour l'Opéra de Chicago, pour ce soir. Il y a aussi une réservation pour une nuit d'hôtel. Je crois que cela lui plairait. Erika et moi devions y aller pour notre lune de miel mais...

Il se tut et ferma les yeux.

– Emmène-la.

– Je ne vais pas conduire jusqu'à Chicago et passer la nuit là-bas alors que tu ne vas pas très bien.

– Si.

– Non. Tu as eu ta chimio hier. Tu es toujours malade quelques jours après.

– Je vais bien. Et puis Erika s'occupera de moi.

– Kellan.

– Logan.

Il se redressa pour s'asseoir sur le canapé.

– Tu as le droit d'être heureux.

– Je suis heureux.

– Non. Tu survis. Tu fais les gestes de la vie. Ce qui se comprend. Après tout ce que tu as traversé, tout ce que tu as vu, c'était devenu comme une routine malsaine dont tu ne pouvais pas t'extraire. Mais la seule époque où je t'ai vu heureux – je veux dire vraiment heureux – c'était quand tu étais avec Alyssa.

– Arrête, Kellan.

– Tu te souviens quand tu es venu me supplier de te donner de l'argent pour t'acheter un costume juste pour pouvoir l'emmener à un récital de piano à Chicago ? Tu étais rayonnant d'espoir. Je ne t'avais jamais vu aussi optimiste avant ça.

– Et j'avais raison. L'espoir est une perte de temps. Rappelle-toi qu'elle et moi ne sommes jamais allés jusqu'à Chicago parce que Ricky m'avait foutu les boules et que j'ai plongé à mort ?

Il leva les yeux au ciel.

– Tu n'es plus comme ça. Invite-la à sortir.

– Non.

– Si.

– Non.

– Si.

– Non !

– J'ai un cancer.

Je levais les yeux au ciel.

– Hé mec, ça, c'est un coup bas. Pendant combien de temps tu vas nous faire le coup du cancer ?

Il me sourit et tendit la main vers moi pour me taper sur l'épaule

– Invite-la à sortir, d'accord ?

Je hochai la tête.

– D'accord.

40

ALYSSA

– Salut, je dis d'une voix rauque en voyant Logan sous mon porche en costume et nœud papillon. Ses cheveux étaient rejetés en arrière, brillants de gel, et il rayonnait.

– Tu es belle, dit-il en observant ma longue robe noire. Très belle.

Je rougis.

– Toi aussi. Je veux dire, beau. Tu es très beau.

Il tendit le bras et prit ma main dans la sienne. Il me guida jusqu'à la voiture, ouvrit la portière et m'aida à monter. Mon cœur cognait dans ma poitrine et les papillons dans mon estomac se transformèrent bizarrement en dragons qui m'enflammèrent. J'avais le trac.

Quand il m'avait demandé si je voulais venir avec lui à Chicago pour écouter un opéra, j'avais dû me pincer pour être sûre que je ne rêvais pas. Nous n'avions jamais pu sortir ensemble dans des endroits chic. Nous n'avions jamais pu tomber amoureux comme nous le méritions vraiment. Alors, le fait qu'aujourd'hui Logan porte un costume qui n'était pas trop grand pour lui et que je porte une robe qui était bien trop chic pour moi, c'était incroyable.

Je t'aime toujours...

– Tu es contente? demanda-t-il alors que nous roulions sur l'autoroute.

– Oui.

Je t'aime toujours...

– C'est la première fois que je fais un truc comme ça, tu sais? Aller voir un opéra. Je veux dire, je suis allé écouter tes récitals de piano, qui étaient à couper le souffle, mais je n'ai jamais vu un truc comme ça.

– Tu vas adorer. Quand j'étais à la fac, nous devions aller à des spectacles pour un de mes cours de musique. L'opéra, c'est une expérience unique.

Il sourit.

– Merci de venir avec moi, High.

Chaque fois qu'il m'appelait High, j'avais l'impression d'avoir dix-huit ans de nouveau.

La représentation était merveilleuse, et alors que nous regardions, assis dans notre loge, j'avais remarqué que Logan était complètement absorbé par l'action. Il ne quittait pas les acteurs des yeux et moi, je ne le quittais pas des yeux, lui. C'était fou, ce qui se passait. Comment seul ce garçon pouvait-il, après toutes ces années, contrôler chaque battement de mon cœur.

Après le spectacle, nous marchâmes dans les rues de Chicago, en cette soirée d'automne. Nous étions si près l'un de l'autre que, de temps en temps, nos bras se frôlaient. Notre hôtel était situé juste en bas de la rue où se trouvait l'Opéra, ce qui était merveilleux.

– Je trouve qu'Erika et Kellan sont stressés, dit Logan en me tirant de mes pensées.

– Oui terriblement. Erika m'a appelée l'autre soir de sa voiture. Elle pleurait toutes les larmes de son corps. Elle a l'impression qu'elle est au bout du rouleau et que Kellan la rejette.

– Tu crois qu'il la rejette vraiment ?

– Je ne sais pas. Je pense qu'il a juste peur.

– Ouais, moi aussi. Je me disais... Nous devrions faire quelque chose pour eux. Je ne sais pas quoi, mais je voudrais faire quelque chose pour les aider à aller mieux.

– C'est une super-idée.

Je poussai la porte d'entrée de l'hôtel.

– Et je crois que...

– Je suis toujours amoureux de toi.

Quoi ? Est-ce que j'avais prononcé tout haut les mots qui avaient tourné dans ma tête pendant toute la soirée ? Les mots que je gardais en moi depuis cinq ans ?

Non, ils n'étaient pas sortis de mes lèvres.

Je pivotai lentement sur moi-même et regardai fixement Logan qui se tenait derrière moi sur le trottoir, les mains enfoncées dans les poches de son pantalon. Il se balançait d'un pied sur l'autre.

– Quoi ? je dis, le cœur battant.

– Je suis toujours amoureux de toi.

Il s'approcha de moi.

– J'ai essayé de mettre un terme à cet amour. J'ai essayé de l'ignorer. J'ai essayé de le repousser, mais il ne veut pas s'en aller. Dès que tu es près de moi, je te veux encore plus près. Chaque fois que tu ris, je voudrais que ce son ne s'arrête jamais. Quand tu es triste, j'ai envie de sécher tes larmes par mes baisers. Je connais toutes les raisons pour lesquelles je n'ai pas le droit de vouloir être avec toi. Je sais que je ne serai jamais pardonné pour ce que j'ai fait il y a toutes ces années, mais je sais aussi que je t'aime toujours. Tu es toujours le feu qui me réchauffe quand la vie devient froide. Tu es toujours la voix qui maintient les ténèbres à distance. Tu es toujours la raison pour laquelle mon cœur bat. Tu es toujours l'air qui gonfle mes poumons. Tu es toujours mon plus beau trip. Et je suis toujours sincèrement, follement, douloureusement amoureux de toi. Et je ne vois pas comment je pourrais, un jour, ne plus l'être.

– Logan...

Il continuait à avancer vers moi, et mon cœur battait tellement fort qu'il me semblait que j'allais m'évanouir.

– Alyssa...

– Lo...

Lentement, j'entrelaçai mes doigts avec les siens.

– High.

Lui.

Moi.

Nous.

Nous nous approchâmes encore plus. Nos corps s'enlacèrent et, en posant mes doigts sur son torse, je sentis qu'il tremblait.

– Nerveux ?

– Nerveux.

Mes lèvres s'approchèrent à quelques millimètres des siennes. Sa respiration devint la mienne, et la mienne devint sienne. Il était mon assistance respiratoire, c'est lui qui contrôlait les battements de mon cœur, encore et toujours.

Je haussai les épaules.

Il haussa les épaules.

Je ris.

Il rit.
J'entrouvris les lèvres.
Il entrouvrit les lèvres.
Je penchai la tête.
Il pencha la tête.
Nous étions toujours tellement amoureux.

* * *

Pendant quelques brefs moments, il m'ouvrit les portes de son cœur et je l'autorisai à pénétrer dans le mien. Sa peau rencontra ma peau, ses lèvres se joignirent aux miennes. Cette nuit-là, nous nous sommes cramponnés l'un à l'autre. Nous avons empêché nos esprits de divaguer. Nous n'avons pas parlé d'hier et nous avons refusé de parler de demain.

Mais cela ne nous a pas empêchés de nous souvenir ni de rêver.

Nous nous sommes souvenus de tout ce que nous avions été et nous avons rêvé de tout ce que nous pourrions devenir un jour. Chaque fois qu'il me pénétrait, je murmurais son nom. Chaque fois qu'il se retirait, il murmurait le mien.

– Je t'aime, lui dis-je doucement à l'oreille.

– Je t'aime, répondit-il délicatement en m'embrassant dans le cou.

Nous nous sommes aimés cette nuit-là. Nous nous sommes aimés sans contrainte, sans retenue, sans peur. Nous nous sommes aimés dans chaque baiser, chaque caresse, chaque orgasme.

Nous avons aimé la douleur, nous avons aimé les cicatrices, nous avons aimé notre feu ardent qui ne pourrait jamais s'éteindre.

Nous avons aimé cette nuit.

Oui...

Nous avons aimé très lentement.

***

En me réveillant, j'avais toujours le sentiment de rêver parce que je me réveillais dans ses bras. Il avait les yeux ouverts et il posa délicatement un baiser sur mon front.

– Salut.

Je me frottai les yeux en bâillant.

– Salut.

– C'est l'heure de se lever ?

– Non, dit-il en secouant la tête. Il n'est que trois heures du matin.

Je me redressai, sentant l'inquiétude monter en moi.

– Qu'est-ce qui ne va pas ?

– Rien.

– Logan. Dis-moi.

– Je suis inquiet, c'est tout. Kellan a eu sa chimio hier, et depuis que je suis revenu, j'ai toujours été présent. Il lui arrive d'être malade au milieu de la nuit, alors je suis inquiet, c'est tout.

Je me levai et commençai à ramasser ses affaires, puis j'enfilai mes vêtements.

– Qu'est-ce que tu fais ?

Son pantalon lui arriva en pleine figure.

– Habille-toi. On rentre.

Nous restâmes silencieux pendant tout le trajet du retour, mais il me tint la main tout le temps. Cela peut paraître idiot, mais pendant ce retour en voiture, je me sentis plus amoureuse de lui que jamais. Il se gara devant chez moi pour me déposer et se pencha pour m'embrasser.

Comme j'aimais ses baisers !

– Appelle-moi si tu as besoin de quoi que ce soit.

Le ciel était toujours obscur, le soleil toujours endormi. Il promit de me tenir au courant.

– Au fait, j'ai quelque chose pour toi.

Je fouillai dans mon volumineux sac à main et en sortis une pile de DVD.

– Je les ai rassemblés au cours des années qui viennent de s'écouler en me disant que ces documentaires pourraient t'intéresser. J'en ai regardé quelques-uns et je les ai adorés. Mon préféré, c'est celui sur le phénix, il m'a fait penser à toi.

Il ouvrit la bouche, sa voix était mal assurée.

– Pourquoi n'as-tu jamais baissé les bras ?

Je haussai les épaules.

– Parce que certaines choses – les meilleures – valent toujours la peine qu'on se batte pour elles.

Je l'embrassai et m'apprêtai à descendre de la voiture.

– High ?

Il ouvrit la boîte à gants et en sortit un DVD.

– Tiens, c'est pour toi.

– Qu'est-ce que c'est ?

– J'ai fait un documentaire pendant que j'étais dans l'Iowa.

– Quoi ? Sur quoi ?

– Nous, répondit-il d'une voix timide. Cela s'appelle *Hauts et Bas*. Tu y trouveras une réponse à chacun des messages que tu m'as laissés. Mille quatre-vingt-dix réponses. Plus quelques moments entre deux.

– Lo...

– Tout n'est pas bon, mais c'est sincère. C'est sans fioritures. Mais j'ai pensé qu'il fallait que tu saches que j'avais répondu. À chacun de tes messages. Et je voudrais que tu saches que c'est grâce à toi que j'ai pu surmonter chaque seconde de cette épreuve pour devenir clean. Ta voix m'a sauvé.

À la minute même où je rentrai chez moi, je mis le DVD dans mon portable et je retins mon souffle pendant une heure d'affilée. Pour certaines réponses, il s'adressait directement à moi, pour d'autres il parlait simplement à la caméra, comme dans une sorte de journal intime. Toutes les réponses me disaient ce que j'aurais voulu entendre il y avait toutes ces années. Chacune d'entre elles illustrait la façon dont mon cœur avait saigné pendant cinq ans, sans interruption.

RÉPONSE 1

Excuse-moi. Excuse-moi.
Excuse-moi. Je suis tellement désolé, High... putain...

RÉPONSE 56

Cela fait cinquante-six jours que je suis en cure, et je me sens seul. Je ne sais toujours pas ce que tout cela signifie. Je suis vivant, je suis mort. J'inspire, j'expire. La seule idée de l'existence m'a toujours été si étrangère. Mais tu es arrivée dans ma vie un jour, et tout s'est mis à prendre un peu plus de sens.

Peut-être que le but de la vie, c'est de nous apprendre que nous ne serons pas toujours nos erreurs passées. Peut-être que le but de la vie, c'est de nous ouvrir aux choses qui nous font le plus peur – comme l'amour.

Peut-être que le seul but de ma vie, c'était de te rencontrer, même si cela ne devait pas durer toujours.

Et cette pensée suffit à m'aider à accepter toutes ces nuits de solitude.

RÉPONSE 232

Le bébé aurait dû naître ce mois-ci. Tu m'as laissé un message pour me le dire, mais je le savais déjà. Je n'arrive pas à dormir. Je n'arrive pas à manger. Je n'arrête pas de m'imaginer allongé près de toi, te tenant serrée contre moi. Mais je ne vais toujours pas mieux. Je suis toujours aussi paumé. Je ne suis pas encore assez fort pour t'aimer comme tu le mérites. Alors, j'attends. Jusqu'à ce que tu puisses être fière de moi.

RÉPONSE 435

Alors, voilà mon appartement. Je ne sais pas si je te l'ai déjà montré, mais le voilà. Il y a tout le nécessaire. Kellan m'a aidé. Là-bas, tu verras Jordy, la souris. Elle vient jouer de temps en temps. Et c'est à peu près tout. C'est petit, mais c'est chez moi, j'imagine.

Je sais que tu m'en veux.

Mais tu me manques tellement que j'ai du mal à respirer certains soirs.

Je m'allonge sur le lit et je pense à toi.

RÉPONSE 1090

Tu as dit que tu n'appellerais plus. Je suis heureux de l'entendre mais, en même temps, cela me fout en l'air. Je veux que tu sois heureuse. Je veux que tu trouves quelqu'un digne de t'aimer. Je veux que tu tombes amoureuse d'un cœur qui bat comme le mien bat pour toi. Je veux que tu ries trop fort, et je veux que quelqu'un tombe amoureux de ton rire, comme moi j'en suis amoureux.

Je veux que tu aies ta « happy end ».

Je veux que tu tournes la page.

Tous les jours, je me dis que je ne suis plus amoureux de toi, que j'ai tourné la page.

Mais, quelque part, ce n'est pas vrai. Cela arrive tous les jours, juste au moment où je vais fermer les yeux pour dormir. Je vois ton visage, ton sourire, ton âme, et dans le calme de la nuit, je tombe de nouveau amoureux de toi.

J'espère que cela ne changera jamais.

Et, égoïstement, j'espère que quelque part au fond de toi, tu m'aimes toujours.

41

LOGAN

Lorsque je rentrai chez Kellan, je marquai un temps d'arrêt en entendant quelqu'un qui gerbait. Je me précipitai dans la salle de bains d'où venait le bruit et trouvai Kellan à genoux devant les toilettes, en train de vomir tripes et boyaux.

– Oh, mon Dieu, Kel.

Je saisis une serviette de toilette que j'humidifiai. Je me penchai sur lui. Il était secoué de spasmes, n'ayant plus rien à vomir.

– Ça va, marmonna-t-il entre deux spasmes.

Je posai la main sur son dos. Il n'y avait pas grand-chose d'autre à faire que d'être là pour le soutenir pendant la crise.

– Que se passe-t-il ?

Erika, affolée, passa la tête dans la porte. Ses yeux s'arrondirent pendant qu'elle se demandait quoi faire, rester dans la salle de bains avec Kellan ou aller dans le salon.

– Pourquoi ne m'as-tu pas réveillée ?

– Je viens juste de rentrer.

Elle se passa les mains dans les cheveux.

– Ok. Il faut lui donner un cachet contre la nausée.

Elle s'en alla brusquement en martelant le plancher de ses pieds nus, puis revint avec un verre d'eau et une petite pilule rose.

– Prends ça, Kellan.

– Non, murmura-t-il. Je n'en veux pas.

– Cela va calmer la nausée.

– Je n'en veux pas.

Le menton d'Erika se mit à trembler et elle poussa le verre et le cachet vers lui.

– Allez, Kel ! Ça va...

– Fiche-moi la paix ! hurla-t-il en faisant voler le verre qui alla s'écraser au sol en mille morceaux.

Erika recula avec une grimace. Ses lèvres tremblèrent en laissant échapper un souffle irrégulier. Elle posa le cachet sur le bord du lavabo.

– Je le mets là, si tu en as besoin.

Après que j'eus aidé Kellan à rejoindre sa chambre, il consentit à prendre le médicament. Je fis quelques pas hésitants vers la cuisine où je retrouvai Erika qui s'affairait devant ses placards. Elle était en train de vider un carton de verres, posé devant elle.

– Il est fatigué, c'est tout, Erika.

Elle hocha la tête plusieurs fois, en se passant les mains dans les cheveux.

– Ouais, je sais, je sais. Ça va. Je voulais juste remplacer ces verres avant demain. Je suis vraiment heureuse d'avoir acheté ceux-là. Je savais qu'ils serviraient et, en fait, ils sont mieux que les autres. Je ne sais pas pourquoi je ne les ai pas changés plus tôt.

Elle referma le carton après avoir échangé tous les verres, puis elle alla se planter au milieu du salon, les mains sur les hanches, le regard vide.

– Qu'est-ce que tu fais ?

– Je pense que si je déplaçais le canapé pour qu'il soit face à l'est, il y aurait plus de gens qui pourraient regarder la télévision. Oui, je crois que c'est une bonne idée.

– Erika.

– Ou alors, je devrais peut-être acheter un nouveau poste de télévision. J'ai vu dans le journal qu'il y avait des promotions et...

– Erika, arrête. Retourne te coucher.

– Non. Tout va bien. Il faut que je ramasse le verre cassé dans la salle de bains. Sérieux, c'est une chance que j'avais des verres de rechange.

– Erika.

Elle éclata en sanglots en couvrant son visage de ses mains. *Seigneur.*

– Pourquoi il n'est pas comme ça avec toi, hein ? Pourquoi il ne hurle pas... Pourquoi il ne...

Moi je suis déjà parti, une fois, et sans projet de retour. Il pense probablement que je partirai encore. Ou pire, que je recommencerai à consommer.

– Je n'en peux plus. Je n'en peux vraiment plus. Je ne suis pas prête pour la rentrée. J'ai échoué à mes cours du soir cet été. Échoué. Moi qui n'ai jamais rien raté dans ma vie. Et en plus, maintenant Kellan devient méchant. Méchant. Kellan n'a jamais été méchant avant. Je ne sais pas combien de temps je vais tenir.

Elle continua à sangloter, et, naturellement, je la pris dans mes bras.

Je ne savais pas trop quoi dire, ou quel genre de réconfort je pouvais lui apporter. Elle n'avait pas tort. On avait l'impression que Kellan devenait plus désagréable avec elle de jour en jour et la repoussait.

– Tu veux fumer de l'herbe ?

Elle s'écarta de moi et fit non en penchant la tête.

– Non, Logan. Je ne veux pas fumer de l'herbe.

– D'accord.

Silence.

– Tu veux te soûler la gueule ?

Elle plissa les yeux, se pinça la lèvre inférieure et dansa d'un pied sur l'autre, l'air de réfléchir à ma proposition.

* * *

Nous étions assis sur la terrasse depuis trois quarts d'heure et, pour la première fois de ma vie, j'avais une Erika soûle devant moi. Son rire résonnait dans le jardin derrière la maison et, de temps en temps, elle poussait un grognement avant de reprendre une gorgée au goulot de sa bouteille de whisky. Je fumais un joint, ce qui me mettait de bonne humeur.

– C'est toi le meilleur, dit-elle en me donnant une claque sur la jambe.

– Arrête, tu me détestes.

– C'est vrai. Je te déteste.

Elle essaya de me piquer mon joint, mais je serrai les lèvres, refusant de le lâcher.

– Je crois que tu ferais mieux de t'en tenir au whisky.

– *Je crois que tu ferais mieux de t'en tenir au whisky*, répéta-t-elle en se moquant de moi, avant de se remettre à rire.

– Tu sais ce que je déteste le plus chez toi ?

– Non, c'est quoi ?

– Tout le monde t'adore, quoi que tu fasses.

– C'est des conneries.

– Non.

Elle hocha la tête.

– C'est vrai. Surtout Kellan et ma sœur. Ils te considèrent comme une espèce de dieu. Logan Silverstone ne peut rien faire de mal ! Tous les deux, ils t'aiment bien plus qu'ils ne m'aimeront jamais.

Je fronçai les sourcils.

– Ce n'est pas vrai.

– Bien sûr que c'est vrai. Je veux dire, il faut regarder les choses en face. Tu as bousillé la voiture de Kellan. Tu as foutu le feu à mon premier appartement. Tu as brisé le cœur de ma sœur quand tu as foncé dans un mur. Tu as fichu le camp, tu l'as ignorée pendant des années, et pourtant, elle t'épouserait demain si tu le lui demandais, purée. Il ne se passe pas un jour sans que Kellan mentionne ton nom. Ta mère pleurait tous les jours après ton départ. Avant que ton dingue de père ne la fasse replonger dans cette merde et l'envoie à l'hôpital. Oublie la merde que tu consommais et qui t'a envoyé en désintox. En vérité, la drogue la plus puissante dans ce petit cercle de gens, c'est toi. Ils sont accros à toi, et ils n'ont pas l'intention d'arrêter de consommer.

J'avais la gorge sèche et de la difficulté à déglutir.

– Qu'est-ce que tu viens de dire ?

– Heu, un tas de choses. Tu veux que je répète tout ?

Je secouai la tête.

– Non. Juste le passage à propos de ma mère. Mon père l'a envoyée à l'hôpital ?

Erika releva les yeux brusquement et me regarda fixement.

– Oh, bon sang !

Les yeux exorbités, elle secoua la tête.

– Ne leur dis pas que je t'ai parlé de ça. S'il te plaît. Ils ne voulaient pas que tu le saches, ils disaient que tu allais culpabiliser parce que tu n'étais pas là. Je t'en supplie, ne leur dis rien.

J'éteignis mon joint, me levai et rentrai dans la maison.

– Va te coucher, Erika.

42

ALYSSA

Le lendemain, Logan me demanda de l'accompagner pour rendre visite à sa mère. Nous nous arrêtâmes en route au Bistro Bro pour lui prendre à manger, et je l'attendis dans la voiture pendant qu'il entrait dans le restaurant. Tout à coup, j'entendis des cris qui provenaient d'une petite rue voisine. Je descendis rapidement de la voiture et me dirigeai vers les cris. Mon cœur soudain fit un bond dans ma poitrine quand je vis le père de Logan en train de hurler, penché sur Sadie. Elle était appuyée, toute tremblante, contre le mur de la boutique qui faisait le coin.

– Je suis désolée, cria-t-elle quand il leva la main sur elle et la gifla avec force.

Je l'entendis gémir, et elle se laissa glisser le long du mur pour se placer en position fœtale.

– Hé !

Je me mis à courir vers eux dans la ruelle sombre en hurlant.

– Laissez-la.

Il l'emprisonna dans ses bras en tournant vers moi des yeux injectés de sang, froids et vicieux.

– Dégage ! m'ordonna-t-il.

Quand je croisai le regard de Sadie, je n'y vis que de la frayeur. Les hématomes qui se formaient déjà sur son visage me serrèrent l'estomac. Je ne savais pas quoi faire en le voyant se pencher sur elle et lui murmurer quelque chose à l'oreille qui la fit se recroqueviller de terreur.

– Laissez-la tranquille, connard !

Il lui saisit les poignets et l'entraîna dans la direction opposée.

– Espèce d'idiote, lui murmura-t-il en la tirant par le bras.

Sans réfléchir, je me précipitai dans la ruelle, le rattrapai et lui donnai un coup de poing dans le dos.

– Lâchez-la !

Il lui lâcha la main et, sans l'ombre d'une hésitation, se retourna brusquement et me balança un coup de poing dans la figure qui m'envoya valdinguer contre le mur. Je perdis l'équilibre et m'écroulai sur le sol.

Avant de pouvoir me remettre debout, je vis Logan arriver en trombe dans la ruelle. Il se précipita sur son père et lui flanqua un coup de poing dans la mâchoire qui le fit tomber à la renverse. Sadie courut aussitôt vers moi pour m'aider à me relever.

– Ça va ? demanda-elle, paniquée.

J'allais bien, à part que j'étais choquée par ce qui venait de se passer.

– Ça va, je vais bien.

Je cherchai Logan des yeux.

Je le vis penché sur son père, en train de lui bourrer le visage de coups de poing, encore et encore. Le regard dur, froid, il frappait sans s'arrêter.

– Logan, non !

Je tirai son bras en arrière. Il avait le regard fou, un feu intérieur le consumait.

Logan.

Lo.

Mon Lo, si douloureux.

– Logan, ça suffit. Il est inconscient. Ça va.

Je m'efforçai de parler d'une voix calme, évitant de lui montrer à quel point j'étais terrifiée. Il allait recommencer à le frapper, mais je retins son bras.

– Regarde-moi, Lo. S'il te plaît. Logan, tu n'es pas comme lui.

Il marqua un temps d'arrêt.

– Tu n'es pas lui. Tu n'es pas ton père.

Il s'immobilisa.

– Tout va bien, Logan Francis Silverstone.

Les larmes coulaient sur ma joue.

– Tout va bien. Donne-moi ta main.

Il prit ma main.

Je l'aidai à se relever.

Je le regardai prendre une profonde inspiration en s'écartant de Ricky. Il regarda fixement ses jointures tuméfiées. Je voulus lui prendre les mains, mais il se dégagea brusquement. À ce moment-là, son regard tomba sur le visage de Sadie qui était presque en aussi mauvais état que celui de son père.

– *Merde.* Venez, dit-il en s'éloignant.

Je le suivis avec Sadie et il nous emmena au cabinet de JC. Il tambourina à la porte, et JC descendit avant d'ouvrir la porte en pyjama.

– C'est quoi ce bazar, Logan ? On est dimanche. Le dimanche, c'est fait pour se *reposer*.

Logan ne dit rien mais fit un pas de côté pour qu'il nous voie, Sadie et moi.

– Merde, murmura JC. Entrez.

Nous restâmes le temps qu'il fallait pour qu'il nous soigne, et JC s'assura que le bébé de Sadie allait bien. En repartant, je dis à Sadie qu'elle pouvait venir chez moi, mais avant de pouvoir répondre, elle reçut un texto de Ricky.

Ricky : Dis à ton héros qu'il va payer pour ça. En commençant par sa mère.

– Oh, non, je murmurai, et les yeux de Logan s'agrandirent de peur. Appelle les flics.

43

LOGAN

Je me précipitai chez ma mère et j'ouvris la porte, hors d'haleine.

– M'man ! Où est-il ?

Mon cœur faillit s'arrêter de battre quand je la vis sur le sol, avec le diable en personne qui lui donnait des coups de pied dans le ventre. Je me jetai sur lui et, de toutes mes forces, je l'envoyai valser de l'autre côté de la pièce. Je revins précipitamment vers ma mère pour essayer de la réanimer.

Je l'entendis se relever derrière moi en ricanant.

– Eh bien, en voilà une jolie réunion de famille ! Ne t'en fais pas pour ta maman. Elle fait juste une petite sieste.

Je me relevai et marchai vers lui à grands pas, prêt à le plaquer au sol, mais je m'arrêtai en entendant Alyssa dans ma tête. *Tu n'es pas ton père.*

– Fiche-nous la paix une bonne fois pour toutes, Ricky.

Il avait l'air d'une épave, comme s'il s'était mis à abuser lui-même de sa propre drogue.

– Pas avant d'avoir récupéré Sadie. Tu t'es bien amusé. Maintenant, rends-la-moi, hurla-t-il en s'avançant vers moi, l'air menaçant.

– Ricky... tu as besoin de te faire aider, mon vieux.

– Va te faire foutre, connard. Rends-moi Sadie.

– Elle ne t'appartient pas. Elle n'ira nulle part avec toi.

Il se passa la main dans les cheveux en tirant dessus de rage.

– J'étais là pour toi, mon garçon ! Quand tu n'avais personne, je t'ai pris sous mon aile.

– Pour me rendre accro à la drogue ? Ouais, tu parles d'un cadeau !

Il se jeta sur moi et m'attrapa par le cou avant d'appuyer son front contre le mien.

– Ne crois pas que tu peux me parler comme ça, fiston.

Même si je n'étais plus le gosse fluet d'autrefois, Ricky était quand même encore beaucoup plus costaud que moi. Et puis, il était d'autant plus effrayant qu'il était défoncé. Qui pouvait prévoir ce qu'il allait faire ? Moi, tout ce que je savais, c'est que je préférais qu'il s'en prenne à moi plutôt qu'aux deux filles qui m'attendaient dans la voiture.

– Rentre chez toi, Ricky. C'est terminé.

– C'est terminé ?

Il me repoussa et, soudain, me flanqua son poing dans l'œil. La douleur qui s'ensuivit fut extrême. Je titubai en arrière en essayant de me raccrocher au canapé défoncé pour ne pas tomber.

– Je n'ai pas l'intention de me battre avec toi, Ricky.

Je me passai les doigts sur les yeux.

– Si, tu vas le faire.

Il se rapprocha et me balança un coup de poing dans le ventre.

Je sentis le contenu de mon estomac me remonter dans la gorge, et je fis de mon mieux pour ne pas vomir.

– Non.

– Pourquoi ?

Il me fit tomber sur le sol et me donna un coup de pied dans l'estomac.

– Pourquoi tu ne veux pas te battre ? Parce que tu es un lâche ? Parce que tu ne peux pas être un vrai mec ? cria-t-il en me donnant des coups de pied à répétition.

– Non, marmonnai-je en crachant le sang que j'avais dans la bouche. Parce que si je le faisais, je serais exactement comme toi.

– J'en ai vraiment marre de toi.

Il passa le dos de sa main sur sa bouche, avant de la porter à sa poche arrière pour en sortir un pistolet.

– J'en ai marre que tu te mêles de ma vie. Marre que tu interviennes dans mes affaires. Marre de ta tronche. Alors, on va y mettre fin tout de suite.

Il pointa son arme sur moi et je fermai les yeux, mais quand j'entendis le coup de feu, je ne ressentis aucune douleur.

Quand j'ouvris les yeux, je vis les flics derrière moi et Ricky allongé sur le sol, une balle dans l'épaule.

Les flics et les secours arrivèrent sur les lieux en courant. Dans un brouillard, je les vis se précipiter sur ma mère et ensuite sur Ricky. Alyssa parlait aux policiers avec Sadie, expliquant ce qui s'était passé. J'essayai d'ouvrir la bouche, mais ma mâchoire était tellement enflée que cela me faisait mal de parler. Un infirmier vint pour examiner mon visage, mais je le repoussai.

– Je vais bien, dis-je en balbutiant, la gorge en feu.

Sans tenir compte de ce que je disais, ils commencèrent à nettoyer mes plaies, parlant de points de suture pour mon nez et mon menton.

– Nous aurons encore quelques questions à vous poser quand vous serez à l'hôpital, dit l'officier à Alyssa. Nous allons vous suivre en voiture.

Elle fit oui de la tête puis vint vers moi. En faisant la grimace, elle passa délicatement le bout de ses doigts sur mon visage.

– Oh, Lo... murmura-t-elle.

Je poussai un petit gloussement.

– T... t... tu...

Je marquai un temps d'arrêt à cause de la douleur dans ma mâchoire.

– Tu trouves que je ne suis pas beau à voir ? Attends de voir l'autre mec !

Elle ne rit pas.

J'imagine que ce n'était pas drôle.

– Allez, viens. Allons te remettre en état.

J'aurais voulu dire quelque chose de rigolo. J'aurais voulu l'aider à se sentir mieux, parce que je voyais bien qu'elle était désemparée. Mais les mots ne me venaient pas. Les pensées tournaient dans ma tête. Je m'inquiétais pour ma mère, est-ce qu'elle s'en sortirait. Je n'arrêtais pas de me demander combien de temps il l'avait frappée avant que j'arrive. Je n'arrêtais pas de me dire que j'aurais dû être là pour la protéger. Je n'arrêtais pas de penser au nombre de fois où j'avais juré que je la détestais, alors qu'en réalité, je l'adorais.

Je l'aimais tellement. Et je l'avais laissée tomber. Je l'avais abandonnée quand j'étais parti.

***

Logan, treize ans

Grand-père m'avait envoyé un documentaire sur les hamburgers pour mon anniversaire. Je l'avais déjà regardé trois fois, mais je le remis dans le lecteur de DVD. Il était très intéressant, et je commençais à m'ennuyer avant de l'avoir reçu parce que j'avais déjà regardé la plupart de ceux qu'il y avait à la bibliothèque.

– Qu'est-ce que tu fais? demanda ma mère, debout dans l'embrasure de ma porte.

– Rien.

– Est-ce que je peux te tenir compagnie pour ne rien faire?

Je levai les yeux et poussai un cri étouffé. Ma mère était très belle. Elle avait remonté ses cheveux et les avait attachés en queue-de-cheval avec un ruban rouge. Elle s'était maquillée, une chose qu'elle ne faisait jamais, et elle avait revêtu une jolie robe d'été noire qui restait d'habitude accrochée au fond de son placard.

– Tu es super-canon.

Ses muscles tressautaient, mais c'était plus ou moins habituel chez ma mère. Elle était toujours agitée et secouée de tremblements, mais au bout d'un moment, je n'y faisais plus attention. Cela faisait partie d'elle, voilà tout.

– Tu trouves? Je ne sais pas. C'est pour cette réunion, tout à l'heure.

Elle sourit et fit une révérence.

– C'est une réunion pour aider les personnes à devenir clean, tu vois? Je veux arrêter, Logan. Je veux être une meilleure mère pour toi.

J'écarquillai les yeux. C'était comme si je flottais, et mon estomac palpitait.

– C'est vrai?

Ma mère ne parlait jamais de se faire aider. Elle disait toujours que personne ne pouvait l'aider.

– Oui.

Elle s'assit sur mon matelas.

– Tu vas devoir aller habiter avec Kellan et son père pendant un petit moment. Je veux me faire désintoxiquer. Je veux vraiment que nous ayons une vie meilleure.

– Tu vas me laisser ?

J'avais les mains moites.

– C'est seulement pour quelque temps. Et puis je reviendrai en pleine forme.

– Tu reviendras me chercher ?

– Je reviendrai te chercher.

Je poussai un soupir de soulagement.

– Tu crois que tu pourrais arrêter un instant de regarder ton DVD pour venir me faire des lasagnes ? On pourrait fêter ça avant mon départ.

Les yeux étincelants, je hochai la tête.

– Ouais !

Nous avions fait la cuisine tous les deux. J'avais fait la sauce, et M'man avait étalé les couches de pâtes et le fromage. Après, elle m'avait demandé de transporter la petite télé de ma chambre dans le salon. Assis sur le canapé, nous avions regardé le documentaire sur les hamburgers en mangeant nos lasagnes directement dans le plat.

– M'man ?

– Oui, Logan ?

– Pourquoi tu pleures ?

Elle me fit un petit sourire tendu et haussa les épaules.

– Je suis heureuse, mon chéri, c'est tout. Je suis juste heureuse.

Je souris moi aussi, et recommençai à manger. Je me brûlais le palais avec les lasagnes, mais je m'en fichais complètement, parce que ma mère allait se faire désintoxiquer. Puis elle reviendrait me chercher et nous commencerions notre vraie vie tous les deux. Tout allait s'arranger. Bientôt, notre vie normale consisterait à dîner tous les deux en regardant des documentaires. Elle viendrait aux réunions parents-professeurs et aux remises de diplômes. Elle ouvrirait le bal avec moi à mon mariage. Elle lirait des histoires à mes futurs enfants pour les endormir.

Nous aurions un avenir ensemble, et il serait parfait.

Je souriais, souriais et souriais à n'en plus finir.

Parce que je n'avais jamais été si heureux.

44

ALYSSA

Logan s'en sortit avec un nez cassé, deux yeux au beurre noir et une fracture du poignet. Il avait eu de la chance, si on pense que les dommages causés à son visage semblaient cinquante fois plus graves qu'ils ne s'avérèrent en fait. Nous nous assîmes dans le couloir pour attendre qu'on nous donne des nouvelles de sa mère. Je fermai les yeux, priant pour qu'elle aille bien. Je savais que Julie avait toujours causé beaucoup de souffrances dans la vie de Logan, mais il ne faisait aucun doute qu'elle comptait énormément pour lui.

Les flics vinrent nous parler.

– Désolé de vous interrompre, mais nous voulions vous tenir au courant de la situation. Avec tout ce que vous nous avez dit, nous allons obtenir un mandat de perquisition pour le domicile de votre père. Il n'avait pas de permis pour l'arme qu'on a trouvée en sa possession, et il détenait de la drogue sur lui. Il est déjà connu des services de police, donc je pense que nous allons pouvoir le coincer cette fois. Pour l'instant, il est en garde à vue pour l'agression sur votre mère. Cela devrait nous laisser le temps d'obtenir le mandat du juge. Nous allons le coincer.

Logan hocha la tête. Je remerciai les policiers, et ils nous laissèrent en nous disant qu'ils nous tiendraient au courant. Je soupirai.

– Quel soulagement.

Logan, la tête dans les mains, hochait la tête.

– Ouais.

Je lui passai la main dans le dos quand le médecin vint vers nous.

– Bonsoir. C'est juste une mise au point.

– Cela fait beaucoup de mises au point aujourd'hui, marmonna Logan.

Le médecin lui fit un petit sourire tendu.

– Ouais. Alors, l'état de votre mère s'améliore, mais son taux de narcotiques est assez inquiétant. Nous allons la garder quelques jours pour essayer de nettoyer son organisme. Elle a deux côtes cassées à la suite des coups de pied, mais nous ne pouvons pas lui donner trop d'antalgiques à cause des narcotiques. On navigue un peu à vue pour l'instant. Si vous avez des questions, n'hésitez pas.

Je remerciai le médecin, Logan gardait la tête entre ses mains.

– Tu vois ? Tout va bien. Tout va s'arranger. Veux-tu que j'appelle Kellan pour le lui dire ?

Son frère n'avait pas été tenu informé de ce qui s'était passé. Logan ne voulait pas l'inquiéter tant que nous ne connaissions pas tous les détails.

Il grogna et leva les yeux.

– Non. Je préfère être là pour le lui dire de vive voix. Au cas où il réagirait mal. Je ne veux pas lui annoncer au téléphone.

– Tu as raison. C'est une bonne idée.

– High ?

– Oui ?

– Je veux juste que tu saches que je ne t'en voudrai pas de choisir de laisser tomber maintenant. De sortir de tout ça.

– De quoi est-ce que tu parles ?

– De ma vie, dit-il, avec une tension évidente dans la voix, due en partie à la douleur dans sa mâchoire.

Il eut un mouvement de recul et se mit à la masser.

– Ma vie est un vrai merdier. Depuis toujours, alors je te donne une carte de « sortie de l'enfer ». Je t'aime, et c'est pour cela que je te donne une porte de sortie. Tu mérites mieux que cette vie merdique.

– Hé, murmurai-je en me rapprochant de lui.

Je posai les lèvres contre son oreille en repoussant ses cheveux. Cela me brisait le cœur de voir le sang séché sur son visage et ses cheveux. C'était poignant, la vie qu'il avait eue.

– Je ne vais nulle part.

Il continuait à hocher la tête, serrant ses mains l'une contre l'autre, le regard vide.

– Je suis un raté, High. Je l'ai toujours été. Je le serai toujours.

– Arrête ça, Logan. Tu n'es plus celui que tu étais à une certaine époque. D'accord ? Tu n'es pas le produit de ton passé.

– Mais toi, tu mérites ce qu'il y a de mieux. Tu peux trouver mieux. Tu as droit à autre chose.

– Je pourrais avoir une vie sans histoires avec quelqu'un d'autre. Je pourrais avoir le pavillon de banlieue, le boulot normal, les enfants normaux, le mari normal. Je pourrais avoir une vie confortable avec quelqu'un qui me conviendrait mais dont je ne serais jamais pleinement amoureuse. Mais ce n'est pas ça que je veux, Logan. C'est toi que je veux, avec tes cicatrices. Je veux tes brûlures. Je veux ton bazar. Tes cicatrices, tes brûlures, ton bazar, c'est mon cœur. Tu es tout ce que j'ai toujours voulu et tout ce dont j'aurai toujours besoin. Ta souffrance est ma souffrance. Ta force est ma force. Les battements de ton cœur s'accordent avec les miens. Alors, non, je ne vais pas choisir de laisser tomber. Je n'ai pas l'intention de fuir, même si les choses peuvent être dures parfois. Je te veux, toi. Je veux tout de toi, le bon, le moins bon, la douleur, la colère. Si tu te retrouves en enfer, je te tiendrai la main pour en sortir. Si les flammes dans nos vies continuent de monter, nous brûlerons ensemble. Tu es tout pour moi, Logan. Hier, aujourd'hui et demain, je suis à toi. Tu es ma flamme éternelle.

Il se tourna vers moi et m'embrassa. Je lui rendis son baiser, avec un peu trop de fougue, et il gémit de douleur.

– Excuse-moi.

Je rigolai doucement, en lui embrassant le front.

– Viens, allons chez moi, tu vas te nettoyer et ensuite je te déposerai chez Kellan pour que vous puissiez discuter tous les deux.

***

Dès que nous fûmes chez moi, je fis couler la douche, dévêtis Logan et l'aidai à passer dessous. Il ferma les yeux et respira profondément en laissant l'eau chaude couler sur son corps.

– Je suis juste là. J'ai quelques vieux vêtements à toi, qui sont là depuis longtemps et que je peux aller chercher.

– Non. Éteins la lumière et viens ici, dit-il sans ouvrir les yeux.

Je fis ce qu'il me disait. Je retirai tous mes vêtements et entrai dans la douche avec lui. Il me prit dans ses bras et me serra contre lui, sa peau contre ma peau, son front contre le mien. On n'entendait que le bruit de l'eau qui coulait sur nous, et notre respiration.

Nous restâmes comme ça un long moment, jusqu'à ce que l'eau devienne froide et même après.

– Pour toujours, High ?

– Pour toujours, Lo.

45
LOGAN

Lorsqu'Alyssa me déposa chez Kellan, j'étais relativement détendu. Mon père était en garde à vue. Ma mère était incapable de quitter l'hôpital, ce qui signifiait qu'elle n'aurait aucun moyen de se procurer de la drogue pendant un petit moment. Les choses étaient-elles en train de tourner du bon côté ? *Peut-être.*

Quand j'entrai, la maison était plongée dans l'obscurité. Kellan était assis sur le canapé. J'appuyai sur l'interrupteur pour allumer.

– Qu'est-ce qui ne va pas ?

Le brusque flot de lumière le fit sursauter, mais il ne dit rien. Des larmes roulaient sur ses joues et ses mains tremblaient alors qu'il essayait d'ouvrir un flacon d'antalgiques. Comme il n'y parvenait pas, il jeta le flacon à travers la pièce.

– Aaah ! cria-t-il en se frappant la tête.

– Qu'est-ce qu'il y a, Kel ? Où est Erika ?

– Elle est partie chez sa mère.

Il se mit debout avec lenteur, les jambes flageolantes, et marcha d'un pas mal assuré vers le flacon de médicaments. Il le ramassa et essaya une fois de plus de l'ouvrir, en vain. Il respirait avec difficulté en s'appuyant contre le mur pour essayer encore.

– Donne, je vais le faire.

Je tendis la main, mais il me repoussa brutalement.

– Fous-moi la paix.

– Non.

– Si.

Je commençai à me battre avec lui pour lui prendre le flacon, et je parvins à lui prendre de force. Je l'ouvris et posai un cachet dans la paume de ma main. Il se laissa glisser contre le mur et s'assit par terre.

– Putain ! Je n'ai pas besoin que vous ouvriez mes boîtes de médicaments, Erika et toi, comme si j'étais un enfant.

– Si.

– Non.

– Bien sûr que si, Kel !

– Non, non et non ! hurla-t-il.

Sa voix se brisa et il éclata en sanglots. Il croisa les bras autour de sa poitrine et se détourna de moi, pour essayer de dissimuler ses larmes.

– Je vais mourir, Logan. Je vais mourir.

Je me laissai glisser au sol à mon tour et m'assis à côté de lui, adossé au mur.

– Ne dis pas ça.

– C'est la vérité, pourtant.

– *Ici et maintenant,* je dis en citant Ram Dass. Au centre de désintoxication, cette citation était inscrite au-dessus de la porte de chaque chambre. Ils nous disaient d'arrêter de nous faire des reproches pour ce qui s'était passé avant et de ne pas nous inquiéter pour le moment où nous quitterions la clinique. Il fallait juste être là, dans le moment présent. Ici et maintenant, Kellan. Pour l'instant, tu es ici. Tu es aussi vivant qu'Erika, Alyssa et moi.

– Peut-être, mais je serai mort bien avant vous tous.

– Nous n'en savons rien. Je suis pas mal amoché.

Kellan rit et me donna un léger coup de poing. *Bien. C'est bien de rire.* Nous nous appuyâmes contre le mur.

– *Ici et maintenant,* murmura-t-il pour lui-même.

– Alors, elle rentre quand, Erika ?

– Elle ne rentre pas. Je lui ai dit de partir pour quelque temps.

– Quoi ?

– Je ne pouvais pas continuer à lui imposer ça, Logan. Chaque fois que je toussais, elle pensait que j'étais en train de mourir. Elle mérite d'avoir une vie normale.

– C'est ce que tu lui as dit ?

Il fit une grimace.

– Pas exactement.

– Que lui as-tu dit ?

– Je lui ai dit que je ne voulais plus l'épouser. Je lui ai dit que c'était fini entre nous, et que j'en avais marre de l'avoir sur le dos tout le temps. Je lui ai dit de s'en aller et de ne plus revenir.

– Tu as été méchant avec elle pour qu'elle s'en aille.

Il hocha la tête en reniflant.

– Elle ne serait jamais partie, autrement. Je ne pouvais pas continuer à lui briser le cœur.

– Eh bien, je pense que c'est réussi ! Pour être brisé, il doit l'être, ça tu peux me croire.

Il fronça les sourcils, sachant très bien que j'avais raison.

– Imagine que les rôles soient inversés. Disons, par exemple, qu'Erika ait un cancer, et que ce soit toi qui t'occupes d'elle. Comment tu le prendrais si elle te disait ça ?

Il se passait les mains sur le visage sans arrêt.

– Je sais, je sais. Elle me manque déjà. Mais comment arranger ça ? Je ne sais pas comment lui rendre les choses moins pénibles.

– Elle n'a pas signé pour avoir la vie facile, Kellan. Elle a signé pour toi. Malgré tout ça, elle a signé pour toi. Ne t'inquiète pas. On va faire ce qu'il faut.

– Depuis quand fais-tu preuve de tant de sagesse ?

Je souris d'un air satisfait.

– Depuis qu'Alyssa m'a sorti exactement le même discours sur le fait qu'elle m'avait accepté, moi, ce qui comprenait toutes les valises que je traînais avec moi.

Il rigola.

– J'aurais dû me douter que cette sagesse ne venait pas de toi.

– Ouais, eh bien, je travaille pour que ça change.

Nous restâmes silencieux quelques instants.

– Au fait Logan ?

– Ouais ?

– Qu'est-ce qui est arrivé à ton visage ?

Je gloussai et lui racontai ce qui s'était passé avec notre mère et mon père. Il réagit beaucoup mieux que je ne l'avais craint et tira la même conclusion que moi.

– Eh bien, au moins elle ne peut pas se droguer pendant qu'elle est à l'hôpital.

Ah, mon frère. Mon meilleur ami.

***

Alyssa : Tout va bien, Logan Francis Silverstone.
Moi : Tout va bien, Alyssa Marie Walters.

Elle m'envoyait le même texto à intervalles réguliers. Quand Kellan fut prêt, nous allâmes tous les deux voir notre mère à l'hôpital. Elle souffrait pas mal, parce que les médecins ne pouvaient pas lui administrer grand-chose à cause de sa dépendance à la drogue. C'était dur de la voir comme ça, mais je l'avais déjà vue dans des états bien pires.

Kellan s'assit dans un fauteuil roulant, et je le poussai vers le lit. Il prit une de ses mains dans les siennes et lui fit un petit sourire, alors que je me tenais en retrait pour les observer.

– Excuse-moi, mon chéri, s'écria-t-elle.

Il prit son visage entre ses mains et secoua la tête.

– Je suis tellement désolée d'avoir merdé comme ça. J'ai tout fait foirer.

– Ce qui compte c'est *ici et maintenant*, M'man. Tout va bien.

Elle se mordit la lèvre et regarda sa chemise de nuit d'hôpital et tous les tubes et les bandages reliés à son corps.

– J'ai décidé de me faire désintoxiquer, dit-elle d'une voix douce.

Nous acquiesçâmes tous les deux en même temps, Kellan et moi.

– Moi aussi, dit une autre voix.

Je me tournai vers Sadie. Elle avait les yeux vitreux et elle était un peu agitée, mais elle me sourit.

– Très bien, je dis.

Elle hocha la tête.

– D'accord. Mais je ne sais pas comment je vais faire. Avoir cet enfant toute seule. Je n'ai personne.

Je lui donnai un coup de coude.

– Tout va bien. Cet enfant, ce sera mon frère. Et d'où je viens, on est prêt à tout pour son frère. Tu as une famille, maintenant Sadie. Tu n'es plus obligée de te débrouiller toute seule. Je te le promets.

46

ALYSSA

Deux semaines s'étaient écoulées depuis l'incident avec les parents de Logan. Julie était entrée en désintox trois jours plus tôt. C'était dur, mais elle se battait pour sa vie. Sadie aussi avait entamé le processus de sevrage et elle commençait à trouver ses marques. Tout était en train de revenir à la normale, à l'exception du fait qu'Erika habitait toujours chez notre mère, ce qui était loin d'être normal. C'était même un peu effrayant, en fait. Le samedi après-midi, je me présentai chez ma mère avec un carton à la main et je tambourinai sur la porte.

Elle s'ouvrit sur Erika qui me regarda en haussant un sourcil.

– Salut, Aly ? Quoi de neuf ?

– Hum, ce qu'il y a de neuf, c'est que tu habites chez maman, non ? Tu sais quoi, laisse tomber. Va chercher tes affaires. Il est temps d'y aller.

– De quoi tu parles ?

– Tu te souviens que tu avais une vie ? Un fiancé ? Ouais. Il est temps de rentrer chez toi. Kellan...

– Ne veut plus de moi. Il ne veut plus que je sois là, Alyssa.

– Il a besoin de toi.

Maman apparut dans l'embrasure de la porte, elle plissa les yeux.

– Qu'est-ce que tu racontes ? Erika est finalement revenue à la raison. Elle a repris sa vie en main avant de commettre une énorme erreur. Je suis très fière qu'elle en ait pris conscience.

– Maman, tu veux me faire plaisir ?

– Comment ?

– Occupe-toi de tes affaires. Pour une fois dans ta vie, occupe-toi de tes affaires.

Elle souffla, mais avant qu'elle ne puisse répondre, j'entraînai Erika hors de la maison et refermai la porte. Erika fronça les sourcils.

– Écoute, Alyssa. J'ai essayé avec Kellan. J'ai vraiment essayé. Mais il a été très clair, il ne veut plus de moi là-bas. Alors, je n'y vais pas.

– Reviens chez toi, Erika. Tout de suite.

– Non.

– Très bien.

J'ouvris mon carton et haussai un sourcil.

– Tu ne diras pas que je ne t'ai pas prévenue.

Ses yeux s'arrondirent quand elle vit sa série d'assiettes dans le carton.

– Qu'est-ce que tu fais, Alyssa ?

Je retournai le carton et elle sursauta en voyant les assiettes s'écraser sur le sol.

– Oh, mon Dieu !

– Logan ! Tu peux venir.

Il bondit hors de la voiture avec un carton dans les mains.

– Dis à Erika de revenir à la maison.

Erika tremblait et se mordait la lèvre inférieure. Logan alla jusqu'à elle, la regarda dans les yeux et sourit.

– Tu es ma sœur.

– Arrête. Ce n'est pas vrai.

– Tu me hurles dessus. Tu me détestes. Tu me traites comme une merde. Tu dis que je suis idiot. Tu es ma sœur, Erika. Et que Kellan aille se faire voir pour l'instant. Pour l'instant, j'ai besoin que tu reviennes à la maison. Je ne peux pas l'aider sans toi.

– Je ne peux pas. Je ne peux pas faire ça.

Logan hocha la tête et ouvrit le carton qui contenait les verres préférés d'Erika.

– Reviens chez toi.

– Je suis chez moi.

– D'accord.

Il commença à renverser le carton et elle eut un mouvement de recul.

– Non, Logan ! Je viens juste de les acheter...

Crash ! Des morceaux de verres s'éparpillèrent tout autour de nous.

– Oh mon Dieu ! Qu'est-ce qui vous prend, tous les deux ?

– On veut que tu rentres chez toi, c'est tout.

– Je ne peux plus continuer à faire ça. Je ne peux pas continuer à dysfonctionner comme ça.

Je fis un geste vers la maison où maman surveillait chacun de nos gestes de derrière la fenêtre, frappait sur le carreau, hurlait à Erika de rentrer dans la maison.

– Et tu trouves que *ça*, c'est normal ?

– Allez-vous en tous les deux. S'il vous plaît. Kellan n'a pas besoin de moi.

– Si, j'ai besoin de toi.

Nous nous retournâmes tous les trois. Kellan avançait vers nous avec un carton, lui aussi. Il resta au bord de l'allée et regarda Erika dans les yeux.

– Tu me manques. Je voudrais que tu reviennes. J'ai besoin de toi, Erika.

Il laissa tomber par terre tout le contenu du carton, puis le carton lui-même.

– Reviens à la maison.

Erika se mit à rire, et nous éclatâmes tous de rire avec elle. Maman ouvrit la porte d'entrée et se précipita vers nous en ordonnant à Erika de rentrer immédiatement, mais elle refusa de lui obéir.

Nous retournâmes tous à nos voitures, abandonnant nos chagrins parmi les morceaux de verre sur le sol, pour tout recommencer depuis le début, ensemble. Kellan repartit dans la voiture d'Erika, et Logan prit le volant de la mienne.

– Hé, je me disais... ça te dirait de s'adonner à de petites frasques sexuelles avant la réception au restaurant de Jacob ce soir ?

Je haussai les épaules, sans enthousiasme.

– Pourquoi pas ? Ou alors, on pourrait regarder le nouveau documentaire sur Michael Jackson que j'ai acheté hier et manger un reste de pizza avec des Oreos à la framboise.

Il écarquilla les yeux.

– Oh mon Dieu ! J'adore ça quand tu me dis des trucs cochons.

Il m'embrassa, et je sus que notre éternité commençait à cet instant précis.

***

– D'accord, alors, voilà le plan. Je vais chez Jacob et je l'aide à finaliser les derniers détails. Toi, tu vas chez Kellan et Erika, et tu les persuades de sortir prendre un verre, ce que Kellan acceptera, mais qu'Erika refusera de faire. Au bout d'un moment, elle finira par dire oui, parce qu'elle aime Kellan et qu'elle est prête à tout pour lui faire plaisir, expliqua Logan en se levant après que nous avions regardé le documentaire.

– D'accord.

– Bon Dieu ! J'ai le trac et, pourtant, la fête n'est même pas pour moi, dit-il en souriant.

Je l'embrassai et il se dépêcha de sortir.

– Tu es sûr que tu ne veux pas que je t'emmène en voiture ?

– Non, ça va. Il fait bon. À tout à l'heure !

Après son départ, je me rendis directement chez ma sœur, et, exactement comme Logan l'avait prévu, elle refusa de sortir.

– Je pense seulement que ce n'est pas une bonne idée de sortir boire un verre, Alyssa. Nous sommes crevés tous les deux.

Elle fit une grimace.

– Peut-être la semaine prochaine.

– Allez ! Ça va être sympa ! Et puis, Logan travaille chez Jacob ce soir, alors on va pouvoir l'embêter en commandant des plats qu'on renverra toute la soirée. Ça va être génial !

Kellan sourit.

– Moi, ça me semble amusant. Et il y a longtemps que je ne me suis pas amusé.

Erika plissa les yeux.

– Tu veux y aller ?

Il fit oui de la tête rapidement.

– Sérieux ? Tu n'es pas fatigué ?

Il fit non de la tête rapidement.

Elle resta assise un petit moment, plongée dans une profonde réflexion pendant que Kellan et moi lui faisions les pires regards de chien battu qu'elle ait jamais vus. Quand elle finit par céder, nous applaudîmes avec un enthousiasme délirant.

– Un hors-d'œuvre et un verre ! Et de l'eau pour ce monsieur.

Elle sourit en faisant un signe de tête en direction de Kellan.

– Si tu veux savoir, je vais déguster mon verre d'eau très, très lentement.

En arrivant au restaurant de Jacob, Erika se rembrunit en un instant.

– Pourquoi c'est marqué « fermé » sur la porte ? Il est six heures du soir.

– Je ne sais pas, c'est bizarre.

Je saisis la poignée et la tournai. La porte s'ouvrit.

– Ce n'est pas fermé à clé. Venez, allons voir si Jacob est là.

Passant la porte, Erika étouffa un cri en voyant toutes les décorations pour un mariage. L'endroit était bondé. Tous leurs amis étaient là et se mirent à crier en chœur.

– Surprise !

– Qu'est-ce qui se passe ? demanda Erika en regardant tout autour d'elle.

Jacob s'approcha et passa un bras sur les épaules de Kellan.

– Je vais m'occuper de ce mec, Alyssa. Toi, tu aides ta sœur. Les toilettes des dames vous sont réservées.

– Pour quoi faire ? demanda Erika, encore ébahie.

Je l'attrapai par le bras et l'emmenai avec moi. Quand nous arrivâmes dans les toilettes, elle porta la main à sa bouche.

– Qu'est-ce que ma robe de mariée fait là, Aly ?

Je souris, gagnée par l'émotion qui la submergeait.

– Tu ne savais pas ? Tu te maries aujourd'hui.

– Quoi ?

– J'ai dit, tu te maries aujourd'hui.

Ses yeux s'emplirent de larmes et je secouai la tête.

– Ah non ! Tu ne vas pas pleurer. La maquilleuse sera là dans quelques minutes. Et il faut que tu te prépares.

– Tu veux dire... le mariage là dehors... les décorations, les gens. C'est pour mon mariage ?

Je fis oui de la tête.

Elle souffla et posa les mains sur ses hanches, parfaitement incrédule.

– Tu as fait ça pour moi ?

– C'est une idée de Logan.

Elle se mordit la lèvre et se mit à trembler.

– Allez, ma puce. Ne pleure pas.

– Je ne pleure pas, sanglota-t-elle en enfouissant son visage dans ses mains. Mais c'est tellement gentil de sa part.

Nous nous empressâmes de la préparer, je l'aidai à enfiler sa magnifique robe blanche de mariée, à remonter ses cheveux en un chignon raffiné, tout cela en riant comme des folles tout en buvant du champagne.

– Tu es prête, ma puce ? demandai-je, debout derrière elle dans ma robe de demoiselle d'honneur.

– Oui. Je regrette seulement que maman...

Je fronçai les sourcils.

– Je sais.

– Ça ne fait rien. Cette soirée est pour Kellan et moi. C'est notre soirée.

En entrant dans la salle de restaurant, nous vîmes Jacob, debout sur la scène avec un micro à la main, prêt à célébrer le mariage. Kellan se tenait à sa gauche, en costume cravate, et à côté de lui se trouvait Logan. Je parcourus son visage du regard en absorbant tous les détails. Son large sourire s'étendait jusqu'à ses yeux. Mais ses belles boucles avaient disparu cependant. Il avait rasé ses cheveux récemment, par solidarité avec son frère. Erika était au bord des larmes, quant à moi, j'avais aussi du mal à me retenir de pleurer.

Je l'aimais.

Pour toujours. Pour toujours. Pour toujours.

– Toi, tu restes ici. Tu ne bouges pas jusqu'à ce que tu m'entendes jouer, et là tu vas rejoindre ton futur mari.

Erika était toujours sous le choc, mais elle acquiesça. Je me dirigeai vers le piano et, en commençant à jouer, je la regardai marcher dans l'allée qui menait à l'amour de sa vie. Les larmes coulaient sur ses joues, et coulaient sur les miennes aussi.

Ils avaient mérité ce moment. Plus que n'importe qui. Jacob lut son texte et les deux amoureux échangèrent leurs vœux, se promettant amour et assistance pour le meilleur et pour le pire, dans la joie comme dans l'adversité. Les battements de cœur douloureux comme les battements de cœur heureux. Les « toujours » et les « pour l'éternité ». Quand ils s'embrassèrent, tout le monde dans la pièce put sentir l'amour qu'ils éprouvaient l'un pour l'autre.

Puis on les fit sortir précipitamment de la pièce, éperdus de rires, de larmes et d'amour. Logan prit le micro des mains de Jacob et attendit quelques instants que je lui fasse signe quand Erika et Kellan seraient prêts à faire leur entrée solennelle. Il ouvrit les lèvres et sourit en prenant la parole.

– Mesdames et Messieurs, j'ai le plaisir de vous présenter, pour la toute première fois, Monsieur et Madame Kellan Evans !

Il fit un geste de la main vers Erika à la gauche de la pièce, puis vers Kellan sur la droite et ils avancèrent pour venir se rejoindre au milieu de la piste de danse.

– Avant de démarrer cette nuit de festivités, j'ai pensé que j'allais prononcer mon discours de garçon d'honneur maintenant. Alors, où que vous soyez, prenez un verre et écoutez.

Il eut un petit sourire tendu, et je vis les larmes lui monter aux yeux malgré tous ses efforts pour les contenir.

– Mon frère Kellan est un super-héros. Il ne sauve peut-être pas de villes, il ne porte peut-être pas de cape, mais il change des vies. Il a toujours vécu chaque journée comme si elle était chargée de magie. Il sourit quand cela fait mal. Il croit à l'amour, à la vie et aux happy ends. Il croit à la famille. Je veux dire, il a cru en moi quand je ne le méritais probablement pas. Lui et moi avons eu des enfances différentes. Quand lui croyait au bonheur, moi, j'étais empêtré dans des tragédies, mais il m'aimait quand même. Il a continué à m'aimer quand je me bagarrais avec mes démons, avec le feu qui me dévorait, avec ma douleur. Il m'aimait d'un amour inconditionnel. Sans limites. Et, grâce à cet amour, j'ai compris que je ne serais jamais seul.

Erika et lui aiment d'un même amour. Erika aime mon frère de tout son être. Elle irait en enfer et en reviendrait pour qu'il continue à sourire, même quand ça fait mal. Elle est attentionnée, intelligente et délicate. Par amour pour lui, elle m'a accueilli dans sa maison, même si je fichais le bronx dans chacune des pièces. Elle l'a aimé pour tout ce qu'il était, et avec tous les bagages pesants qu'il traîne avec lui – dont moi. Elle l'a aimé avant le cancer, elle l'a aimé pendant le cancer, et je jure devant Dieu qu'elle l'aimera après le cancer. Parce qu'elle l'aime d'un amour inconditionnel. Ces deux personnes sont des super-héros de l'amour. Ils sont la preuve que quand les choses vont mal, on peut toujours trouver des raisons de sourire. Ils se sacrifient l'un à l'autre, parce qu'ils savent que leur amour est authentique. Même dans l'obscurité, leur amour réussit à briller. Ces deux personnes m'ont appris à accepter l'amour. À croire en des lendemains qui chantent. À tout donner de moi, sans conditions. Alors, pour tout ça, je lève mon verre...

Il leva son verre en regardant son frère et Erika.

– ... aux bons jours comme aux moins bons, à l'amour inconditionnel dans lequel ils m'ont appris à croire. Puissions-nous tous rechercher cette sorte d'amour, puissions-nous tous le découvrir.

Son regard se tourna vers moi et une seule larme roula sur sa joue, en même temps qu'une larme roulait sur la mienne.

– Et quand nous le trouverons, puissions-nous le garder pour toujours, et toujours, et toujours.

Je lui envoyai un baiser et il l'attrapa pour le garder dans son cœur avant de se tourner de nouveau vers le couple.

– À Kellan et Erika et à leur amour éternel.

Tout le monde dans l'assistance applaudit, but et aima. Logan se tamponna les yeux et se mit à rire.

– Maintenant, s'il vous plaît, tout le monde libère la piste pour que les mariés puissent ouvrir le bal.

Je rejoignis Logan sur la scène et lui pris le micro des mains.

– Où sont passés tes cheveux, murmurai-je en passant la main sur son crâne rasé.

Il haussa les épaules.

– Ce n'est rien. Juste une coupe de cheveux.

– Non.

Je l'embrassai sur le front.

– C'est beaucoup plus que cela.

– Je t'aime.

– Je t'aime.

Il alla vers la guitare et la souleva en s'asseyant sur le tabouret tandis que j'allais m'installer au piano, posai le micro à côté de moi et attendis qu'il commence à gratter les cordes. Lorsque j'entendis les accords qu'il venait juste d'apprendre à jouer, je souris et l'accompagnai au piano avant d'entonner l'intro de la chanson d'Ingrid Michaelson « The way I Am ».

Leur chanson.

Kellan et Erika se balançaient sur la piste de danse, encore plus amoureux à chaque seconde. Pendant le solo de guitare, Logan prit la parole quand la porte d'entrée du restaurant s'ouvrit.

– Je vous prie d'accueillir les mères de la mariée et du marié.

Tous les yeux s'arrondirent, et toute l'assistance applaudit l'entrée de Julie et de ma mère ensemble. Mon cœur cognait dans ma poitrine et je me tournai vers Logan.

– Comment ?

Il haussa les épaules.

– J'ai fait quelques arrêts en route avant de venir ici.

– Tu es tout pour moi. Absolument tout.

***

Le mariage se déroulait à merveille, avec plus de rires et de larmes de joie que j'en avais vu depuis longtemps. Quand l'ambiance commença à retomber, nous sortîmes tous les quatre sur le parking du restaurant, Kellan et Logan toujours vêtus de leurs costumes et Erika et moi de nos robes.

– Logan et Alyssa, comment vous remercier ? Pour tout. Cette soirée était ce dont j'avais toujours rêvé, dit Erika.

Le regard qu'elle posait sur Kellan et la façon dont il la dévisageait me montraient ce qu'était réellement un amour authentique.

– Ce n'est rien. Kellan, je sais que tu as ton rendez-vous chez le médecin demain, et je viendrai avec toi. Mais je crois que ce soir je vais dormir chez Alyssa pour que les jeunes mariés aient la nuit pour eux tous seuls, dit Logan.

Kellan fit oui de la tête en souriant, mais Erika poussa un petit cri aigu.

– Non !

– Quoi ?

– Nous devons aller quelque part ensemble avant d'aller chacun de notre côté.

– D'accord. Où ça ? demanda Logan à ma sœur.

Un sourire malicieux apparut sur les lèvres d'Erika. En le voyant, je sus immédiatement où nous allions.

***

Nous étions là tous les quatre dans une allée de Pottery Barn, à examiner les différentes séries d'assiettes. Erika, les yeux plissés, en pleine réflexion, et nous autres à danser d'un pied sur l'autre.

– Vous étiez vraiment obligés de tout casser ? demanda -t-elle en penchant la tête sur le côté pour regarder quelque chose qui coûtait plus cher que ma robe de demoiselle d'honneur.

– C'était une idée de Logan, dit Kellan, envoyant son frère au casse-pipe.

– Alyssa était d'accord, répliqua Logan.

– Kellan m'a dit que tu t'en ficherais, dis-je pour faire bonne mesure.

– On ne peut rien me reprocher, dit Kellan, sur la défensive. J'ai...

– Un cancer, on le sait !

Logan, Erika et moi avions tous parlé en même temps. Il se mit à rire.

– Ok. Je compte jusqu'à trois et tout le monde montre du doigt la série que je dois prendre. Après, on ira voir les verres. Un, deux, trois !

– Celle-là !

Nous montrions tous une série différente, alors nous nous mîmes tous à discuter en même temps, en criant pour couvrir la voix des autres et en riant.

Après que nous nous étions enfin mis d'accord sur les assiettes, une sensation de calme et de paix s'installa dans l'allée. Je regardai autour de moi, ces personnes qui savaient tout les unes des autres, le bon, le moins bon et le carrément démoli. Je le voyais. Il était toujours là. À travers toutes les souffrances, les larmes et la destruction, l'amour que nous éprouvions les uns pour les autres avait réussi à survivre. D'une façon ou d'une autre, nous étions toujours liés les uns aux autres.

Mes amis.

Ma famille.

Ma tribu.

D'une façon ou d'une autre, nous étions incassables.

47

LOGAN

Il faisait froid dans le cabinet de JC. Plus froid qu'il n'était nécessaire. Mais j'avais l'habitude maintenant. Je n'avais pas manqué un seul des rendez-vous de Kellan depuis mon retour à True Falls.

Sur le côté gauche de son bureau, il y avait un pot de jelly beans et un de réglisses rouges du côté droit. *Au moins, il a laissé tomber les réglisses noires, c'est déjà ça.*

Je croisai les bras pour me réchauffer. *Putain.* J'étais gelé. Je tournai les yeux vers Kellan, assis dans le fauteuil à côté de moi. Quand je relevai les yeux sur JC, je vis que ses lèvres remuaient plutôt vite. Il continuait à expliquer la situation encore et encore. En même temps, je ne pouvais pas en être certain, parce que j'avais arrêté d'écouter.

Je ne savais pas exactement à quel moment j'avais arrêté d'entendre les mots qui sortaient de sa bouche en cascade, mais depuis cinq ou dix minutes je me contentais de regarder bouger ses lèvres.

J'avais agrippé les bras de mon fauteuil et je les tenais serrés.

Erika était assise de l'autre côté du fauteuil de Kellan. Les larmes coulaient sur ses joues.

– Ça marche ? s'écria-t-elle soudain, me tirant de ma torpeur.

– Ça marche.

La voix de JC contenait beaucoup d'espoir, il y avait même un sourire sur son visage.

– La chimiothérapie marche. On n'est pas encore sortis du tunnel, mais on va dans la bonne direction.

Un sentiment d'espoir me submergea, me coupant le souffle. Mon cœur se mit à battre de façon tellement désordonnée que tout mon organisme réagit de façon terrifiante.

– Je...

Je m'arrêtai. Je sentais confusément qu'il fallait que je dise quelque chose, parce que Kellan restait muet. Mais je ne trouvais pas les mots justes. Y avait-il des mots justes dans une situation comme celle-ci ?

Je m'accrochai plus fermement à mon fauteuil. Je me passai la main sur la joue et m'éclaircis la voix.

– Ça marche ?

Il se remit à parler, mais j'arrêtai aussitôt d'écouter. Je pris la main de Kellan et la serrai pendant qu'Erika serrait l'autre.

Mon frère, mon héros, mon meilleur ami se battait contre le cancer.

Il allait *vaincre* le cancer.

Et je pus enfin respirer.

* * *

Ce soir-là, je montai avec Alyssa sur le panneau publicitaire pour regarder les étoiles qui constellaient le ciel. Nous partageâmes des Oreos aux framboises et des baisers à nous couper le souffle, nous remémorant tout ce que nous avions traversé et rêvant de tout ce qui nous attendait.

– J'ai aimé le DVD que tu m'as donné sur le mythe grec du phénix, dis-je alors que nous étions assis sur la corniche du panneau publicitaire, les jambes ballantes. J'ai adoré l'idée de cet oiseau qui meurt mais qui renaît de ses cendres et à qui on donne une deuxième chance de vivre.

Elle sourit.

– Oui. Tu es comme le phénix, Logan. Tu es allé si loin, tu as vu tellement de choses et tu as pu renaître.

Je secouai la tête.

– J'ai approfondi les recherches sur les différentes mythologies et les différentes croyances sur le phénix et ce qu'il représente. La légende grecque m'a plu, mais c'est la croyance chinoise qui m'a le plus parlé.

– Et que dit la croyance chinoise ?

– Le phénix était généralement vu comme double, à la fois mâle et femelle. Les deux phénix réunis représentaient le yin et le yang. Ils étaient deux parties d'un tout. Le phénix femelle était la partie passive, douce et douée d'intuition, alors que le mâle était assertif, celui qui agissait. Un couple indissociable. Dans certaines parties du monde, on offre le symbole des deux phénix en cadeau de mariage, un signe d'éternité et de lendemains heureux.

– C'est beau, dit-elle.

– C'est ce que je me suis dit.

Nous restâmes silencieux un moment pour regarder le ciel au-dessus de nos têtes.

– High ?

– Oui ?

J'avais les mains moites en sortant une petite boîte de ma poche. En la voyant, Alyssa prit une inspiration rapide, puis elle me regarda droit dans les yeux.

– Que fais-tu, Lo ?

– Vérité ou mensonge ?

– Mensonge.

– Je ne fais absolument rien.

Sa lèvre inférieure se mit à trembler.

– Et la vérité ?

– Je commence à renaître de mes cendres. Je ne suis qu'aux premiers stades de la renaissance, mais je sais que, dans mon ascension, je veux que tu sois liée à moi pour toujours.

J'ouvris la petite boîte et en sortis une bague de fiançailles sur laquelle deux phénix étaient côte à côte, reliés par un diamant situé au centre, entre leurs ailes.

– Tu es ma guérisseuse. Tu es ma force. Tu es mon éternité, et si tu es d'accord, si cela te convient, j'adorerais que tu deviennes ma femme.

– Vraiment ? dit-elle d'une voix douce.

– Vraiment.

Elle vint tout contre moi et posa ses lèvres sur mes miennes.

– Pour toujours, Lo, dit-elle d'une voix tremblante.

Je pris sa main dans la mienne et fis glisser l'anneau à son annulaire, en l'embrassant doucement.

– Pour toujours, High.

ÉPILOGUE

LOGAN

Sept ans, un mariage, un rétablissement total, deux bébés et un amour renforcé plus tard

J'étais heureux.

Je ne possédais pas grand-chose, et je n'avais pas beaucoup d'histoire de réussite exceptionnelle à léguer à mes enfants. Je n'étais pas un milliardaire génial. Je n'avais pas trois diplômes universitaires. Je travaillerais probablement une bonne partie de ma vie pour joindre les deux bouts, mais j'y parviendrais toujours parce que l'amour était ma richesse. J'avais trois personnes qui comptaient sur moi pour ne pas baisser les bras quand les temps étaient durs. J'avais trois personnes qui croyaient en moi et en mes rêves.

Alyssa et moi avions réussi à mettre en route un de nos rêves communs : High&Lo, restaurant et piano-bar.

Cela faisait deux ans maintenant qu'on avait ouvert, et après mes enfants, c'était une de mes plus belles réussites. Pourtant, je faisais tout mon possible pour aller plus loin.

Un jour, j'offrirais le monde à mes enfants et à ma superbe épouse. Mes enfants ne souffriraient jamais du manque d'amour. On les aimait déjà avant même qu'ils soient venus au monde.

Alyssa, mon bel amour, m'avait sauvé la vie.

Elle m'avait donné une raison de vivre, et c'était un honneur d'être aimé d'elle. Je lui avais juré que je n'oublierais jamais la façon dont elle m'avait tout donné d'elle quand je n'avais plus rien à lui donner en échange. Elle m'avait juré que je n'étais pas le produit de mon passé et qu'elle savait que j'étais promis à un avenir merveilleux.

Elle était le feu dans mon âme, qui me tenait chaud la nuit.

– C'est trop haut, s'écria Kellan, mon fils de cinq ans, alors que nous nous dirigions vers l'échelle du panneau publicitaire.

Il portait le même nom que son oncle, qui poursuivait toujours son rêve de devenir un musicien reconnu, rêve dont il s'approchait un peu plus chaque jour.

Sa petite sœur Julie, assise sur mes épaules, regarda en l'air.

– Oui, Papa ! Trop haut !

On lui avait donné le nom de sa grand-mère, la femme qui avait connu plus de jours sombres que d'autres mais qui, maintenant, pouvait marcher au soleil et qui, depuis sept ans, avait réussi à maintenir ses démons à distance. Ce n'était pas facile tous les jours, mais chacun d'entre eux était une bénédiction.

Je souris à Alyssa, qui m'avait prévenu que les gosses trouveraient cela trop effrayant, mais je voulais qu'ils voient les étoiles cette nuit-là de l'endroit même où j'étais tombé amoureux pour la première fois.

– On a des couvertures, dit Alyssa. On peut toujours les étaler par terre et regarder le ciel d'en bas.

– On peut faire ça, Papa ? On peut juste regarder d'en bas au lieu de monter ? demanda Kellan.

– Bien sûr. C'est encore mieux.

Ce soir-là, nous regardâmes en silence le ciel constellé d'étoiles qui devenait de plus en plus sombre. Je tenais Alyssa par la taille et elle était appuyée contre moi, me laissant être celui qui la soutenait. Tous les soirs, nous regardions le soleil se coucher, où que nous soyons, et nous nous réveillions tôt pour le regarder se lever de nouveau. C'était ça la vie : même quand les jours s'obscurcissaient, on avait toujours droit à une seconde chance, un second moment pour essayer encore de renaître de nos cendres.

Les gamins couraient et jouaient autour de nous, et Alyssa et moi regardions les vies que nous avions créées. Ils étaient nos lendemains qui chantent, les cadeaux qui nous avaient apporté tant de joie.

Bon Dieu, comme j'étais heureux.

J'étais tellement heureux, en sécurité et comblé d'amour.

Quand la nuit fut tombée et qu'une brise fraîche passa sur nous, j'attirai Alyssa contre moi et lui murmurai à l'oreille :

– Pour toujours, High.

– Pour toujours, Lo.

Je haussai les épaules.

Elle haussa les épaules.

Je ris.

Elle rit.

J'entrouvris les lèvres.

Elle entrouvrit les lèvres.

Je penchai la tête.

Elle pencha la tête.

Nos lèvres s'unirent et, alors même que mes pieds étaient fermement plantés sur le sol, je n'avais jamais plané aussi haut de ma vie.

FIN

REMERCIEMENTS

Tellement de personnes m'ont aidée à réaliser ce roman que je ne sais pas qui remercier en premier.

Je vais commencer par ma meilleure amie. Maman, tu m'as aidée à aller jusqu'au bout de ce livre. Je ne sais pas où j'en serais sans toi. Tu rends la vie de tant d'êtres plus belle que je suis très heureuse de t'appeler ma meilleure amie.

Alison, Allison, Christy et Beverly : merci d'avoir pris le temps de collaborer à la relecture de l'histoire d'Alyssa et Logan. Vous m'avez aidée à m'apercevoir des problèmes que posait l'intrigue et vous m'avez donné le meilleur des retours. Vous êtes toutes dans mon cœur et je ne vous remercierai jamais assez.

Merci à ma merveilleuse éditrice Caitlin de chez Edits By C, Marie : tu es incroyablement douée.

À mon autre éditrice Kiezha : merci, non seulement de m'avoir aidée avec les corrections mais aussi d'avoir discuté avec moi de l'intrigue jour après jour. Tu as rendu cette histoire plus dense, et je t'aime pour ça.

À Danielle Allen : tu es tout pour moi. Sérieusement. Nous avons parlé tous les jours pendant les deux derniers mois et tu m'as pris la main quand je craquais. Tu m'as toujours tenu les propos qui m'inspiraient quand j'en avais le plus besoin. Tu m'as fait rire quand j'avais envie de pleurer. Je t'aime, mon amie.

À Staci Brillhart : pour toutes les heures passées au téléphone avec moi pour discuter de l'intrigue.

Pour toutes les heures passées sur Messenger avec moi (DES MOIS !) pour t'assurer que j'allais bien. Le monde aurait besoin de plus de belles âmes comme toi. Merci d'exister, et merci de m'autoriser à t'appeler mon amie.

À ma tribu : vous savez tous qui vous êtes. Mon cœur bat à l'unisson des vôtres. Toujours.

À Ryan : tu dors maintenant, à quelques centimètres de moi, pendant que je tape ces mots au petit matin. Mon cœur est comblé. Merci de me prendre dans tes bras au milieu de la nuit quand je me réveille en panique, terrorisée par l'inconnu. Merci de me faire sourire chaque jour. Merci de m'aimer. Tu es le feu qui me tient chaud.

À ma relectrice, Judi : tu m'as sauvé la vie à la dernière minute et tes compétences sont époustouflantes. Je suis dingue de toi !

À tous ceux qui ont fait de ce livre une réussite visuelle : le photographe de la couverture. Franggy, pour la superbe photo de couverture et Staci, de Quirky Bird, pour le design.

À mes agents qui croient en moi quand je n'y parviens pas moi-même. Vous avez réalisé tous mes rêves. Merci.

Aux lecteurs : merci de miser sur moi et sur mes romans. Vous avez changé ma vie plus que vous ne pouvez l'imaginer.

Et pour finir, un grand merci à ma famille. Pour les bons moments et les moins bons, c'est toujours vous que je choisirai.

XoXo !

À PROPOS DE L'AUTEUR

Brittainy C. Cherry, auteure à succès d'Amazon, a toujours été amoureuse des mots. Elle est sortie de l'université Carroll avec, en poche, une licence de théâtre et un diplôme de Creative Writing. Brittainy vit à Milwaukee dans le Wisconsin, avec sa famille. Quand elle n'est pas occupée à faire un million de courses ou à imaginer des histoires, elle joue probablement avec ses adorables animaux de compagnie.

Retrouvez-la sur Facebook :
www.facebook.com/BrittainyCherryAuthor
www. Twitter.com/brittainycherry

Retrouvez l'actualité de Brittainy C. Cherry
et celle de tous les titres de la collection
New Romance® sur notre page Facebook :
www.facebook.com/HugoNewRomance
www.hugoetcie.fr